O Self essencial

O Self essencial

Cinco contos e uma novela de Will Self

Tradução
Cássio de Arantes Leite

Editora Objetiva Ltda.
Rua Cosme Velho, 103
Rio de Janeiro — RJ — Cep: 22241-090
Tel.: (21) 2199-7824 — Fax: (21) 2199-7825
www.objetiva.com.br

Capa
Retina_78

Imagem de capa
Prakaymas Vitchitchalao

Revisão
Eduardo Rosal
Eduardo Carneiro
Fatima Fadel

Editoração eletrônica
Abreu's System Ltda.

CIP-BRASIL. CATALOGAÇÃO NA PUBLICAÇÃO
SINDICATO NACIONAL DOS EDITORES DE LIVROS, RJ

S466s

Self, Will
O Self essencial: cinco contos e uma novela de Will Self / Will Self; tradução Cássio de Arantes Leite. – 1. ed. – Rio de Janeiro: Objetiva, 2014.

291p. ISBN 978-85-7962-275-5
Tradução de: *Ward 9; Understanding the Ur-Bororo; The Rock of Crack as Big as the Ritz; Tough, Tough Toys for Tough, Tough Boys; The Five-Swing Walk; Leberknödel*

1. Ficção inglesa. I. Leite, Cássio de Arantes. II. Título.

13-05865 CDD: 823
CDU: 821.111-3

Sumário

A pedra de crack grande que nem o Ritz

Um edifício, sólido e imponente. Ao longo de sua base compacta estendem-se arcos elevados, formando uma barreira de colunata em seu couro rijo. No centro ficam portas altas e transparentes, flanqueadas por colunas. Há um frontão na seção intermediária da fachada e, perfilados ao longo dele, a intervalos de cinco metros, veem-se os rostos impassíveis de antigos deuses e deusas. Elevando-se acima deles seguem-se fileira após fileira de janelas, cada uma um olho luxuriante. O edifício todo é denso, retangular e branco, de um branco leitoso, translúcido.

Acima das portas centrais há um letreiro, as letras destacadas individualmente por fileiras de lâmpadas brancas. O letreiro diz: THE RITZ. *Tembe olha para o hotel luxuoso, olha e depois atravessa a Piccadilly, driblando o tráfego, os táxis cantando seus pneus, as vans piando suas buzinas, os ônibus grasnando as deles. Ele vai até a entrada. Um porteiro posta-se imóvel junto a sua morosa incumbência giratória. Ele também é branco, branco leitoso, translúcido. Seu rosto, branco; suas mãos, brancas; seu casaco pesado cai quase até seus pés em pregas petrificadas de branco leitoso, translúcido.*

Tembe estica a mão negra. Encosta a palma contra a coluna que flanqueia a porta. Admira o contraste de cor: o negro sumindo nos contornos amarelados dos dedos e depois no branco, no branco leitoso, translúcido. Ele cutuca a coluna, cutuca como um menino que estraga o reboco na parede da escola. Cutuca e arranca um pedacinho da superfície. O porteiro olha para além dele com olhos cegos, leitosos, translúcidos.

Tembe tira um cachimbo de vidro do bolso da jaqueta e enfia o pedacinho na ponta quebrada do tubo de Pyrex, como se fosse o fornilho. Pondo o cachimbo na calçada, na base da parede branca, de seu outro bolso tira um maçarico portátil. Ele acende o maçarico com um fósforo que risca na calça jeans. O maçarico brilha, com seu clarão amarelo; Tembe suaviza para uma língua de fogo azulada e sibilante. Apanha o cachimbo de crack e, enfiando a haste entre os lábios secos, começa a roçar o fornilho com a chama azulada.

Os fragmentos de crack no cachimbo se liquefazem em um Angel Falls miniatura de fumaça fluida que despenca no corpo globular do cachimbo, onde revolve e borbulha. Tembe traga e traga e traga, sentindo a onda crescer dentro dele, transbordar para fora dele, suprimindo a distinção. Ele traga e traga até se tornar apenas o ato de tragar, apenas a ação: uma biruta com um vendaval de fumaça de crack soprando nela.

"Tô fumando", ele pensa, ou talvez apenas sinta. "Tô fumando uma pedra de crack grande que nem o Ritz."

Quando Danny deixou o exército depois da Tempestade no Deserto ele voltou para Harlesden, no noroeste de Londres. Não era tanto que gostasse da área — como podia? —, mas sua turma estava lá, os caras com quem tinha crescido. E também havia seu tio, Darcus; o velho não tinha ninguém para cuidar dele agora que Hattie morrera.

Danny não gostava de pensar em si mesmo como ficando excessivamente responsável por Darcus. Não tinha certeza nem se o velho era mesmo tio dele, ou tio-avô, podia até ser tio-bisavô. Hattie sempre fora menos ligada nos aspectos formais da família — que parentesco exatamente os adultos e as crianças tinham entre si — do que no lado prático, quem cuidava da comida para quem, quem dormia com quem, quem não deixava quem cabular aula. Até onde Danny sabia, Darcus podia ter sido seu pai, ou talvez nem fosse de fato um parente.

A mãe de Danny, Coral, que ele nunca tinha conhecido de verdade, dera outro nome para ele, Bantu. Danny era Bantu e seu irmão menor se chamava Tembe. Coral dissera para a tia Hattie que o pai dos meninos era africano, daí os nomes, mas ele nunca acreditou nisso, nem por um segundo.

"O nome não quer dizer nada", disse o rebatizado Danny para Tembe, quando sentavam no banco diante da estação do metrô de Harlesden, tomando Dunn's River e vendo o empurra-empurra dos desempregados, mendigando grana para um rango ou um vinho de cozinha. "O nome da gente é idiota, pra começo de conversa. Bantu! Tembe! A nossa mãe achou que era tipo superdescolado, e africano, mas viajou total, cara. Bantu é uma porra de *tribo* e Tembe, isso é só a porra de um tipo de *música*."

"Não tô nem aí", respondeu Tembe. "Eu curto meu nome. Agora que eu cresci —", projetou o peito para a frente, tentando estufar o tecido da jaqueta — "eu falo pra todo mundo me chamar de Tembe, assim pelo menos ninguém me desrespeita nem nada". Tembe estava com dezenove anos, um rapaz espigado e sem jeito, de pele preto-amarelada e rosto achatado.

"Tchuu!" Danny chupou a parte de dentro da bochecha, com desprezo. "Você é um puta mongol do caralho, Tembe, vou dizer uma coisa pra você. Sorte sua que eu larguei a porra do serviço e voltei pra abrir um pouco essa tua cabeça dura."

E os dois rapazes ficaram ali passando a Dunn's River de mão em mão. Danny estava com vinte e cinco anos, e Tembe tinha de admitir que não parecia nada mal. Durão, com certeza, ninguém ia duvidar disso. Sempre fora durão, e esquentado, também, sem nunca engolir sapo de ninguém.

Danny, bem mais velho, tinha sido uma espécie de herói para Tembe, na escola. Ele era carne de pescoço, mas ao mesmo tempo ia bem nas aulas. O problema era que não se concentrava ou, como os professores diziam, não se empenhava. "E pra quê?", costumava dizer ele para Tembe. "Tirar uma porra de C, daí um A, e o que cê faz com isso depois, hein? Vai pro Centro de Empregos, igual a qualquer outro negão de merda? Cê conhece a piada: o que a gente diz pra um preto com emprego? 'Me vê um Big Mac com fritas...' Cara, eu é que não vou pagar esse pau. Lembra do que o Mutabaruka diz, não é nada bom ficar na terra do homem branco muito tempo. Não é a real?"

De modo que Bantu, como ainda era na época, acabou enfiando na cabeça de voltar para a Jamaica. Segundo dizia era "voltar", mas ele não sabia exatamente, tia Hattie sendo meio que vaga quanto às origens, tanto quanto era em relação aos laços de família. Mas ele convenceu Stan, que cuidava do peixe & fritas Montego Bay, na Manor Park Road, a arranjar um emprego para ele com um primo em Kingston. Em termos de raízes, a coisa toda era um tiro no escuro, mas em se tratando de carreira, Bantu estava no caminho certo.

Em Kingston, ficou sabendo que o primo de Stan tinha morrido, ou sumido, ou nunca nem existido. Bantu ouviu todas essas versões antes de desistir de procurar. Em algum momento, nos seis meses seguintes, largou o "Bantu" e adotou "London", pelo fato de que — no entender dos jamaicanos — essa era sua verdadeira proveniência. E mais ou menos na mesma época em que isso aconteceu, sossegou como empregado regular de um sujeito chamado Skank, cujos negócios incluíam a compra de pó que chegava pelo mar e o preparo de crack para vender nas ruas de Trenchtown.

Skank fazia para London sermões motivacionais regulares, palestras destinadas a incentivá-lo no trabalho: "Cê pega um cara adulto, ele é todo engripado, saca. O cara não tem fle-xi-bi-li-da-de, então não tem pos-si-bi-li-da-de. Mas pega um cara novo, a juventude aprende, a juventude consegue apreciar o que cê tem pra dizer pra ela... Tá me escutando, doido?" London achava a maior parte do que Skank dizia um monte de merda, mas não achava as M16s lubrificadas, brilhantes, escondidas debaixo do assoalho na casa de Skank, um monte de merda, e sem dúvida tampouco a pequena Glock irada que o negão cheio de dreads levava num coldre sob o braço, tão distante de um monte de merda quanto dava para ser.

London se deu bem trabalhando para Skank. Às vezes levava meio nas coxas, mas no geral seguia as ordens do chefe ao pé da letra. E numa coisa em particular se revelou ser um cara realmente sério: nunca encostava um dedo no produto. Um baseado aqui e ali, só pra fazer a cabeça. Mas nada de pedra, não mesmo, nada de *crack* — e nada de pó, também.

London via os traficantes, via também seus colegas de vapor e avião, como ele. Via todo mundo chapado com a própria mercadoria. Tão chapados que viam coisas que nem estavam lá: filamentos elétricos saindo da carne, prova de que os ETs tinham enfiado transmissores na cabeça deles. E também ouviam coisas, como helicópteros de vigilância da DEA circulando em volta do quarto. Então London nem encostava naquela porra — ele nem *queria* encostar.

Um ano quebrando pedra em Trenchtown era quase que o máximo de aprendizado que dava para ter. Esse era um ramo onde você passava direto do período de experiência para a aposentadoria, sem nada como uma carreira entre uma coisa e outra. London estava ficando conhecido, então Skank o mandou para a Filadélfia, Pensilvânia, onde as oportunidades floresciam, esse sendo o final de uma década muito boa para os negócios.

London mal conseguia acreditar naquela cidade. Não conseguia acreditar que ele e sua gangue de jamaicanos — Yardies — podiam agir na boa daquele jeito. Se você estivesse longe do centro e dos bairros brancos, podia meio que atirar onde bem entendesse. London e sua turma costumavam andar na caranga com os vidros abaixados, simplesmente mandando ver, descarregando suas nove milímetros nos velhos prédios marrons.

Mas no geral a artilharia pesada era só para se exibir. Os jamaicanos tinham uma reputação tão ruim em Fili que na verdade nem precisavam fazer qualquer coisa com alguém. De modo que era como cuidar de um comércio a varejo qualquer num lugar qualquer: controle de estoque, margem de lucro, gerenciamento de problemas. London ficou entediado e começou a fazer uns negócios que não devia. Continuava sem encostar a mão no produto — não era otário de se meter nessa —, mas fez coisa pior. Começou a se meter a besta com Skank.

Quando o terceiro quilo evaporou, Skank ficou desconfiado e mandou um capanga dar uma palavrinha com seu vapor. Mas London já se escafedera: linhas aéreas caribenhas para Trinidad e depois linhas aéreas britânicas para Londres, de maneira a encobrir seu rastro.

De volta a Londres, London mudou de nome, que ali já não fazia o menor sentido. Por algum tempo ficou assim, sem nome e sem trampo. Bundando por Harlesden, jogando bilhar com Tembe e o resto da rapaziada desempregada. Vivia do que ganhava com a droga furtada de Skank e mantinha a cabeça baixa, bem baixa. Havia oportunidade de trabalho sobrando para um jovem esperto que soubesse manusear uma arma, mas tivera uma boa amostra dessas coisas em Trenchtown e em Fili, e sabia que nessa vida não ia durar. Além do mais, os tiras londrinos tinham um jeito meio antipático de lidar com preto armado. Atiravam pra matar. E também não podia se meter de jeito nenhum com os jamaicanos. A notícia chegaria em Skank, que tinha também uma política toda própria nesse assunto de atirar e matar.

Sem entender muito bem como nem por quê, foi parar um dia no centro de recrutamento, na Tottenham Court Road. Primário completo? Claro — mais de uma vez. Experiência?

Escola militar, essas coisas. Achou que isso explicaria sua familiaridade com as armas, embora, quando chegasse a hora do treinamento, o sargento ia saber muito bem que era a maior balela. Regimento? Queria alguma coisa com reputação, com reputação de combate. Infantaria, essas coisas. Royal Green Jackets? Por que não?

"Bantu" parecia a coisa mais estúpida no formulário. Deu um sorriso largo para o sargento: "Era pra ser 'Zulu', na verdade."

"A gente não se importa com seu nome, filho. Você tem uma família nova, agora, então pode arrumar um nome novo pra você, se quiser." E foi assim que ele virou Danny. O ano era 1991 e Danny assinou por dois anos de serviço.

Pelo menos tinha uma casa para ir quando saiu do exército. Fora suficientemente precavido para empatar a grana de Skank num teto na Leopold Road. Um sobradinho eduardiano que era um lugar para tia Hattie, e para Darcus, e Tembe, e todos os supostos parentes que não paravam de dar as caras. Danny era um páter-famílias, relutante, deixava toda a administração da casa para tia Hattie. Mas quando voltou as coisas estavam diferentes: Hattie morta, Darcus quase senil, pescando na poltrona com seu formulário dos cavalinhos, dependente do serviço social: enfermeira e sopão em domicílio. Danny ficava injuriado de ver o tio naquele estado lastimável.

Mas a casa também estava um desleixo só. Se você pisasse duro demais no assoalho, no andar de baixo, ou se subisse trotando as escadas, pequenas nuvens de gesso eram sopradas nos cantos do teto. O encanamento vivia entupido e havia manchas de umidade sob todas as janelas, no andar de cima. Na cozinha, o linóleo descascava junto ao pé do fogão, revelando outras camadas de linóleo mais antigo, como uma pele doente coberta de gordura e sujeira.

O exército mudara Danny. Ele entrou um pretinho desmiolado, raivoso, potencialmente violento; e saiu um negrão frustrado, eficiente, raivoso. Sua aparência mudara, também. Os adornos da moda haviam ficado no passado, todas as grossas argolas de ouro: anéis, brincos, braceletes. No passado também o cabelo extravagante. Em vez disso era agora o cocuruto esculpido, rente e achatado, e as roupas casuais sugerindo "militar". Danny sempre fora magro, mas no exército ganhara corpo. Mais escuro que Tembe, seus traços também eram mais afilados, mais esbeltos. Agora parecia inteiramente no esquadro, compacto, como se alguém tivesse desbastado dele todo o excesso.

"Que é que cê vai fazer agora, hein?", perguntou Tembe, os dois irmãos fumando um bequezinho e tomando cerveja diante do páreo no sábado à tarde. Darcus balançava a cabeça num canto. Na tevê, um sujeito com costeletas cavalares fazia seus prognósticos equinos.

"Sei lá. Nada contra a lei, pode apostar. Daqui pra frente vou ficar só na moral. Já vi matança suficiente pra uma vida inteira, cara."

"Pode crer. A matança." Tembe se apoiou nos braços de vinil da poltrona para aprumar o corpo, animado. "Conta pra mim, Bantu. Fala sobre a matança e essas coisas. Como era de verdade, no combate?"

"Danny. O nome é Danny, agora. Não esquece, cuzão. Bantu já era. E tem mais uma coisa, para de me perguntar sobre a guerra. Cê não ia querer saber. Se eu te contasse a metade, você ia se cagar todo nas calças. Então esquece."

"Só que... Só que... Se você não vai traficar, cê vai fazer o quê?"

"Vou me virar, porra. É isso que eu vou *fazer*, brou. Olha só o estado desse lugar. Se você quer continuar morando aqui com aquela sua vadia largada, melhor fazer alguma coisa também. Me ajuda a dar um jeito nisso aqui."

A "vadia largada" era Brenda, uma namorada que Tembe trouxera para casa uma semana depois que seu irmão foi para o estrangeiro. Eles dormiam juntos numa montanha de lixo empilhado no andar de cima, geralmente cheirando a álcool, ou pedra, ou as duas coisas.

Danny começou pelo porão. "Impermeabilizar, é mesmo?", disse Darcus, emergindo de sua névoa e lembrando do trabalho em construção de décadas atrás: traz aquela lata, negão; risadas irlandesas; cimento misturado; dores no pulso. "É. Isso mesmo, tio. Vou arrancar aquela parede podre do fundo e pintar de novo."

"A geminada, é?"

"Não, a do outro lado."

Ele alugou uma furadeira industrial. Comprou luvas, óculos de proteção, macacão, máscara. Mandou Tembe ao depósito, para buscar dois mil tijolos, sacos de brita de cinquenta quilos, areia e cimento. Enquanto ele ia, Danny desceu a escada caindo aos pedaços, acendeu a lâmpada amarelada e começou.

A broca afundou no reboco. Danny foi furando primeiro para cima, depois para o lado, contornando, de modo que pudesse arrancar uma seção inteira da parede. O pó era cruel, e o barulho também. Danny continuou firme, imaginando que a parede era alguém que quisesse matar, algum cabeça de toalha do deserto, ou Skank, a pedra em seu sapato. Apoiava a pesada máquina na cintura, fazendo pose de herói de ação nos quadrinhos, e sentiu o reboco tremer, depois se desintegrar.

Um pedaço da parede veio abaixo. Mesmo sob a luz mortiça do porão Danny podia perceber que não era terra — o que estivera esperando — do lado de lá da alvenaria. Havia fragmentos da coisa na ponta da broca, e raspas retorcidas parecendo coco, espalhadas no chão irregular.

Danny ergueu os óculos de proteção e puxou a máscara do rosto. Agachou, pegou um punhado daquele negócio e aproximou do rosto. Era branco-amarelada, com uma consistência entre cera e giz. Danny tirou a luva e apertou entre as unhas. A coisa descamou e se desmanchou. Ele passou uma pitada no lábio inferior e provou. Tinha gosto químico. Ficou olhando perplexo para o retalho de um metro quadrado aberto por ele. A luminosidade da lâmpada balançando executava estranhas patinações na pátina irregular. Aquilo era cocaína de crack. Danny achara crack.

Tembe ficou puto quando voltou e descobriu que Danny não tinha nenhuma utilidade para os tijolos. E nenhuma utilidade para a brita, nem para o cimento, nem para a areia, tampouco. Mas tinha utilidade para Tembe.

"Cê curte essa merda, certo?" Danny estava sentado na mesa da cozinha. Segurava uma pedra de crack do tamanho de um ovo de pomba entre o polegar e o indicador.

"Putaquemepariu!" Tembe sentou pesadamente. "Tem grama paca aí, cara. Onde cê conseguiu isso?"

"Cê não precisa saber. Não precisa saber. Isso é comigo. Descolei um canal pra nós. A gente tá de volta ao mercado." Fez um gesto na direção da mesa, onde um toco de lápis repousava sobre um pedaço de papel cheio de contas rabiscadas. "Eu cuido do fornecimento, cê cuida da distribuição. Toma —", jogou o ovinho de crack para Tembe "— aí tem quase um oitavo. Separa em vinte — quero uma pila de volta. Dá pra você tirar quarenta — e ainda deve sobrar uma carinha pra você dar um tapa".

Tembe olhava maravilhado para o ovo aninhado na palma de sua mão. "É coisa pura, essa? É do bom, é?"

"Top de linha! Puríssimo. Saído do forno. O bicho. Vai dar um teco pra sua vadia, vê o que ela acha do produto. Depois se manda e vende um pouco."

Tembe saiu da cozinha. Nem sequer se tocou do cadeado novinho em folha trancando a porta do porão. Sua preocupação era um cachimbo. Danny voltou a somar suas colunas de números.

Danny retomou sua carreira no comércio de crack com grande circunspecção. Para começar, tentou averiguar o tamanho de seu estoque. Obteve emprestado um jogo de varas de desentupir encanamento e enterrou-as na face exposta do crack no porão. Mas por mais que acrescentasse varas e por mais fundo que fosse, não conseguia chegar ao fim da pedra, em nenhuma direção. Arrancou uma parte maior da alvenaria e também abriu o chão. Onde quer que escavasse, era mais crack. Danny concluiu que a casa inteira devia estar alicerçada numa gigantesca pedra de crack.

"Passarinho que fura pedra", refletiu ele em voz alta, "sabe o cu que tem, essa é a real".

Mesmo se a rocha gigante fosse apenas uma fração maior do que as varas indicavam, ainda assim seria grande o suficiente para inundar o mercado de crack em Londres, talvez até na Europa inteira. Danny não era nenhum bobo. Solte uma quantidade muito grande dessa pedra nas ruas, e não demora para chamar a atenção de Skank e outros do mesmo naipe. E esses jamaicanos não tinham respeito nenhum. Eram como macacos que acabaram de descer da porra da árvore — assim Danny advertia Tembe —, não estavam nem aí para lei nenhuma, branco ou preto, criminoso ou cidadão.

Não. E se Danny tentasse entrar em algum tipo de acordo com eles, se de algum modo desse a entender que dispunha dos recursos... Não. Isso também não ia dar certo. Eles seguiriam seu rastro e o achariam. Danny já vira como os homens ficavam quando eram acordados de manhã. Despertados de um sono drogado sobre colchões puídos, despertados com pequenas Glocks iradas atrás de suas orelhas amassadas. Despertados de modo que manchas cinzentas se espalhavam sob quadris marrons. Não. Isso, não.

Danny adicionou outro robusto cadeado à porta do porão, e um alarme acionado por raio infravermelho. Com um intendente corrupto em Aldershot que lhe devia um favor, ele conseguiu uma mina terrestre em troca de uma onça da parede, quase trinta gramas. Enterrou a mina no chão de terra batida do porão.

À noite, Danny ficava sentado à luz amarela da iluminação de rua que entrava pela janela do seu quarto. Tragando meditativamente um beque, ele calculava seus movimentos. Ir na manha, esse era o jeito. Usar Tembe como avião e criar uma carteira de clientes, na boa, sem pressão. Parar de passar a droga para os jovens negros de Harlesden e encontrar uns clientes brancos de grana, ponta firme.

O bom de mexer com pedra — coisa que Danny sabia perfeitamente — era que a demanda logo superava a oferta. Encontre uns gourmets que acabaram de pegar gosto pela trufa química e daí você pode contar com a voracidade deles mesmos para virarem uns porcos brancos, glutões, enterrando o focinho no chão. Contanto que o dinheiro continuasse entrando, é claro.

E assim foi. Tembe girava por Harlesden com o crack que Danny lhe arranjava. Logo ele era capaz de vender um quarto, ou até meia onça, num dia. Danny recolhia a grana de Tembe com zelo missionário. Não ia prestar deixar o irmãozinho pirando demais em cima de sua margem de lucro. Ele também comprou para Tembe um pager e um celular. O pager para receber recados, o celular para mandar. Mais seguro, desse jeito.

Enquanto Tembe rodava de busão pelo pedaço, de Kensal Green, no sul, a Willesden Green, no norte, Danny se mandava para a cidade a fim de cultivar uma nova clientela. Ele começou usando parte da grana que entrava com Tembe para alugar horários nos estúdios de gravação. Contratou músicos profissionais para gravar covers de skas que adorava quando criança. Mas essas covers eram mais percussivas que melódicas, cheias dos ritmos agressivos, bate-estacas, do Ragga.

Por intermédio dos engenheiros e músicos, Danny conheceu brancos chegados numa pedra. Cuidou com carinho desses contatos, mimando-os com pechinchas, até que estes o apresentaram a clientes ainda mais ricos chegados numa pedra. Movendo-se devagar por esses grudentos filamentos de esganação pela droga, como se fosse uma aranha fiadora de crack, Danny logo se viu nos recessos mais escuros e pegajosos da decadência.

Contudo, sendo o empresário de mão-cheia que era, Danny nunca cometia o erro de carregar o produto ele mesmo, nem de fumá-lo. Isso ele deixava com Tembe. Danny podia ser encontrado bebericando um Mai Tai ou um Whiskey Sour em algum inferninho do West End, trocando uma ideia com algum emergente de sexo indeterminado ou modelos aposentadas, enquanto o bróder fazia a ronda, tonificado pelo crack e pela fissura de mais crack.

Não demorou mais que alguns meses — tal é a alacridade com que culturas da droga crescem e desaparecem — para que Danny encontrasse sua mina de ouro humano: uma rodinha da genuína alta classe rastejante. Centrada num iraniano chamado Masud, aparentemente dotado de recursos ilimitados, era uma turma de jovens abonados cuja razão inversa entre dinheiro e bom senso era simplesmente inacreditável. Eles fizeram a grana chover em cima de Danny. Cem, duzentas, quinhentas libras por dia. Danny conseguiu sumir totalmente de Harlesden. Começou a negociar *brown*, heroína marrom, além do crack; ajudava a manter seus clientes desnoiados entre uma entrega e outra.

Tembe tinha permissão de pegar um táxi, de vez em quando. Darcus abriu uma conta na casa de apostas.

O iraniano estava brincando com seu pirulito quando Tembe chegou. Ou, em todo caso, parecia que isso era o que andara fazendo. Ele estava de roupão, as pernas cruzadas sobre a cama, a mão oculta nas pregas atoalhadas. Um cheiro de sexo — ou alguma coisa ainda mais sexual que sexo — permeava o ambiente. O iraniano fitou Tembe com dois olhos amendoados sob a testa estreita, inteligente, encimada pelo cabelo espesso e cacheado mantido artificialmente baixo.

Tembe não conseguia nem começar a imaginar como o iraniano fazia ele subir — dada a quantidade de pedra que usava. Cinco, seis, sete vezes por dia o pager bipava na cintura de Tembe. E quando Tembe digitava o número programado em seu celular, na outra ponta era o iraniano, a voz travada de fissura, mas com aquele sotaque ainda refinadíssimo de estrangeiro.

Dando suporte à explicação do sexo havia a garota zanzando pelo lugar. Tembe não sabia seu nome, mas estava sempre lá quando ele aparecia, insinuando o corpinho escorregadio pelo quarto. A chegada dela, mais ou menos um mês antes, coincidira com um incremento maciço no consumo da suíte. Antes, o iraniano equilibrava entre dois de quarenta por dia e meio grama de *brown*, mas agora estava pegando um oitavo de cada, nem bem o próprio Tembe pegava como ia organizar a logística da entrega.

Depois disso o iraniano continuaria bipando e bipando pelo resto do dia. Agora, três noites por semana, no mínimo, Tembe era chamado à uma da manhã — embora isso fosse estritamente contra as regras — e tinha de ir e descolar uma dose sossega-leão para os dois, de modo a não ser mais incomodado.

Tembe odiava ter de ir ao hotel. Ele parava em algum pub e usava o banheiro para dar um tapa no visual antes de tomar um táxi para Piccadilly. Não acreditava sequer por um segundo que o pixaim alisado e a chegada choferizada tapeassem a equipe do hotel. Não era muito comum verem negros jovens de jeans, botas Timberland e jaqueta suja hospedados por lá. Mas também nunca o incomodaram, independentemente de quão tarde ou com que frequência aparecesse para cruzar a planície de tapete vermelho até a recepção e pedir que chamassem a suíte do iraniano.

“Meu caro Tembe”, dissera-lhe Masud, o iraniano, “a pessoa adquire discrição junto com a privacidade quando mora num estabelecimento como este. Ora, se tentassem restringir as propensões suntuosas ou sensuais de seus hóspedes, eles em pouco tempo teriam vagas de sobra, em vez de anunciar que não há vagas". Tembe sacou o significado sob o palavreado condescendente do iraniano. E não ligou de ser menosprezado, também — o outro meio que pagara pelo pacote.

A garota abriu a porta para Tembe entrar, dessa vez. Ela usava um roupão atoalhado combinando com o do iraniano. O cabelo loiro fulvo colado atrás da cabeça, revelando seu rosto pálido, sugeria uma ducha recente, sugeria sexo.

Como o iraniano conseguia fazer ele subir? Tembe não duvidava que o cara tivesse tesão. O próprio Tembe tinha tesão. Tinha muito tesão. Mas dificilmente o negócio ficava duro, estava mais para um sorvete, derretendo antes de aparecer qualquer chance de ser engolido. Não que Tembe não tentasse, por mais chapado que estivesse. Se desse uma cachimbada na Leopold Road, ensaiava uns avanços em Brenda — até que ela o empurrava, com desprezo indolente. Se estava entregando para as putas que trabalhavam na casa da Sixth Avenue — que ele continuava a atender sem o conhecimento de Danny — ou mesmo se fossem as garotas de programa de mais classe da Learmont, elas sugeriam ou ele propunha: a pedra pela trepada.

Era ridículo a merreca que pediam para meter em troca. A puta na Learmont — que, Tembe sabia com certeza absoluta, fazia regularmente programas de trezentas pilas — abria as pernas por uma única pedra. Ela tirava a saia do jeito que qualquer mulher tirava o casaco e te passava a camisinha de uma gaveta na quitinete como se fosse um talher.

Normalmente, assim que os dois tivessem fumado, a vontade de Tembe quase já tinha passado. Ele entrava naquele reino em que tudo era desejo, e o próprio desejo era uma satisfação austera. Tentava enfiar o pau no círculo de borracha, mas seu pau encolhia e recuava. Então fazia a menina abrir os botões de pressão na virilha de seu corpete acetinado. Ele a punha de pé ali na quitinete, um pé no salto agulha sobre um banquinho, enquanto ele a masturbava e ela esfregava sua lassidão com as unhas carmesim.

Tembe tentou não pensar nisso com a garota do iraniano zanzando pelo quarto, pegando um sutiã em cima do aquecedor, o jeans com a calcinha dentro, jogado no chão, na frente deles. O iraniano dava baforadas no *brown* sobre um pedaço de papel-alumínio muito manchado, de uns trinta centímetros quadrados. Tembe observou a bolha da droga, preta como piche pingando de um trator na rua. A garota se espremeu entre ele e a maçaneta da porta. Não teria conseguido fazer isso um mês atrás, essa era a real, pensou Tembe. Ela se chapara demais com aquilo. Garotas brancas de classe não comem nada, e quando estão na dieta de crack com heroína, comem menos ainda. Mesmo assim, por mais magra que estivesse, e com aquela fisionomia plástica de boneca dos *Thunderbirds*, ainda assim Tembe queria comer a garota.

O iraniano encerrou sua caça ao dragão com um meneio afetado do isqueiro e disse, "Vamos para o outro quarto". E Tembe disse, "Demorou", louco para sair daquele lugar com o cheiro inútil do sexo alheio. O iraniano se mexeu em cima da cama, recolhendo os joelhos, e por um segundo Tembe viu seu pau marrom, ligado no lençol por uma poça de sombra, ou talvez uma mancha.

O principal quarto da suíte abrigava duas escrivaninhas Empire em que dificilmente alguém havia escrito alguma coisa, um conjunto de poltronas Empire e um divã em que dificilmente alguém havia sentado. Diante do divã havia uma grande mesa de centro com tampo de vidro, apoiada em patas de garras douradas. Sobre a mesa havia um cachimbo de crack, um maçarico, um espelho com algumas manchas de crack, cigarros, um isqueiro, chaves, um controle remoto, um par de taças sujas de vinho e, incongruentemente, uma foto com moldura prateada de uma bela mulher de meia-idade. A mulher sorria diretamente para Tembe em meio à coleção de aparatos para o consumo de crack.

No quarto havia ainda pesadas estantes forradas de edições em capa dura, que o gerente do hotel comprara por metro em alguma ponta de estoque. O tapete era malva, as paredes, cobertas de papel aveludado roxo com um motivo trabalhado de pássaros e folhas. Do lado de lá da mesa de centro, diante do divã, havia um armário imponente, com as portas abertas, em cujas prateleiras via-se o conjunto de tevê, vídeo e música. Espalhados ao pé do armário havia fitas de vídeo dentro e fora das caixas, e CDs igualmente jogados.

Em algum lugar dentro do armário Seal cantava fracamente: "*For we're never going to sur-vive/ Un-less we go a little cra--azy...*" "E não é a real?", disse Tembe, e o iraniano respondeu, "Como disse?", mas não como se quisesse realmente saber.

"For we're never going to sur-vive/ Un-less we go a little cra-azy..." Tembe cantarolou as palavras, mais em falsete do que Seal, mas imitando razoavelmente o ritmo e o fraseado do cantor. Quando chegava perto do fim do segundo verso, deu uma pequena gingada, como um boxeador se aquecendo, e agitou os dedos esticados nas laterais de seu rosto, a cabeça num vaivém de galinha. "... Você sabe, cara, tipo *loou-coo*."

"Ah, sei. Entendi. É, claro, claro..."

A voz do iraniano foi sumindo. Ele se acomodara no centro do divã e usava a aba de uma embalagem de fósforos para rastelar os fragmentos de crack sobre o espelho, juntando uma pilha em forma de V, depois passando pela mesma superfície outra vez, criando uma série regular de montinhos de crack.

Tembe olhou para o cachimbo e viu o brilho espesso cor de mel ali dentro. Havia repeteco de sobra nele, o suficiente para mais cinco ou seis fumadas. Tembe ficou pensando por que o iraniano o chamara de volta tão cedo. Sem dúvida só aquilo teria dado para os dois por mais algumas horas. Mas então Tembe viu o iraniano se abaixando de quatro atrás da mesinha de centro e viu que passava a mão em concha metodicamente na faixa de tapete entre a mesa e o divã. Os olhos inquietos do iraniano, um palmo acima do tapete, cravavam-se no sulco deixado por sua mão, um radar à procura de crack.

Então é isso, percebeu Tembe. O filho da puta tá tão chapado que viajou no tapete. Tembe já vira aquilo muitas vezes — e fizera aquilo ele mesmo, também. Começava quando você atingia esse estágio — em algum momento após o décimo cachimbo — em que seu cérebro meio que se funde com o crack. Em que seu cérebro *é* o crack. Daí você começa a ver a droga em toda parte. Cada farelo de pão no tapete ou grão de açúcar no linóleo da cozinha parece um fragmento de êxtase potencial. Você pega um depois do outro, checando com o calor da chama oscilante, sem nunca acreditar totalmente que não é crack de fato até o cheiro de torrada queimada invadir seu nariz.

O iraniano havia se virado em sua pequena trincheira de desespero e rastejava de volta por ela, a cabeça abaixada, as saliências de sua espinha se projetando além da borda prateada da mesa de centro. Era como uma sentinela mutante patrulhando um posto de controle perverso. Seu mundo se encolhera àquilo: presenças minúsculas e ausências escancaradas, abismais. Como todos os crackheads, Masud se movia devagar e silenciosamente, com uma precisão trêmula, dolorosa de assistir, como se fosse Gulliver tendo de fazer uma cirurgia num liliputiano.

A garota entrou novamente, enfiando a barra de um cardigã na cintura do jeans. Abotoou a calça e então abraçou o próprio corpo, as palmas das mãos agarrando cotovelos opostos. Os peitinhos duros esticando o tecido.

"Porra, Masud", disse a garota, casualmente, "pra que você ligou pro Tembe se era pra ficar aí rastejando no chão?".

"Ah, é, certo..." Ele deslizou o traseiro de volta para o divã. Em uma mão segurava um isqueiro, na outra, um tufo de tapete. Ficou sentado olhando a bolota de pelos em sua mão, como se fosse realmente difícil decidir se aquilo podia ou não ser um punhado de crack, e precisasse usar o isqueiro para ter certeza absoluta.

Tembe olhou para as depressões azuis sob os olhos amendoados do iraniano. Olhou para os impropriamente designados brancos daqueles olhos, também. Masud ergueu o rosto para Tembe e viu o mesmo esquema de cores. Ambos viram amarelo por alguns segundos. "O que...? O que você..." Os dedos de Masud, encolhendo rapidamente com a explosão de calor em suas unhas, agarraram o tecido atoalhado em seu joelho. Não conseguia se lembrar de nada — estava na cara. Tembe ajudou. "Tô com o oitavo de *brown* aqui." Tirou a mão do bolso da jaqueta, cuspiu habilidosamente ali duas bolas de gude de filme plástico escondidas em suas bochechas e depositou as duas na mesa. Uma delas rolou e foi parar junto à base do porta-retratos com a fotografia da mulher bonita, a outra ficou encostada no controle remoto.

O pequeno ato exerceu um efeito em Masud. Se Tembe era um passador negro maneiro, então ele, Masud, era um consumidor moreno maneiro. Ele se aprumou, levou a mão ao bolso do roupão e sacou um punhado de notas roxas de vinte. Jogou negligentemente as cédulas sobre a piscina de vidro do tampo da mesa, onde ficaram flutuando.

Masud se recompôs mais um pouco e retomou a tarefa de ser dono de sua própria personalidade com alguma verve, como que instado por algum exigente cineasta *autoral* a improvisar diante da câmera. "Com licença", ficou de pé, oscilando um pouco, mas com firmeza de propósito. Sorriu graciosamente para a garota, que estava sentada no chão, e gesticulou para Tembe, indicando que sentasse no divã. "Só vou pôr uma roupa e daí podemos todos fumar um bom cachimbo, que tal?" Ergueu uma sobrancelha interrogativa para a garota, arrepanhou as abas de seu roupão em torno do corpo ossudo e saiu do quarto.

Tembe olhou para a garota e ficou onde estava, balançando suavemente sobre os calcanhares de suas botas. Ela se levantou, ficando de pé de um jeito que meninas novas costumam fazer, juntando os pés sob o corpo e depois erguendo-se verticalmente. Tembe revisou sua estimativa da idade dela para um pouco menos. Ela sentou no divã e começou a fumar o cachimbo. Pegou a maior das duas bolinhas de filme de PVC e laboriosamente a descascou, retirando camada após camada de vacuidade grudenta, até a pepita branca leitosa ser exposta e rolar sobre o espelho.

Ela levou a mão à garganta, enganchou uma madeixa de cabelos atrás da orelha sem lóbulo, ergueu o rosto e disse, "Por que não senta aqui, Tembe? Fuma com a gente." Ele grunhiu, andou, juntou-se a ela, passando desajeitado no vão entre o divã e a mesa de centro.

Masud voltou ao quarto. Estava vestindo uma camiseta com padrão de listras verticais em verde iridescente e amarelo-mostarda, calça azul-celeste de cetim cru com bolsos nas pernas, mocassins pretos de couro, rangendo nos pés sem meias, um plastrom estampado brotando como espuma da base de seu pescoço. Que figura. "Certo!" Masud bateu uma mão na outra, outro gesto de canastrão. De pé e vestido, podia passar por palestrante motivacional ou intermediário de um grande negócio, azeitando as engrenagens do comércio, ou assim gostava de pensar.

A garota pegou uma pitada de crack e socou no fornilho do cachimbo. "Tenho certeza", disse o iraniano, num tom de voz contido e entrecortado pela contrariedade, "que seria melhor se você fizesse isso no espelho, para não ter perigo de perder nem um —".

"Eu sei." Ela o ignorou. Tembe já estava bem lá no fundo do fornilho do cachimbo, agora, suas botas amortecidas na resiliência metálica da névoa. Os volumes de crack choviam sobre ele, como pedras gigantes rolando em Indiana Jones.

Tembe refletiu sobre o que podia estar por vir. Masud pagara por aquela entrega, mas poderia estar visando algum crédito? Era a única explicação que Tembe conseguia achar para a acolhida, os sorrisos da garota, o oferecimento de um cachimbo. Decidiu que daria a Masud duzentas libras de crédito — se pedisse. Mas se atrasasse, ou pedisse mais algum, Tembe levaria o caso para Danny, que teria a última palavra. Danny sempre tinha a última palavra.

A garota acendeu o maçarico com o isqueiro. O aparelho brilhou amarelo e rugiu. Ela o amansou numa língua azul sibilante. Passou o cachimbo a Tembe. Ele amparou a bola de vidro do cachimbo na palma da mão esquerda. Ela lhe passou o maçarico pela haste. "Cuidado aí...", disse Masud, desnecessariamente. Tembe pegou o maçarico e olhou para seus anfitriões. Ambos o fitavam fixamente. Encaravam-no como se contemplassem a possibilidade aprazível de dar um mergulho em sua garganta, executando em seguida um giro, de modo a poderem sugar o cachimbo junto com ele, sugá-lo de dentro dos lábios dele.

Masud curvou-se para a frente no divã. Seus lábios e maxilares operando, ruídos estalados caindo por sua boca. Tembe exalou para o lado e pôs os lábios franzidos em torno da haste do cachimbo. Começou a tragar, conforme acariciava o fornilho com a língua de chama azul. Quase instantaneamente os fragmentos de crack do cachimbo se liquefizeram numa Angel Falls miniatura de fumaça fluida que verteu para o corpo globular do cachimbo, onde pairou, revolta e borbulhante.

Tembe continuou a acariciar o fornilho com a chama e ocasionalmente deixava uma minúscula língua escapar chicoteando pela beirada, para morrer cauterizada em meio à névoa. Mas fazia isso inconscientemente, com aplicação, mais do que com técnica. Pois o crack estava nele, agora, avolumando em seu cérebro como um enorme vagalhão espumante de pura fissura. Esse é o barato, Tembe se deu conta, concretamente, irrefutavelmente, pela primeira vez. O barato todo da pedra é a fissura de *mais pedra*. O lance da pedra é em si a fissura de *mais pedra*.

O iraniano e a garota olhavam para ele, devorando-o com os olhos, como se Tembe é que fosse o crack, seus olhares, o maçarico, o quarto todo, o cachimbo. O barato era poderoso, e a pedra era pura, deliciosa, nenhum traço de bicarbonato na droga que Danny arranjava para Tembe, apenas delícia, delícia, delícia. Como a xana de menina nova, pura delícia, delícia, delícia, quando você mergulha ali dentro, e ela geme, "Ai que delícia, delícia, delícia..."

Foi o barato de cachimbo mais forte que Tembe jamais sentira. Era como se o crack o erguesse cada vez mais alto. A droga parecia completar algum circuito aberto de seu cérebro, transformando-o numa treliça de neurônios que zumbia e palpitava. E a consciência desse fato, a natureza gigantesca do barato, tornou-se parte do próprio barato — exatamente do modo como a percepção de que o crack era o desejo de crack se tornara parte do barato também.

Mais alto e mais alto. Dentro e fora. Tembe sentiu suas entranhas gorgolejarem e afrouxarem, o suor brotou em sua testa e começou a correr por seu peito, pingar de suas axilas. E mesmo assim a montanha rochosa crescia diante dele. Agora ele conseguia perceber o surdo e monótono baque negro-vermelho de seu coração, acelerando através da caixa de transmissão. A periferia de seu campo de visão esfiapava-se negra com um prazer mortífero, aveludado.

Tembe pousou o cachimbo suavemente na superfície da mesa. Tornara-se *todo*-poderoso. Mais rico do que o iraniano jamais seria, mais bonito, mais maneiro. Exalou, soprando uma grande descarga tumultuosa de fumaça. A garota olhava, admirada.

Após alguns segundos, Masud disse, "Que tal o barato?" e Tembe respondeu, "Irado. Irado pra caralho. O barato mais forte que eu já tive. Foi tipo fumar uma pedra grande que nem... grande que nem..." Seus olhos giraram pelo quarto, ele se esforçava por completar a metáfora. "Grande que nem este hotel!" O iraniano cacarejou uma risada e recostou no divã, dando um tapa nos joelhos ossudos.

"Ah, gostei dessa! Gostei dessa! É a coisa mais engraçada que ouvi nos últimos dias! Nas últimas semanas!" A garota olhava, sem compreender. "É, Tembe, meu velho, agora você disse tudo: a Pedra de Crack Grande que nem o Ritz! Você podia ganhar dinheiro com uma ideia dessas!" Esticou o braço para pegar o cachimbo, ainda rindo, e Tembe precisou fazer a maior força para não encher a cara dele de porrada.

Enquanto isso, em Harlesden, no porão da casa na Leopold Road, Danny seguia cavucando sem parar. E ele nunca, jamais, tocava no produto.

Ala 9

"Ha ha ha, ha-ha... Huu, h', huu, muito, muito longe uma sereia canta sob o sol suave." Um idiota arrulhava consigo mesmo no banco de jardim que havia no topo da colina. Abaixo dele o gramado verde se estendia até a pista de exercício. A média distância, o hospital se projetava entre as casas, um zigurate vivo, destacando-se numa planície em desintegração.

O cabelo do idiota era cortado numa tonsura irregular. Usava um anoraque azul com capuz e calças boca de sino de veludo cotelê, e se balançava enquanto cantava. Quando passei, dei uma olhada em seu rosto; o rosto era como o banco onde estava sentado, uma peça de mobília municipal triste e abandonada — embora o sol matinal brilhasse forte, sobre aquele rosto descia uma garoa permanente.

Esse idiota em particular estava fora de minha jurisdição. Ficava, por assim dizer, alijado do diário oficial. Eu sabia que, ao ignorar a oportunidade de ceder à aeróbica deletéria da caridade autopiedosa, enfrentava um desafio ocupacional. Se esperava ter algum sucesso em meu novo emprego, precisava me manter emocionalmente inviolado, protegido atrás dos muros. Nessa manhã, começaria meu trabalho vago como arteterapeuta da Ala 9. Meu destino era o prédio atarracado de quinze andares que assomava diante de mim, projetando-se da emaranhada confluência de Camden Town.

Desci a colina na banguela, a diminuição na altitude casando a cada passo com a densidade crescente do ar. O frescor da atmosfera na Parliament Hill deu lugar às contaminadas bolas algodoadas da Londres de verão, piso térreo. Já às 8h45 da manhã as vias de Gospel Oak estavam solidamente coaguladas de metal, com motoristas em mangas de camisa sentados ao volante, emitindo balidos de fumaça.

Caminhando pelas ruas o hospital surgia e sumia. Sua própria imensidão era o que parecia tornar sua visão problemática. Numa determinada rua, o horizonte caprichosamente o omitia de forma tão convincente que era como se nunca tivesse existido, mas quando eu dobrava a esquina lá estava seu flanco empinado — as ancas cinza-azuladas de uma baleia maciça —, afastando-se de mim, ondeando socalcos de concreto com o bater moroso de sua cauda gigante.

Por mais que eu andasse, o hospital nunca parecia ficar mais próximo. Em suas laterais inclinadas projetavam-se sacadas poderosas, salientes prateleiras de concreto do tamanho do convés de decolagem de um porta-aviões. A frente do edifício ocultava-se atrás de uma série de alamedas em zigue-zague e rampas que ascendiam num padrão de linhas cruzadas desde o subsolo até o terceiro andar. Aos pés do hospital e aninhados na abrangência protetora de suas grandes alas esparramavam-se os pequenos blocos de anexos: unidades de berçário; guaritas de estacionamento; geradores com dois andares de altura, alojados em contêineres fasquiados como venezianas; e incineradores macabros, suas paredes e chaminés de concreto enegrecidas por uma mancha pavorosa.

Dobrei o fim da rua e me vi de repente na base de uma rampa que levava direto à entrada do prédio. As duas vezes anteriores em que eu fora ao hospital o lugar era um vespeiro de atividade em pleno expediente diurno. Mas agora, com suas células fotoelétricas desligadas, as portas principais eram mantidas abertas apoiadas em engradados laranja para transporte de leite. Segui em frente pelo longo e baixo corredor de entrada, passei diante da lojinha, a essa hora ainda protegida atrás de sua porta de aço, e atravessei o variegado arquipélago de cadeiras insulares, aparafusadas aos pares, aparentemente ao acaso. Eram estofadas com o mesmo tecido azul usado para forrar o piso. A iluminação no teto vinha de bruxuleantes lâmpadas de neon, de modo que o efeito geral era fantasmagórico; a impressão dominante era de que o local se destinava ao trânsito, um terminal aéreo dos moribundos. Era impossível diferenciar os enfermos dos moradores de rua que pingavam ali dentro, empilhando suas formas amarrotadas pelas cadeiras de plástico. Todos rebaixados e diminuídos, sob o volume maciço e estéril do hospital, a parasitas amarfanhados. Ocasionalmente enfermeiras, médicos ou auxiliares passavam apressados. Uniformizados e corretos, claramente membros de algum outro grupo geneticamente distinto.

No corredor envidraçado que conduzia aos elevadores havia uma exposição de pinturas — não feitas pelos pacientes, mas por algum discípulo pálido de uma escola de paisagens esquecida. Os azuis e verdes estiolados escolhidos para fazer as vezes de colinas e planícies eram achatados num lustro único atrás do vidro, que refletia o mortiço centro arquitetural do hospital: o átrio onde um amontoado de pedras de pavimentação sustentava desconfortáveis banheiras de concreto, de onde, por sua vez, projetavam-se árvores espigadas, espásticas.

Dividi o elevador para o nono andar com um jovem silencioso trajado em verde, o uniforme amarrado no quadril e no pescoço. Suas têmporas cor de areia, côncavas, com as suaves veias pulsantes despertaram em mim um acesso de melindre pruriginoso — eu tinha de tocar o que me repelia. Cocei as palmas das mãos e desejei tirar os sapatos para coçar as solas dos pés. A comichão se espalhou por meu corpo como um enxame e mesmo assim eu não conseguia tirar os olhos daquele tubo palpitante de sangue, tão perto ao mesmo tempo de superfície e osso.

No nono andar o rapaz arenoso se endireitou, suspirou e desapareceu por um corredor com um encolher de ombros de corpo inteiro.

Eu já estivera na ala antes, embora brevemente, quando o dr. Busner me apresentara o lugar, após a entrevista. O que me surpreendeu naquele dia e o que voltava a me surpreender era a diferença de odor entre a Ala 9 e o resto do prédio. Em qualquer outra parte do hospital, o ar era uma concocção filtrada e insípida; superficialmente inodora e maquinal, mas latente da lembrança compósita de dinastias de saquinhos de chá — espremidos entre o polegar e a colher de plástico —, fundindo-se a famílias estendidas de espumas alvejantes, desinfetantes, e grandes tribos extintas de sacos plásticos. Mas na Ala 9 o ar possuía uma qualidade real, ele se agarrava em seu rosto como um chumaço de algodão, embebido no doce clorofórmio da tristeza absoluta.

Um curto corredor levava da saída do elevador à área de associação central da ala. Era um espaço razoavelmente oblongo com a salinha de atendimento da enfermagem separada por um vidro na exígua lateral do elevador; um refeitório à direita dava vista para a cidade através da longa faixa de janelas; à esquerda ficavam as portas para vários escritórios e salas de tratamento individual; e seguindo direto por outro curto corredor chegava-se aos dois dormitórios.

Grande esforço fora feito para apresentar a Ala 9 como um lugar comum para tratamento de doenças mentais. Pela área de associação havia quadros de avisos festonados com recados, pequenos anúncios, folders de apresentações teatrais realizadas por grupos de funcionários do hospital, recortes de jornais, desenhos e caricaturas feitos pelos pacientes. No refeitório, sobre algumas mesas viam-se amorfas esculturas de argila, exibidas ali como psicóticos montinhos de cocô. Presumi que fossem obras da última sessão de arteterapia de meu predecessor. Em torno da parte aberta da área havia cadeiras esparsas, do tipo com pernas curtas e estofamento que você só encontra em instituições hospitalares. E onde quer que o olhar pousasse — no refeitório, na recepção da enfermagem, espalhados pela área aberta — havia cinzeiros. Cinzeiros de pé, cinzeiros de vidro, cinzeiros espirais assimétricos de cerâmica, cinzeiros com nomes de cervejas famosas; todos transbordando de guimbas.

Há dois tipos de instituição no que toca à questão do cigarro. Enquanto por toda parte você se depara com uma barreira de cartazes ordenando que desista, seu hábito tesourado por imperiosas linhas vermelhas, nas alas psiquiátricas e delegacias de polícia a inteira atmosfera positivamente clama: “Fume! Fume! A gente não liga, a gente entende, a gente adora cigarro!” A Ala 9 não era exceção a essa regra. Vazia a essa hora (os pacientes não tinham motivo algum para se levantar, ninguém rolava para fora da cama às oito em ponto, pensando, “Aah! Preciso levantar logo e tomar minha dose de torazina...”), toda a ala ainda rodopiava e turbilhonava com o trabalho acerbo da noite anterior.

Segui pelo curto corredor até a recepção da enfermagem. Um rapaz sentava atrás do balcão, inteiramente absorto na leitura de uma brochura cheia de orelhas. Usava suéter preto e calça Levis preta; os pés, calçados em tênis, apoiados na bancada coberta de pranchetas e esferográficas, impulsionavam o resto dele para trás e para o alto sobre duas rodas de sua cadeira giratória. Enquanto fiquei ali parado observando-o, ele balançou suavemente de um lado para o outro, o corpo espelhando inconscientemente os arcos curtos, contidos, que seus olhos descreviam pela página.

Arrastei meus pés pelo linóleo para adverti-lo de que não estava mais sozinho. "Bom dia."

Ele tirou os olhos do livro com um sorriso. "Oi. Em que posso ajudar?"

"Meu nome é Misha Gurney, o novo arteterapeuta, estou começando hoje na ala e o doutor Busner me pediu para chegar mais cedo e me inteirar das coisas."

"Bom, como vai, Misha Gurney, eu sou Tom." Tom removeu os pés da beirada e ofereceu a mão. Sua mão era magra, branca, de ossos proeminentes nos pulsos, com dedos longos, afunilados. Seu aperto era leve e seco, mas firme. Sua voz tinha a maciez estudada de um ator hollywoodiano no papel de um velho Pai Peregrino. Havia qualquer coisa de inquietante no contraste entre isso e seu belo rosto: a pele de sândalo e os olhos violeta. O corpo, sob as roupas pretas esticadas, movia-se de um modo epiceno, ondulante. "Bom, não tem muito pra ver a essa hora. Zack ainda nem chegou. Provavelmente acabou de sair da cama." Tom revirou seus olhos adoráveis nas órbitas meigas, sugestivas, como que retratando a rotina matutina do psiquiatra. "Que tal um chá?"

"Certo, ótimo."

"Como você gosta?"

"Puro — sem açúcar."

Segui Tom pelo corredor que levava aos escritórios e às salas de consulta. Havia uma pequena quitinete de um lado. Tom acendeu as luzes, que piscaram uma vez, depois iluminaram tudo com seu brilho duro e frio de neon. Seus tênis guincharam conforme ele andou pelo linóleo. Examinei os bilhetes escritos à mão cuidadosamente presos com fita adesiva nos armários da cozinha. Depois de alguns instantes, eu disse, "O que você faz aqui, Tom?"

"Ah, eu sou paciente."

"Imagino que não está em uma seção?"

Ele riu. "Ah, não. Não, claro que não, me internei voluntariamente. Sou um voluntário de primeira classe, coragem exemplar, o primeiro da fila para servir nas guerras da saúde mental." Mais uma vez a ironia leve e zombeteira, mas sem traço algum de demência, nada do ominoso escárnio de um genuíno esquizo-lero.

"Você não parece muito preocupado."

"Não, não estou, é por isso que me deixam ir aonde eu quero e fazer o que eu bem entender, contanto que more na ala. Sou uma avis rara, viu?" Uma torção para baixo no canto da boca bem-desenhada. "A medicação funciona mesmo comigo. Zack não gosta, mas é verdade. Contanto que eu tome sempre, fico na boa, mas toda vez que me deram alta no passado eu acabei esquecendo de tomar, e daí soltei os bichos."

"Como assim?"

"Ah, crises, delírios, hipermania, o de sempre. Eu saio por aí com uma Bíblia na mão, começo a fazer uns sermões exegéticos do nada, na rua. Sabe como é, você já viu muito doido, aposto."

"É... só que, olha, desculpe, mas não fiquei totalmente convencido. Se você estivesse com alguma dosagem de medicação..."

"Sei, sei, era pra eu estar um pouco mais devagar, meio impregnado, *um pouco ausente*. É como eu digo, sou uma exceção, um em um milhão, a prova viva da eficácia dos produtos Hoffman La Roche. Zack não gosta nem um pouco."

A chaleira assobiou e Tom serviu a água em dois copos de isopor. Ficamos ali mexendo nossas colherinhas de plástico por algum tempo, extraímos os sachês de chá intumescidos e depois voltamos para a área de associação. Tom foi comigo até as janelas. Os níveis inferiores do hospital se projetavam abaixo de onde estávamos. Ali no nono andar, mais do que nunca, podia-se apreciar a forma completa do prédio — um lingote de íngremes laterais oblíquas, cada andar acima ligeiramente menor que o de baixo. No amplo balcão sob nós adejavam figuras, indo de um lado para o outro, vestidas em roupas hospitalares, aventais verdes e roupões de listras azuis, todos amarrados com fitas. As figuras se moviam com recato infinito, como que desejando não oferecer qualquer ofensa à atmosfera. Circulavam em lentos redemoinhos na direção da beirada do balcão e paravam balançando do calcanhar aos dedos dos pés, ou lateralmente, e então moviam-se de volta sob nós e sumiam de vista outra vez.

"Crônicos", disse Tom, saboreando a palavra conforme engolia seu chá. "Tem pelo menos sessenta deles aí embaixo. O papo é bem outro. Sua argila e seus papéis coloridos não iam ajudar grande coisa com esses aí. Tem um gordão imenso que um dia surtou e bebeu cândida. Trocaram o esôfago dele por um pedaço tirado do intestino. Quando faz silêncio à noite dá pra ouvir o cara peidando pela boca. Um som estranho, Misha."

Fiquei quieto, não havia o que dizer. Atrás de mim pude escutar a ala começando a acordar para o início do dia. Ouvi passos e cumprimentos rápidos. Uma funcionária chegou na área de associação, vinda do elevador, e começou a esfregar o chão com zelosa ineficiência, empurrando o balde de zinco com a bota emborrachada. Ficamos ali bebendo chá e observando, acima da sacada dos pacientes crônicos, o Heath mais além, que despontava, ondulante e verdejante, banhado pelo sol, enquanto o hospital permanecia nas sombras. Era como uma Arcádia isolada, vislumbrada de um longo corredor. Imaginei ver o banco de parque por onde eu passara quarenta minutos antes e sobre ele uma partícula azul: o idiota da tonsura, ainda se balançando, ainda livre.

Zack Busner veio apressado do elevador. Era um sujeito rechonchudo, lá pelos cinquenta e tantos, com cabelo cinza ferroso penteado para trás, em um V no alto da testa. Carregava uma maleta estufada, do tipo maleável, presa com duas cintas. As cintas estavam desafiveladas, porque a maleta continha pastas demais, instrumentos demais, periódicos médicos demais, livros demais, e duas rosquinhas desembrulhadas, frescas, recheadas de cream cheese. Busner vestia um terno listrado de linho ou popeline e camisa aberta no colarinho; seus sapatos eram bizarros — pretos, com metal na biqueira, coturnos de policial. Ele me viu ali perto da janela com Tom e, virando na direção de sua sala, fez um sinal para que eu o seguisse, com um gesto ligeiro, brusco. Soltei meu copo descartável dentro do lixo, sorri para Tom e fui atrás do doutor.

"Bem, Misha, vejo que já arranjou um amigo." Busner sorriu para mim com ar sugestivo e me indicou a cadeira diante de sua mesa. Sentamos. Sua sala era minúscula, pouco maior que um cubículo, e praticamente vazia, à parte alguns livros universitários e quatro trabalhos de arte. A maioria dos psiquiatras tenta humanizar seus consultórios com coisas assim. Eles acham que qualquer porcaria pavorosa de algum modo sugere que têm "os sentimentos mais refinados". As peças de Busner se sobressaíam de maneira incomum, eram quatro grandes baixo-relevos de argila, um em cada parede. Placas retangulares de uma sublevação em miniatura da crosta terrestre, cor de terra, sem verniz, parecendo retratar topografias imaginárias.

"É, ele é bastante amigável. Qual o problema com ele?"

"Para falar a verdade, Tom é bem interessante." Busner disse isso sem nenhum sinal de ironia e começou a vasculhar a superfície de sua mesa, como que procurando um cachimbo. "Ele é vítima do que eu chamaria de uma psicose mimética..."

"Como assim?"

"Ele literalmente copia os sintomas de todo tipo de doença mental, pelo menos das que exibem alguma espécie de patologia definida: esquizofrenia, depressão crônica, hipermania, psicose depressiva. O problema com as imitações de Tom, ou devo dizer as imitações de sua enfermidade, é que são atuações ruins. Tom reitera cuidadosamente cada detalhe registrado de um comportamento aberrante, mas com uma singular falta de convicção; é uma performance artificial e pouco convincente. Seu pai teria achado fascinante de ver."

"Bem, posso dizer que eu também estou bastante fascinado, mesmo sem ter o mesmo envolvimento profissional. Em que fase Tom está agora?"

"Diga-me você."

"Bem, ele parece estar desempenhando o papel do 'Paciente por Dentro das Coisas que Apresenta o Ingênuo Arteterapeuta ao Inferno da Ala'."

"E como vem se saindo?"

"Bem, já que pergunta, não muito convincente."

Busner abandonara sua procura de um cachimbo, se é que se tratava disso. Havia se virado, agora, e me oferecia sua silhueta recortada contra a janela. De perfil, pude perceber que na realidade estava mais para um sujeito desgastado, e que a impressão de energia a custo contida que parecia determinado a projetar era também uma ilusão. Busner conversava comigo, sentado, enrolando e desenrolando a língua marrom de uma gravata de tricô que usava frouxamente em torno do pescoço. O aspecto global me lembrava algo como um sapo gigante.

Atrás dele a luz e depois a sombra se deslocaram pela fachada do hospital num ritmo espasmódico, antinatural. As nuvens se moviam velozes acima, sem que fosse possível vê-las. Tudo que dava para enxergar era o reflexo delas na pele áspera, cinzenta, bexiguenta do prédio.

O hospital era grande. Enorme. Com suas luzes piscantes, ductos de ventilação eructando vapores e selva de antenas, ele deslizava sob a paisagem de nuvens. Seu volume era tal que sugeria a quem o visse a possibilidade de espaçonaves (ou hospitais) ainda maiores, capazes de engolir o edifício inteiro por alguma porta de embarque. Assim era o hospital. Eu não sabia dizer se os retângulos que via delineados na quina que se projetava no lado oposto à sala do dr. Busner eram tijolos de vidro ou janelas com dois andares de altura. A rua ficava muito abaixo de nós para me proporcionar um senso de escala. Só me restavam o hospital e o tropel de sombras das nuvens apressadas.

Busner abdicara da enrolação de gravata e se absorvia num cinzeiro sobre a mesa. Era uma peça grosseiramente moldada a partir de uma serpente espiralada de argila, envernizada e pintada com um amarelo bilioso. Busner passou os dedos carnudos várias vezes pela borda e disse, "Gostaria que me seguisse de perto esta manhã, Misha. Se espera exercer algum impacto verdadeiro sobre o que estamos tentando fazer aqui, precisa se familiarizar direito com o procedimento todo da ala: como avaliamos os pacientes, como damos entrada no hospital, como nos decidimos pelo tratamento. Se me acompanhar agora de manhã, pode conhecer alguns dos pacientes mais informalmente, à tarde."

"Por mim tudo bem."

"Também temos uma reunião da ala ao meio-dia, o que vai lhe proporcionar uma oportunidade de conhecer todos os seus colegas de trabalho e apreciar como se encaixam no esquema das coisas."

Busner largou a bosta de argila sobre o tampo com um ruído surdo e se levantou. Recuei para lhe permitir contornar a mesa e chegar à porta. A despeito de ser o chefe do departamento de psiquiatria, Busner tinha uma sala tão espaçosa quanto a de um contínuo. Eu o segui por um curto corredor até a área de associação. A essa hora o sol surgira de trás das nuvens e a fileira de janelas no lado oposto do refeitório filtrava a luz brilhante.

Recortada contra os vidros via-se uma vagarosa fila de pacientes, arrastando os pés rumo ao posto da enfermagem, onde pegavam sua medicação da manhã.

Os pacientes eram como pilhas de roupas vazias, mantidas eretas por alguma carga estática. Atrás da deslizante porta dupla de vidro no posto da enfermagem havia dois jovens. Um consultava uma tabela, o outro selecionava pílulas e cápsulas de compartimentos em uma bandeja de plástico. Então eles as passavam ao paciente no início da fila, junto com um pequeno copo d'água de papel, que tinha uma base cônica, de modo que era como um best-seller: impossível largar.

"Não é o ideal, mas é necessário." Busner ergueu a mão direita em concha, como que encapsulando a fila. "A gente precisa dar a medicação. Por quê? Porque sem ela não poderíamos acalmar nossos pacientes o suficiente para conversar de fato com eles e descobrir qual o problema. Só que uma vez medicados eles em geral ficam deslocados demais para dizer alguma coisa útil. Não tem saída."

Busner passou pelo meio da fila para chegar ao refeitório, murmurando um bom-dia aqui e outro ali conforme delicadamente abria caminho entre seu rebanho. Sentamos a uma mesa onde uma jovem vestindo um puído casaco branco bebericava um Nescafé lamacento. Busner nos apresentou.

"Jane, este é Misha Gurney, Misha, Jane Bowen — Jane é a médica sênior aqui. Misha está começando hoje, vai assumir a arteterapia — uma responsabilidade e tanto, eu acho. O pai dele foi um amigo meu, sabe, um colega do meu tempo."

Jane Bowen estendeu a mão num gesto excessivamente amistoso, revelador de que não podia estar menos interessada em mim ou em meus antecedentes, mas que por ver a si mesma como uma pessoa essencialmente de mente aberta e amigável ia me agraciar com um sorriso de boas-vindas. Segurei sua mão brevemente e a fitei. Era magra, com esse tipo de corpo que parecia ser todo concavidades — suas bochechas eram chupadas, seus olhos, encovados, seu pescoço, com uma depressão no centro. Sob o jaleco folgado eu percebia seu corpo como uma ausência, seus seios como inversões. Seu cabelo estava em uma trança longa, presa com uma fivela étnica de couro. Seu lábio superior buscava o copo de isopor. As extremidades desenroladas, puídas, de seu pulôver esticado projetavam-se além das mangas puídas de seu casaco de algodão. Os bolsos estavam estufados de tão cheios. Transbordavam de canetas, termômetros, seringas, relógios, estetoscópios, maços de cigarro e caixas de fósforo. As lapelas de seu jaleco eram decoradas com buttons de nomes, buttons caseiros, buttons políticos, buttons com personagens de desenhos animados: Papa-Léguas, Piu-Piu, Pernalonga, Scooby Doo.

"E aí, Misha, tem alguma ideia de como sua participação na vida criativa da ala vai ajudar a modelar uma rotina diferente?" Fez um gesto na direção da mesa ao lado, onde inúmeros vasos de argila informes apoiavam-se uns nos outros, como rotarianos bêbados.

"Bem, se os pacientes querem fazer cinzeiros de argila, deixe que façam cinzeiros de argila." Acendi um cigarro e entrecerrei os olhos para ela através da fumaça.

"Claro, sempre tem O Enigma para tentarem resolver."

Eu não havia notado ao me sentar, mas agora via que ela mexia nas quatro peças de uma versão portátil do Enigma espalhadas sobre a fórmica diante dela. Seus dedos eram roídos até o sabugo e além. Busner corou e se ajeitou na cadeira, pouco à vontade.

"Anh-unf! Bem... ponta de estoque, essas coisas. A gente tem jogos do Enigma sobrando pela ala toda. Eu, ahn... comprei para ajudar, sabe como é. De qualquer modo, ainda acredito neles e os pacientes parecem gostar."

Busner fora o responsável por projetar, ou "propor", O Enigma, no início dos anos setenta. Um desses brinquedos psicológicos populares que conheceram breve febre. O próprio Busner vinha na época construindo para si uma carreira como psicólogo da mídia, com uma abordagem definida pelo ataque aos costumes da sociedade convencional. O Enigma casou com isso e com o trabalho que Busner desenvolvia na sua revolucionária Concept House, em Willesden. Seu envolvimento com a criação da Teoria Quantitativa também datava desse período.

Busner era um intruso frequente em minhas horas de infância passadas diante da tevê. Sempre entrevistando e sendo entrevistado, discutindo uma entrevista que acabara de ser reprisada ou aparecendo num desses programas de discussão em que gente pançuda sentava em desconfortáveis cadeiras metálicas parecendo escorredores de pratos, contra um pano de fundo de tecido trançado. As atividades midiáticas de Busner minguaram à medida que sua pança aumentou. Ele agora era lembrado, se é que era lembrado, como o propositor do Enigma — e isso antes de mais nada porque a popularidade de vida curta dessa "ferramenta de investigação" disseminara milhões de plaquinhas acrílicas do tamanho perfeito para se perder e aparecer nos lugares mais idiossincrásicos da casa, junto com pauzinhos de pega-varetas, blocos de Lego e grampos de cabelo. Na verdade, tornara-se uma espécie de bordão exclamar, quando você achava um sob o tapete ou atrás do aquecedor, "Estou resolvendo o Enigma!". No fim, o próprio Enigma em si — o que exatamente era para fazer com as quatro plaquinhas em tons pastel brilhantes que vinham com o conjunto do Enigma — foi inteiramente esquecido.

"Desculpe, Zack, não quis parecer sarcástica." Jane Bowen pousou a mão com surpreendente ternura na manga de popeline de Busner.

"Tudo bem, acho que eu ainda mereço, mesmo depois de todos esses anos. O engraçado é que realmente acreditei no Enigma. Imagino que algum cínico vá dizer que qualquer um acreditaria numa coisa que rendeu dinheiro suficiente para comprar uma casa de quatro dormitórios em Redington Road."

"Até os psiquiatras precisam morar em algum lugar", disse Jane Bowen. Os dois trocaram um sorriso enviesado de sarcasmo com o comentário — um pouco mais enviesado do que estritamente merecia.

"Bem, não estamos ajudando ninguém sentados aqui, estamos?", disse Busner. Aqui também um *leitmotiv*. Esse havia sido seu bordão em todos aqueles programas de entrevistas e debates — sempre pronunciado com uma ênfase em falsete no "ninguém". O bordão, como O Enigma, sobreviveu à popularidade do próprio Busner. Lembro-me de vê-lo próximo ao final de seu reinado na tevê, quando ficou reduzido a comparecer a um desses game shows de "famosos" em que as celebridades se sentam numa série de cubículos. Enquanto Zack bancava a encarnação viva de sua deixa obrigatória, sua competidora apertava devidamente o botão da máquina — pelo que me lembro, ela acabou ganhando um jogo de móveis para jardim. Estava de fato bem longe do espírito da psicologia radical. Agora Busner usava sua frase outra vez, claramente com um sentido de ironia — mas, de algum modo, não inteiramente; havia também alguma outra coisa ali, quase um tipo estranho de orgulho.

"Quero que me siga de perto enquanto ando pela ala." Busner me guiou com a palma da mão em meu ombro. Ambos acenamos para Jane Bowen, que já se esquecera de nós e entabulava conversa com uma enfermeira. Busner guardou sua maleta abarrotada atrás do posto da enfermagem, depois de tirar dali com dificuldade uma prancheta e algumas folhas de papel em branco. Caminhamos lado a lado pelo curto corredor que levava à entrada das duas alas. Por algum motivo, Busner e eu ficamos relutantes em tomar a precedência, e como resultado as pessoas que vinham em direção contrária tinham de se espremer contra as paredes para passar por nós. Parecíamos um casal de adolescentes — desesperados em evitar qualquer interrupção no contato que pudesse permitir a indiferença.

Os dormitórios ficavam arranjados em uma série de vãos entre colunas, quatro camas em cada vão e quatro vãos por dormitório. Cada vão tinha mais ou menos o tamanho de um quarto mediano, as camas dispostas de modo a fornecer o máximo de espaço em torno para o ocupante transformá-lo em seu próprio espaço privado. Alguns pacientes haviam colado fotografias e pôsteres nas paredes com fita adesiva, outros haviam colocado objetos variados nas prateleiras e os demais não tinham feito coisa alguma, e permaneciam deitados em suas camas, imóveis, como ascetas ou prisioneiros.

Busner tinha um comentário para meu proveito conforme parávamos e conversávamos com cada paciente. O primeiro era um homem de olhos esbugalhados em seus trinta e poucos anos. Estava usando um terno Burton decrépito que se desgastara a ponto de brilhar nos joelhos e cotovelos. Sentava-se numa espreguiçadeira junto à cama e olhava diretamente à frente. O cabelo na altura dos ombros era escovado fortemente para baixo com a risca bem demarcada no meio. Seus olhos não eram apenas esbugalhados, estavam a meio caminho de deixar as órbitas, parecendo bolas de pingue-pongue com as pupilas pintadas, como dois pontos negros.

"Clive é propenso a surtos de mania, não é, Clive?"

"Bom dia, doutor Busner."

"Como está se sentindo, Clive?"

"Ótimo, doutor, obrigado."

"Algum problema com sua medicação? Você logo, logo vai embora, não é?"

"Respondendo à sua primeira pergunta, não. Respondendo à segunda, sim."

"Clive gosta de tudo muito bem explicadinho, não é, Clive?"

Na hora, achei que estivesse sendo sarcástico. Na verdade — como me dei conta depois —, não era o caso. Busner se mostrava, quando muito, solícito. Ele sabia que Clive gostava de discorrer sobre suas atitudes e seus métodos; Busner estava lhe proporcionando a oportunidade.

"Você está olhando muito fixamente para a parede oposta, Clive, gostaria de dizer a Misha por quê?"

Segui sua linha de visão; ele fitava um pôster que mostrava dois gatinhos peludos pendurados pelas patas na alça de um cesto de palha. O slogan embaixo, numa letra cursiva, proclamava, "Fé não é Fé a menos que seja a única coisa em que você pode se agarrar."

"O gatinho é forte." Clive sorriu enigmaticamente e apontou com a unha suja, "Aquele gatinho segura com as patas o equilíbrio, o ovo da criação e mais ainda." Tendo dito isso, voltou a seu hirto silêncio. Busner e eu o deixamos.

Embora houvesse apenas trinta e poucos pacientes na ala, eles logo se desmembraram não em nomes ou indivíduos, mas em grupos distintos. A freguesia atendida por Busner com sua ala cobria uma área na forma de um L abrupto que se estendia do hospital até o centro da cidade. O hospital tirava seu sustento de todos os níveis concebíveis da sociedade. Mas na Ala 9 a insanidade se mostrara um nivelador poderoso. Um refugiado às vezes parece não pertencer a classe alguma. Os ingleses são dependentes de classe, de tal forma que sempre que dois ingleses se conhecem gastam nanossegundos fazendo um cálculo de alta velocidade. Cada nuance de sotaque, cada detalhe de roupa, cada insinuação de vocabulário são analisados para produzir uma fórmula final. Isso por sua vez fornece a coordenada que vai situar o indivíduo e determinar a Atitude. Os pacientes da Ala 9 haviam se distanciado disso. Não podiam ser aferidos dessa forma. Em vez disso, eu os dividi mentalmente nos seguintes grupos: esquelético-eméticos, junkies, melancólicos, esquizos e maníacos. Os quatro primeiros estavam todos representados mais ou menos igualmente, enquanto o quinto grupo achava-se definitivamente em crescimento; havia um bocado de maníacos na Ala 9 e por maníacos não me refiro ao maníaco homicida da cultura popular, mas a seu distante primo herbívoro, o hiper, mais eufórico do que homicida, e maníaco, só que mais para baixo do que para cima.

Como Tom já se caracterizara mais cedo nessa manhã, tipos hipermaníacos são dados a sermões; professores extramuros, pregadores ao ar livre, que, como Wittgensteins cada vez mais ondulantes ou sincopados, dirigem-se ao mundo em geral num sílabo de patchwork composto por Cabala, astrologia, tarô, numerologia e exegese bíblica (especificamente, o Apocalipse). São melancoloucos, sabem que estão doentes, atravessam períodos de conformidade, mas estão de algum modo sempre batendo os pinos.

"A arteterapia é muito popular aqui, Misha." Busner me deteve na passagem entre as duas alas. "Não temos como manter os pacientes suficientemente ocupados, eles têm sessões de tratamento de vários tipos pela manhã, mas à tarde você vai ser a única coisa que estarão aguardando. Às vezes, conseguimos arranjar uma saída de algum tipo, ou um amigo ou parente pode levá-los para um passeio pelo Heath, mas no mais ficam engaiolados aqui, numa pasmaceira confusa."

Passamos ao dormitório feminino. Ali as coisas pareceram, de início, diferentes. No dormitório masculino, Busner e eu havíamos conversado com alguns indivíduos isolados, enfurnados em seus vãos individuais. Mas ali as pacientes pareciam se associar umas com as outras. Recostavam-se nas camas conversando, ou sentavam em torno das mesas de fórmica que formavam uma área reservada no centro.

Um esqueleto com cabelos longos e bastos balançava em uma cama no vão à nossa direita, um cateter obscenamente grande espichando-se do palito que era seu braço. Busner me conduziu até lá e nos apresentou.

"Hilary não é muito chegada em comida — ou, pelo menos, só de vez em quando, mas ela não aprecia de verdade os efeitos colaterais da nutrição. Hilary, este é Misha Gurney, nosso novo arteterapeuta." Hilary parou de se balançar e me lançou um sorriso equilibrado sob a franja castanha cuidadosamente penteada.

"Oi. Não vejo a hora de chegar hoje à tarde. Eu gosto de pintar, gosto de aquarela. Aqui tem umas pinturas minhas." Fez um gesto para a parede atrás da cabeceira da cama, onde uma área de cerca de trinta centímetros quadrados estava forrada de aquarelas minúsculas, pequenas pinturas exibindo uma precisão terrível, dolorosa — retratos, todas elas, aparentemente de mulheres jovens. Busner se afastou, mas eu fiquei e me aproximei da beirada da cama, de modo a conseguir examinar as pinturas detidamente. Haviam sido executadas com uma atenção fanática aos detalhes de maquiagem e cabelo que as tornava quase grotescas. Hilary e eu estávamos lado a lado. Com seu pescoço torcido de modo que pudesse me encarar, a pele de papel-manteiga de Hilary se esticou, de tal maneira que pude ver as serpentinas retorcidas e nodosas de tendões e artérias sob ela.

"São muito boas. Quem são essas pessoas?"

"São minhas amigas. Eu pinto com base em fotografias."

"Seus retratos são muito detalhados. Como consegue isso?"

"Ah, eu tenho umas canetas e uns pincéis especiais. Mais tarde eu mostro."

Deixei Hilary e fui até onde Busner estava sentado, numa das mesas na área central do dormitório.

"Hilary lhe contou sobre as amigas dela?"

"Contou..."

"Hilary não tem amiga nenhuma, propriamente falando. Ela recorta fotos de modelos nos anúncios das revistas, depois pinta por cima. Tem entrado e saído desta ala nos últimos três anos. Toda vez que chega está com essa aparência que você vê agora. Tão perto de morrer que precisamos deixá-la no soro. Em geral, o quadro é de demência completa; os aminoácidos foram sugados de seu cérebro. Depois que fica no soro por algum tempo, a gente a transfere para um regime rígido de alimentação supervisionada, baseada num sistema de punição/recompensa, e ao mesmo tempo ela se submete a um curso intensivo de psicoterapia com Jane Bowen. Jane é uma grande especialista em distúrbios alimentares. Depois de seis semanas a dois meses, Hilary está de volta a um peso saudável e comendo adequadamente. Ela recebe alta e podemos prever sua volta geralmente com uma margem de dias — cerca de quatro meses depois."

"Eu pensava que muitas anoréxicas e bulímicas superavam o problema."

"Até certo ponto, mas sempre tem um núcleo de indivíduos mais difícil, e no momento ele parece estar crescendo. Essas anoréxicas de longo prazo são diferentes, elas são calmas, resignadas, parecem alheias a qualquer motivação. As temporárias tendem a ser teimosas, obstinadas e obviamente muito neuróticas. Essas do núcleo mais resistente, como a Hilary, podem ser psicologicamente quase sem culpa. Algumas delas têm até relacionamentos bastante estáveis. Ficam perdidas quando tentam explicar o que deu nelas, parece uma coisa externa, imposta de fora."

Era para prestar atenção no que Busner estava dizendo, mas eu não conseguia me concentrar. Antes de mais nada, havia a estranheza da situação — anteriormente, eu passara apenas períodos isolados de poucos minutos em alas psiquiátricas. Eu soubera o que esperar em termos amplos, mas aquela ambiência implacável começava a me afetar. Havia qualquer coisa de cloacal na atmosfera da ala feminina. Nenhuma das pacientes parecia ter se dado ao trabalho de se vestir, sentavam aqui e ali conversando, usando combinações de roupas da noite e do dia. O algodão escovado preponderava. Pairava uma sensação de umidade, e eu sentia um cheiro de mingau, de papinha, de cantina; odores indefiníveis, abafados.

Do idiota tonsurado no Heath eu fora capaz de me afastar, mas de dentro da Ala 9 não havia escapatória. E essas pessoas não estavam de fingimento. Não eram neuróticos enrustidos ou excêntricos afetados, boêmios. Eram a coisa real. Perda de equilíbrio real, confusão real, tristeza real, que brota do âmago como o inestancável fluxo de sangue de uma artéria seccionada. Comecei a sentir uma revolta subindo por minha garganta. Minha testa ficou seca como uma lixa. Busner esquecera de mim e conversava com uma enfermeira pneumática. As enfermeiras na Ala 9 não usavam um uniforme propriamente dito, antes desfilavam com artigos variados do vestuário médico: aventais, batas e guarda-pós, crachás e relógios presos no busto. Essa enfermeira exibia um Ingersoll masculino preso com um alfinete na lapela de sua jaqueta. Tinha cachos loiros de bebê, lábios carnudos e essa epiderme viçosa, ligeiramente elástica que invariavelmente acompanha os pungentes suores do coito. Forcei-me a escutar o que estavam dizendo e combati a náusea com concentração.

"Então leve-a ao oculista, Mimi, se ela precisa ir."

"Ah, precisa, sim, Zack, mal consegue enxergar um metro à frente. Como vamos esperar que lide com a realidade se não consegue enxergar." A voluptuosa Mimi se esparramava sobre a ponta da mesa. Atrás dela havia uma mulher baixa lá pelos seus trinta anos, com a fronte hidrocefálica e o oblíquo corte em domo de uma criança inteligente. Fitava-me fixamente com seus olhos míopes.

"Mas Rachel na verdade não deveria deixar a ala, considerando a medicação que está tomando."

"Mas, Zack, até o oculista é só uma caminhada, dez minutos, no máximo. Deixa, vai."

"Ah, tá bom."

"Vamos lá então, Rachel, vai vestir seu casaco." Rachel saiu gingando rumo a um dos vãos. Mimi ergueu o corpo da ponta da mesa e pestanejou em minha direção de um modo lânguido.

"Vamos, Misha, vamos dar entrada num paciente, quero que veja. Você fica no balcão da recepção. Anthony Valuam vai pegar você e levá-lo para a emergência." Deixamos o dormitório feminino e voltamos à área de associação. Tom, meu colega da primeira parte da manhã, estava de volta ao posto da enfermagem, lendo seu Penguin cheio de orelhas. Busner me despachou para que eu fosse esperar com ele, dando-me um suave empurrão na parte inferior das costas, depois curvou o dedo em gancho e chamou um rapaz escrofuloso em um paletó lustroso surrado que fumava ali perto, e desapareceram ambos rumo a sua sala. Tom deixou a leitura de lado e se aproximou para outra conversinha conspiratória.

"O bom doutor já deu um rolezinho com você?"

"Demos uma volta pela ala, é."

"Já começou a ficar por dentro?"

"Como assim?"

"Bom, pra quem você foi apresentado? Peraí, não me diga. Deixa eu adivinhar. Você conversou com o Clive e depois viu um monte de outros pacientes masculinos, bem rápido, até que terminou examinando as aquarelas de Hilary."

"Ahn... isso."

"E por acaso Zack soltou o bordão?"

"É, quando a gente estava conversando com Jane Bowen."

"Foi o que pensei. Ele é bem previsível. Esse é um dos aspectos mais terapêuticos deste lugar, a regularidade infalível do doutor Busner. O que você está fazendo agora?"

"Ele quer que eu vá para a emergência e acompanhe a entrada de um paciente com um tal de doutor Valuam."

"Tony, é. Pode crer, é meu tipo de psiquiatra, não como o doutor Busner; mais prático, mais chegado numa química."

Uma porta que eu não havia notado antes se abriu à direita do posto da enfermagem. Um homem muito baixo saiu por ela e com movimentos precisos a trancou atrás de si, usando uma das chaves de um molho de carcereiro extremamente grande. Virou para me encarar. Um tipinho engraçado. Os tufos escassos de cabelo claro penteados inutilmente sobre o couro calvo. Não era como se estivesse avançando pela calvície, era antes como se nunca sequer tivesse tido cabelos, para começar. Essa impressão era reforçada pelos olhos azuis aquosos, e o nariz e o queixo, que eram macios e aparentemente sem osso. Ele vestia um formalíssimo terno azul de tecido sintético estilo anos setenta e sapatos de vinil.

"Você deve ser Misha Gurney. Sou Anthony Valuam." Seu aperto de mão era enviesado e emborrachado, era como segurar um pegador de retorta no laboratório, mas sua voz era absurdamente macia e grave. Estava mais para uma voz em off do que para uma voz real. Seu rosto fetal registrou e depois ignorou minha surpresa; devia estar acostumado a isso. Tom se segurava e obviamente ria atrás de seu livro. Valuam não lhe deu atenção e fui atrás dele. Seguimos pelo curto corredor até o elevador. Valuam começou uma apresentação.

"É muito incomum receber alguém na emergência a essa hora do dia. Nesta ala, a gente lida quase que exclusivamente com pacientes indicados, mas conhecemos esse jovem particular e há ótimos motivos para ele ser tratado na Ala 9."

"E quais seriam...?"

"Não quero bancar o enigmático, mas você vai ver."

Valuam ficou em silêncio. Esperamos pelo elevador, que chegou, abriu as portas, fechou e então desceu conosco através do hospital para a emergência, situada no primeiro subsolo. O elevador parou em todos os andares, pegando e descarregando passageiros.

Os arquitetos, designers de interiores e consultores de cores que haviam feito o hospital não ficaram insensíveis às dificuldades impostas pelo projeto, eles se esforçaram francamente para fazer com que a estrutura vasta e labiríntica parecesse habitável e humana na escala. Com essa finalidade, cada andar recebera acabamentos ligeiramente diferentes nas paredes e nos pisos, luminárias com formatos ligeiramente diferentes para as lâmpadas de neon, cornijas de concreto ligeiramente diferentes, caixas metálicas para as unidades de ventilação ligeiramente diferentes e pinturas ligeiramente diferentes: na virologia, um enfático azul-claro, na urologia, um provocante (mas de bom gosto) verde, na cirurgia e na cardiologia, um resiliente rosa, e assim por diante. Em cada andar, os pacientes e os auxiliares também eram de cores diferentes. Os rostos e mãos dos pacientes sendo transferidos de ala para ala, em macas com rodinhas, em cadeiras de rodas pesadas como máquinas de cerco medievais, exibiam manchas de doença tão vívidas quanto um espécime em conserva injetado com tintura.

Os auxiliares eram violentamente sem cerimônia; enfiavam os pacientes nos elevadores como se estes fossem desajeitados sacos de cebolas espanholas de cinquenta quilos. Depois, postavam-se ameaçadoramente num canto, o cenho franzido para suas cargas lívidas, as têmporas palpitando com saúde insultante. Ocasionalmente, enfiavam no elevador um paciente que era claramente da cor errada para o rumo que tomávamos (isso ficava evidente assim que o elevador chegava no andar seguinte), e o auxiliar voltava com a cadeira de rodas ou maca para dentro do elevador outra vez, o rosto de ambos, carregador e carga, expressando meticuloso cansaço à perspectiva de mais uma espera purgatorial.

Chegamos ao subsolo. Valuam virou à esquerda ao sair do elevador e conduziu-me pelo corredor. Ali embaixo o esquema de cores era o bege opaco. O sussurro persistente do ar-condicionado era mais elevado do que no nono andar e o som de fundo dos geradores era um batimento mais grave. O ambiente industrial era ainda mais enfatizado pelas peças de equipamento deixadas de quando em quando ao longo do corredor, suas barras de aço, rodas de borracha, cilindros plásticos e gânglios pendentes de fiação elétrica traíam toda a sua inutilidade.

O piso de azulejos bege estava riscado com marcas sujas de rodas. Passamos rapidamente pelas portas com letreiros crípticos sobre elas: "Armário Hal-G", "Ex-Offex.Con", "Posto de Vassouras". O corredor agora desembocava numa série de passagens com divisórias em que Valuam se locomovia com perfeita segurança. Adentramos uma ampla área, embora o teto ali não fosse mais elevado do que no corredor. De ambos os lados havia reservados feitos de cortinas, laterais maleáveis de plástico bege. As luzes bege no alto tagarelavam subsonicamente. Passamos por funcionários curvados em seus trabalhos — mineiros da saúde que garimpavam com equipamento pesado para extrair os veios enfermos. Eram orientados por capatazes mais altos, reconhecíveis por seus jalecos brancos, que usavam como se fossem paródias esvoaçantes. Valuam dobrou à direita, à esquerda, à esquerda outra vez. Sob a luz antinatural me senti terrivelmente suscetível ao passarmos por reservados onde jaziam figuras enrodilhadas em dor. Eu sentia os rasgos, cortes e esmagamentos de tecidos e ossos como um chumaço de algodão eletrificado colocado sobre minha boca e meu nariz.

Finalmente Valuam chegou ao reservado certo. Empurrou a cortina para o lado. Um jovem de vinte, vinte e um anos, encolhido numa cadeira côncava de plástico no fundo da área cortinada retangular. À esquerda, uma senhora furiosamente embalsamada se apoiava na beirada da mesa de exame. À direita havia uma mesa de alumínio com rodinhas. Sobre ela estavam lenços de papel, um rim com palitos de segurar a língua e uma caixa dispensadora com embalagens de agulhas descartáveis.

Valuam empurrou o recipiente de lixo hospitalar amarelo-doença para o lado com seu pé azul e puxou outra cadeira de plástico. Endireitou o corpo e apertou a mão da mulher, que murmurou um "Anthony". Valuam sentou de frente para o jovem e pegou a prancheta que trazia aninhada em seu braço.

Vi-me obrigado a me curvar desajeitadamente na abertura, pairando acima do grupo como um intruso malévolo. Fui conspicuamente ignorado.

"Bom dia, Simon", disse Valuam. Simon puxou uma fronde lanosa do punho de seu pulôver e a deixou pender, qual uma campainha muda, numa retraída espiral. Simon vestia um belíssimo pulôver, feito de uns vinte e tantos painéis irregulares de lã, em tons de bege, cinza e preto. Puxou o fio torcido outra vez e alheou-se absorto num sabugo sanguinolento de cutícula que se desprendera de sua pobre pata remoída.

"Simon e eu achamos que seria uma boa ideia se ele ficasse na ala com você por um tempo, Anthony." A mulher descruzou os tornozelos e içou o corpo sobre a mesa de exame. Bobes diligentes haviam moldado seu cabelo cor de aço, uma ponta da franja virada para seu jovem filho indigente. Ela pegou a minúscula bolsa brilhante que segurava sob o braço, abriu o fecho e tirou um cilindro de hortelãs que apontou para mim.

"Aceita um Polo?"

"Ahn... obrigado." Peguei um. Ela sorriu levemente e tirou um, também.

"O que acha disso, Simon?" Valuam segurou a lateral de sua cabeça fetal, a voz muito grave soando preocupada.

"Pode ser." Simon girava o talo de cutícula com a ponta do dedo. Também começava a se balançar para a frente e para trás.

Valuam consultou os papéis presos em sua prancheta. "Mmm... mm..." Respirou audivelmente e folheou as anotações do histórico enquanto a mulher de cabelos cor de aço e eu olhávamos um para o outro pelo canto do olho. Estava de fato muito chique. Cingindo seu pescoço e seu pulso havia a mesma corrente de plaquetas de prata cortadas em diversos formatos; suas roupas eram feitas de variedades de vicunha e coelho; sua meia-calça era tão homogênea que você podia ver o hemangioma ali. Não consegui captar completamente por que estava sendo tão blasée acerca da internação voluntária de Simon. Falta de afeto genuína? Mecanismo de defesa? Alguma coisa mais sinistra?

"Você recebeu alta em outubro último, Simon", Valuam encontrara o lugar certo, "e foi para o Galston Work Scheme. Como foi por lá?".

"Ah, ok, eu acho. Fiz umas coisas boas; trabalhei em algumas de minhas construções. Eu gostei." Simon desistira da cutícula, ergueu o rosto para Valuam e falou com alguma animação. Seu rosto exibia um matiz meio esverdeado e estava distorcido por infecções purulentas. Era como assistir a uma tela de tevê colorida quando o tubo começa a se apagar.

"Mas agora você está com péssima aparência outra vez, não é?"

"É, acho que sim. Estou de saco cheio de ficar morando com essa vaca." A mãe de Simon se encolheu. "Ela me pressiona o tempo todo. Faz isso, faz aquilo. Como é que eu não ia surtar?"

"Sei. E surtar significa parar de tomar a medicação e parar de ir ao Galston e parar com sua terapia e acabar ficando desse jeito."

Simon voltara a mergulhar no torpor antes que Valuam chegasse ao fim da frase. A cutícula reclamava toda a sua atenção outra vez. Ficamos ali olhando para o topo de sua cabeça rebelde.

Valuam suspirou. Ticou alguns quadradinhos na folha de cima da prancheta e girou de lado na cadeira de plástico para encarar a mulher. "Bom, imagino que é melhor ele vir para cá por algumas semanas, então."

"Fico feliz que entenda dessa forma, Anthony." Ela desceu da mesa de exame com um chiado de lã contra seda e alisou as roupas. "Bom, então até mais, Simon. Venho visitar você no fim de semana."

"Tchau, mãe, se cuida." Simon não ergueu o rosto, encontrara um antisséptico e se concentrava em passá-lo com pequenos arcos contidos no dedo sangrando. Sua mãe sorriu distraidamente para Valuam, como que apreciando o fracasso indumentário do doutor. Fiquei de lado e ela acenou para mim ao deixar o cubículo e ir embora.

Valuam ficou de pé e arrastou a cadeira de volta para perto da parede.

"Preciso ver alguém por aqui, Misha, você se importa de levar Simon para a ala?"

"Eu, ahn, não tenho certeza se consigo achar o caminho de volta."

"Ah, isso não é problema, Simon conhece o hospital bem melhor do que a própria cabeça."

Não tinha certeza se era para eu partilhar dessa ironia desagradável — mas observando o semblante abortado de Valuam, pude ver que não estava brincando. Simon pareceu nem notar.

Segui a abstração do pulôver de Simon pelos meandros da área de avaliação da emergência. Mesmo antes de chegarmos ao corredor percebi que perdera completamente o senso de direção. Simon, contudo, não hesitava, marchando inabalável com longos passos fluidos. Íamos como um casal brigado; ele abria uma distância de uns vinte metros e então eu tinha de empreender um tiro curto para alcançá-lo. No começo fiquei receoso que estivesse na verdade tentando me despistar, mas sempre que havia mais de uma opção no trajeto, e estava um pouco à frente, ele esperava até que eu chegasse perto o bastante para ver que direção tomara.

A natureza dos corredores que cobríamos mudava perceptivelmente. As máquinas que havia a intervalos contra as paredes do corredor tornavam-se cada vez mais obviamente utilitárias — suas partes agora pintadas de preto, em vez de cromadas ou emborrachadas —, com motores a gasolina, em lugar de bombas elétricas. As próprias paredes mudavam, perdiam seus matizes terapêuticos e revertiam à cor do concreto, assim como o piso. Luzes brilhavam sem a proteção de uma luminária, primeiro um eventual tubo de neon aqui e ali, depois, todos eles.

Essa parte do hospital estava além do mundo operacional do trabalho, era um submundo secreto. De tempos em tempos passávamos por trabalhadores trajados com estranhas roupas de proteção: vestindo aventais emborrachados, ou máscaras plásticas no rosto, ou galochas, ou ombreiras de couro. Fitavam-nos de um modo inescrutável. Estavam claramente concentrados em suas funções; o polimento dos gemidos, a manutenção dos zumbidos, o encanamento dos uivos. Também era claro que Simon não estava me levando de volta para a ala, ele queria alguma coisa ali. Cerquei-o num canto.

"Aonde estamos indo, Simon?"

"Ver uma coisa, um negócio que vale a pena. Prometo que você não vai achar ruim."

"Pode me dizer o que é?"

"Não." Afastou-se rápido, chamando-me por cima do ombro, "Vamos lá, não falta muito."

As paredes do corredor deram lugar a seções de alvenaria aparente. Embutidas em cada uma via-se o que restara de antigas janelas, lacradas com tijolos. Percebi que chegáramos ao lugar onde o novo hospital fora enxertado em seu predecessor. Havia as marcas das balaustradas de ferro fundido, tenuemente impressas, como caules de gramíneas fossilizados. Mais do que nunca senti o enorme peso assentado do hospital acima de nós. A umidade invadiu o ar; a intervalos, poças gotejantes de água infiltravam-se pelo chão. Finalmente Simon parou na frente de uma porta dupla, um velho par de portas pertencentes ao antigo hospital, a metade de cima envidraçada em diversos pequenos quadrados. Ele as abriu nos trilhos quebrados.

Estávamos numa espécie de estufa. Paredes arredondadas, com oito metros de um lado a outro, a quatro metros e meio do chão, davam lugar a um domo de vidro sujo, que se arqueava no alto, quase impossível de ver na penumbra. Havia luz do dia no ambiente, filtrando debilmente pelos vidros embaçados. Água pingava audivelmente. No centro do lugar havia uma máquina gigante para fazer alguma coisa com pessoas. Esse fato ficava claro devido ao leito inclinado posicionado no meio de sua lateral. Em tudo o mais parecia um microscópio gigante, o cilindro preenchendo obliquamente o volume incerto do ambiente, as lentes apontando direto para o leito. O aparato todo era repleto de cabeamento hidráulico. Fora originalmente pintado de uma cor creme-cozinha, mas agora estava corroído, atrofiado.

Simon e eu ficamos ali, olhando.

"Demais, hein." Sua voz soou forte e vibrante. Perdera aquela inflexão taciturna.

"É, impressionante. Para que servia isso?"

"Ah, não faço ideia. Me deixaram sozinho uma noite na emergência e comecei a passear por aí, então encontrei isso. Acho que não vem ninguém aqui faz muitos anos. Engraçado, sério, porque fica bem atrás da SDM."

"SDM?"

Simon gesticulou para que eu me aproximasse da janela coberta com uma película cinzenta, do lado oposto à porta por onde entráramos. Circundei a máquina gigante, indo até a beirada da vasta placa que a mantinha fixada no piso. Partes da máquina haviam caído — parafusos, braçadeiras, outros componentes pequenos —, mas, dada a escala da coisa, grandes o bastante para esfolar suas canelas se você topasse com uma. Simon esfregava vigorosamente a vidraça.

"Olha, tá vendo?" Não havia qualquer sensação de céu, ou do exterior, mas a luz chegava de algum lugar. Delineando uma atarracada estrutura fortificada, bloqueada por maciças lajes de concreto. Era como uma instalação defensiva. "Aquela é a Sala do Desastre em Massa. Se um dia acontecer um ataque nuclear, um terremoto ou alguma coisa assim, é ali que fica guardado todo o equipamento para cuidar disso."

"Bom, como o quê?"

"Sei lá, ninguém vai me dizer. Só descobri porque encontrei a porta com o aviso."

Permanecemos junto à janela por algum tempo. A estufa, a máquina gigante, a fortificação. Tudo fracamente iluminado por uma luz invisível. Havia qualquer coisa de sobrenatural na atmosfera. Essa estranheza que toma conta quando deixamos uma área muito cheia de gente — saindo de um parque movimentado para um pequeno bosque escurecido — e viramos para olhar a vida que segue em frente, as crianças e os cachorros.

De volta à ala, Busner andava de um lado para outro, reunindo todos os membros da equipe. Um círculo malfeito de cadeiras fora arrumado na área de associação. Anthony Valuam e Jane Bowen já estavam sentados, concentrados na conversa, quando chegamos. Valuam não mostrou qualquer curiosidade em saber por onde andáramos. Simon, por sua vez, revertera ao tipo taciturno, perturbado, assim que chegamos ao nono andar. Mergulhou em meio ao movimentado vaivém de funcionários e sumiu de vista.

"Sente-se, Misha, por favor, queira sentar." Busner abanou os braços envoltos na popeline lustrosa e arrepiada como um peru assado. Sentei ao lado de Mimi, a enfermeira voluptuosa, que fora ao oculista e voltara. O restante da equipe começou a pingar por ali, tanto os auxiliares como os médicos. Havia funcionárias do refeitório com suas redinhas de náilon no cabelo e assistentes sociais da psiquiatria segurando suplementos de jornal enrolados. Conversavam uns com os outros muito informalmente, segurando cigarros e gesticulando. Os pacientes não tomavam o menor conhecimento da reunião — o que no meu entender salientava, mais do que qualquer outra coisa, sua exclusão do mundo racional.

Busner pediu a atenção geral.

"Ahm! Olá a todos. Temos muita coisa para conversar hoje, então gostaria de começar. Não queremos que isso seja a mesma correria que foi no mês passado. Antes de passarmos ao primeiro tópico na agenda gostaria de apresentar a todos o novo membro da equipe, Misha Gurney. Alguns de vocês já devem ter ouvido falar no pai dele", o rosto de Busner corou um pouco com o sentimentalismo, "que foi meu contemporâneo e amigo querido. De modo que é um prazer especial para mim que Misha venha se juntar a nós na ala como o novo arteterapeuta...".

"Espera só até ouvir o que aconteceu com o antigo arteterapeuta...!" Antes que eu tivesse tempo de girar na cadeira e ver quem sussurrara em meu ouvido, Tom sumira, arrastando os pés em macios solados pelo corredor.

A partir daí a reunião deteriorou na usual deliberação de trivialidades que — por minha experiência — parecia acompanhar qualquer reunião de departamento. Houve discussões sobre as horas em que o lanche podia ser feito, discussões sobre revezamentos de plantão, discussões sobre visitas aos pacientes. Minha atenção começou a vagar, até que me distraí por completo. Fiquei olhando fixamente por cima do ombro de uma mulher de meia-idade que estava ligada à ala em nome do departamento de serviços sociais local. Pelas portas duplas de vaivém, entre ela e a entrada dos dormitórios, pude ver Clive. Ele me encarava fixamente, ou assim parecia; seus grandes olhos globulares eram incapazes de outra coisa que não encarar. Balançava de um lado para outro como um metrônomo humano. Quando eu estreitava os olhos, ficava com a impressão de que seu corte de cabelo messiânico bizarro pulsava a partir da bochecha da assistente social de meia-idade. Esse truque me hipnotizou.

Mimi cutucou minhas costelas. "Misha, atenção!"

Busner dizia alguma coisa na minha direção. "Então, Misha?", ele disse.

Mimi sussurrou, "Ele quer saber o que você pretende fazer na sessão de arteterapia hoje à tarde."

Comecei, cheio de culpa. "Ahn... bom... hmm. Na verdade, pretendo, ah, me apresentar para os pacientes com uma série de demonstrações de diferentes técnicas e depois convidá-los para mostrar sua própria produção, para que a gente possa conversar a respeito."

Isso pareceu satisfazer Busner. Ele virou para Jane Bowen e sussurrou alguma coisa em seu ouvido, ela sorriu e balançou a cabeça, batucando uma esferográfica amarela na beirada da prancheta.

Logo depois disso a reunião terminou. Puxei Mimi para um canto.

"Obrigado pelo toque, você salvou minha pele. Eu estava viajando, longe."

"É, absurdo, hein? Zack é como um ditador benevolente, ele acha que deixando todo mundo discutir um monte de coisa sem importância a gente vai se sentir como se tivesse algum papel na tomada de decisões da ala."

"Quanto tempo faz que você trabalha aqui?"

"Ah, bastante. Desde que consegui minha capacitação, na verdade. Não sei o que acontece com essa ala. Pode-se dizer que ela e eu fomos feitas uma para a outra." A assistente social se aproximou de onde estávamos. Mimi nos apresentou e então as duas se afastaram para falar sobre um paciente. A assistente social corava terrivelmente. Não foi senão mais tarde que me dei conta de que ela pensara que eu a ficara encarando durante toda a reunião.

Subi com meus sanduíches na hora do almoço até o Heath e sentei no banco com o idiota. Ele seguia em sua algaravia, balançando o corpo inaudivelmente, sem dúvida inibido com minha presença. Ofereci-lhe um sanduíche, que aceitou, e com o qual em seguida fez coisas medonhas.

Olhei para a cidade. O padrão de luzes mudara quando eu viera caminhando do hospital e agora o vasto zigurate estava banhado em uma luz brilhante, enquanto o banco onde o idiota e eu moíamos queijo entre os dentes achava-se mergulhado em profunda sombra. Tom havia me dito que se referia ao hospital, privadamente, como o Ministério do Amor; e de fato aquela nave sepulcral forjando seu caminho na malha de ruas tinha qualquer coisa do futuro, de corporativo, misturado ao passado despótico.

O vento açoitava o convés de porta-aviões do hospital quando reentrei pelos portões principais. Pacientes e visitantes bem de vida desembarcavam de táxis pretos e táxis de luxo, enquanto suas contrapartidas mais pobres enfrentavam a forte corrente ascendente que uivava junto às paredes oblíquas do prédio — balizadores de deque sem suas raquetes de pingue-pongue avantajadas com as quais sinalizar.

No nono andar encontrei Jane Bowen. Estava logo à direita do elevador. Mexia nervosamente na boca com as duas mãos quando as portas se abriram.

"Bem, Misha, por onde você andou?"

"Levei meus sanduíches para comer no Heath. Gosto de tomar um pouco de ar fresco durante o dia."

"Certo, não deixe que isso vire um hábito."

"Por que não?"

"Zack prefere que a equipe toda coma na cantina da ala..."

"Você deve estar brincando...!"

"Claro, ninguém é obrigado. Você é livre para fazer o que quiser. Mas Zack tem bons motivos para isso e só vendo como é a hora do almoço para entender quais são."

A área de associação estava lotada de pacientes, eles se aglomeravam em torno do balcão de servir, no refeitório — que estava mais para uma janela de cozinha americana, na verdade —, e em seguida gravitavam de lá para a fila da medicação. Busner ficava no centro disso tudo, como uma espécie de Rei Momo. Vestia um curto jaleco branco que acentuava o contorno de seus quadris arredondados. Os bolsos de seu casaco quase transbordavam de tão cheios e devido a sua postura parecia usar uma braguilha medieval. Busner gesticulava com os braços em torno da cabeça e girava nos calcanhares, o rosto contorcido, de dor? De hilaridade? Era impossível dizer.

Aproximei-me dele em meio ao turbilhão de pacientes.

"Ah, Misha, a corda dos meus óculos prendeu na minha gravata aqui atrás. Você consegue ver o que aconteceu?" Virou de costas para mim e soltei o ponto onde os dois fios se enroscavam. "Ah, aí sim." Enganchou os óculos no sulco avermelhado sobre a ponte do nariz. "Agora estou enxergando. Melhor separar os materiais para você trabalhar." Conduziu-me até um armário embutido no refeitório do lado oposto à cozinha e abriu as portas, que iam do chão ao teto. Lá dentro havia uma confusão de materiais e diversos trabalhos não finalizados. "Arrumar os materiais nunca foi o forte de Gerry", disse Busner, avançando armário adentro e esmagando barras de carvão sob os calcanhares, "mas aqui tem tudo o que você vai precisar. Eu recomendo ir com calma, deixar que o procurem e mostrem o que estão pensando — tentar construir alguma confiança".

Busner passou um braço melosamente afetuoso em volta dos meus ombros, mas não percebeu quando me encolhi. Ficamos ali lado a lado, encarando uma prateleira cheia de latas escorridas de tinta em pó colorida.

"Seu pai teria ficado orgulhoso de você, Misha. Ele teria entendido o que você está fazendo. Sabe, de certo modo, sinto como se você estivesse em casa, aqui conosco, na ala, que este é o lugar certo para você, não concorda?" Murmurei qualquer coisa na negativa. "Fico feliz por sentir-se da mesma maneira, venha me procurar quando a sessão terminar, e me conte como foi." Afastou-se de mim, deixando uma série de arcos a carvão sobre o linóleo. Fiquei só — mas não por muito tempo.

Tom se materializou. A seu lado estava um homem de seus trinta e tantos anos, de altura e constituição medianas, normal em sua camisa de lenhador e calça de brim, anormal por seus braços e seu semblante: braços que lutavam para escapar do corpo e impeliam mãos longas, musculosas, mecânicas. Seu rosto era esticado e tenso e projetava-se impetuosamente na direção de seu cabelo castanho inflamado. A impressão geral era de velocidade contida.

"Este é o Jim", disse Tom, "ele não aguenta esperar, quer começar agora mesmo".

"Sei. Oi, Jim." Ele projetou a ferramenta em minha direção, eu a apertei, ele a retraiu. "Estou muito ansioso por essas sessões. Eu queria continuar meu trabalho sempre, só que não deixam." Abri ao máximo as portas duplas.

"Qual deles é o seu?"

"Esse." Ele puxou uma espécie de escultura, feita de argila, de uma das prateleiras mais altas, seus longos braços aninhando a forma irregular, num gesto protetor. Virou e a pôs em cima de uma das mesas de fórmica do refeitório.

Era uma peça grande, talvez com cerca de um metro de comprimento e a metade disso na largura. Jim usara uma tábua como base e esculpira a argila em cima. O trabalho exibia esse tipo de realismo ingênuo que eu associava a programas infantis de televisão, mostrando figuras animadas movendo-se por uma cidade em miniatura. A peça representava a curva descendente de uma pista elevada que reconheci imediatamente como o viaduto Marylebone. Jim esculpira precisamente o ponto em que as duas pistas do viaduto voltavam a se juntar na Marylebone Road, havia minúsculos carrinhos de argila saindo do viaduto e um deles batera na pequena van de um vendedor de frutas japonês que vinha pela Edgware Road. Duas figuras de argila em miniatura estavam posicionadas na rua, gesticulando. A obra toda era interrompida no ponto onde o cruzamento da Lisson Grove estaria a leste e onde o viaduto atinge seu ápice, a oeste.

"Está quase terminado", disse Jim. "Hoje vou pintar e passar verniz e daí eu queria que você mandasse pro forno."

"Bom, não vejo problema nisso. Mas me diga uma coisa, qual a história por trás dessa escultura?"

"Não é uma escultura." Ele chupou ar entre os dentes, o suspiro enfastiado de uma criança. "É um retábulo." Pegou o modelo do viaduto e foi até uma mesa junto à janela. Tom deu uma risadinha.

"Jim tem complexo messiânico. Ele acha que o Apocalipse não está chegando."

"O que isso quer dizer?"

"É um pouco complicado. O Apocalipse vai chegar quando tiver gente suficiente aceitando que não vai chegar."

"Parece uma idiotice."

"Sei, idiotice o caralho, você que é um idiota do caralho, seu cagão de merda, pode crer!" A voz de Tom mudou abruptamente da zombaria leve para a agressividade instantânea de um delinquente um pouco lerdo. Foi uma transformação assustadora, como se tivesse ficado possuído por um estranho demônio. Ele se afastou furtivamente e foi se juntar ao amigo. Desconsiderei o insulto. Busner me explicara sobre ele; estava claro que era só mais uma encenação.

Ao longo da meia hora seguinte, mais ou menos, a maioria dos outros pacientes da ala chegou pouco a pouco à área de associação e se aproximou de onde seus colegas já trabalhavam, misturando tinta em pó, trabalhando a argila com os dedos, cortando e colando fotos de revistas. Fiquei perplexo com a tranquila diligência que exibiam como grupo. Mal parecia haver alguém naquela ala com sinais de genuína desordem mental. Dois ou três pacientes ficavam como metrônomos perto da área de trabalho, balançando e gingando, marcando o ritmo da atividade alheia.

Hilary sentava junto à janela e trabalhava numa de suas minúsculas aquarelas com pincéis de cabelo. Ela apoiara sua arte em miniatura num cavaletezinho feito com palitos de sorvete e pintava com pinceladas hábeis, que provocavam pequenos puxões no suporte móvel preso ao cateter em seu braço, para trás e para a frente. A bolsa plástica pendurada na armação continha um líquido claro e um sedimento qualquer. Conforme o suporte se movia para trás e para a frente o sedimento se agitava dentro da bolsa, as partículas ocasionalmente captavam a luz e cintilavam ao sol da tarde que entrava pelas enormes janelas.

Simon chegou até mim e pediu tesoura, cola e papel-cartão. Tirou uma colagem inacabada de uma das prateleiras do armário e sentou por perto. O trabalho retratava a máquina que ele me levara para ver naquela manhã, mas recriada a partir de fotos de aparelhos domésticos recortadas de revistas coloridas. Aproximei-me e fiquei a seu lado por um momento. Ele sorriu para mim, trincando a geada de secreção cristalizada nos cantos de sua boca.

"Trabalho não finalizado, eu larguei da última vez que fui..." Curvou a cabeça cor de cenoura suja de volta à tarefa.

Restringi-me a distribuir os materiais. Senti que ali não era hora de comentar os trabalhos que os pacientes estavam realizando. Quando começassem a confiar em mim eles fariam voluntariamente seus próprios comentários. Havia uma atmosfera tranquila de concentração acima das cabeças curvadas. Saí de onde estava e fui até a janela, escutando os débeis sons do hospital em sua atividade da tarde. O rumor monótono dos geradores, o claque-claque de passos, o ruído cascalhento de portões e carrinhos. No balcão abaixo, dois pacientes crônicos vestidos de azul brigavam desajeitadamente entre si, um deles curvado para trás, pressionado contra o parapeito pelo outro. Fiquei observando atentamente a agressão descoordenada por algum tempo, com um olhar vazio, ausente. O "O" para o qual eu olhava se dissolveu na boca esticada de um velho. No momento em que voltei de meu devaneio e percebi que devia fazer alguma coisa, um enfermeiro apareceu no balcão e os separou, arrastando o jovem dali, fora do campo de visão sob meus pés.

Acabei indo sentar em uma mesa ocupada somente por um sujeito de cabelo cacheado que apoiava a cabeça na dobra do braço, como um aluno entediado. Ele fazia algo com o outro braço, mas não dava para ver o que era. Ficamos sentados um diante do outro por dez minutos ou algo assim. Nada acontecia. Em volta de nós os funcionários acendiam cigarros e contribuíam para a cerração enfumaçada do ambiente.

"Psst...!" Era Tom. "Vem cá." Ele gesticulou para que fosse me juntar a ele e Jim. Fui até lá. Estavam trabalhando diligentemente no retábulo. Jim executava a pintura, era trabalho de Tom lavar os pincéis e misturar as cores. Jim terminara a superfície marrom-azulada da rua e começava a tracejar as linhas brancas. Tom descrevia piruetas preguiçosas, um patético laço de barbante pendendo da mão, a voz modulada no tom lamentoso de um californiano pirado; havia decorado o papel. Mas errado.

"Aquele bróder lá." Apontou o sujeito de cabelo cacheado.

"O que tem ele?"

"Uma bola dentro pro doutor B."

"Como assim?"

"Psicose de pó, genuína, total. Ele era contador, antes. Não um vagabundo cheirador, sem mais. Uma bola dentro. O doutor B diagnosticou o cara, todas as outras unidades por aqui estão putas. Vai lá ver o que ele tá fazendo, cê vai rachar o bico. E, quando estiver voltando, vê se traz pra gente outra caneca de água, valeu, brou."

Fiz como me falou. Passando por Lionel, o viciado em cocaína, abaixei para apanhar um objeto invisível e olhei para trás para ver o que ele estava escondendo na dobra do braço. Não havia nada. Ele estava habilidosamente separando e arrumando sua própria coleção de objetos invisíveis no minúsculo pedaço de mesa. Quando me abaixei e olhei, virou o rosto para mim e sorriu conspiratoriamente. Seus olhos pousaram tempo demais sobre minha mão parcialmente fechada, os dedos delineando as irregularidades e projeções de meu próprio objeto invisível. Endireitei o corpo rapidamente e segui pelo curto corredor que dava na quitinete dos funcionários.

No meio do caminho, à esquerda, notei uma porta que não vira antes. Havia um quadrado de vidro no nível dos olhos, pedindo para ser espiado. Aproximei-me. A cena que testemunhei adquiriu um caráter gráfico, modelar, pela trama de arame aprisionada no vidro. Uma cena silenciosa desenrolada numa sala amarela brilhantemente iluminada. Um homem em seus quarenta e poucos anos, que era de certo modo familiar, sentava numa das ubíquas cadeiras de plástico. Vestia roupas pretas folgadas e seu cabelo preto estava penteado para trás nas têmporas altas. Ele sentava de perfil. Estava com as pernas cruzadas e escrevia em uma prancheta que equilibrava na coxa. Seu lábio e seu queixo tinham a aparência exposta, furunculosa, de quem se barbeia com frequência. A sala era claramente destinada a um tratamento. Passava essa sensação de cantinho esquecido de lobby de hotel que essas salas sempre têm. A reprodução de uma reprodução pendia da parede, havia um suporte de revistas vazio, inútil, sobre o linóleo — o pobre piso de linóleo, sua carne escarificada por queimaduras de cigarro. No canto oposto da sala, na diagonal do homem de preto, um vulto se agachava, o corpo enrodilhado, desviando o rosto. Dava para perceber pela lapela coalhada de buttons, balançando com respiração emotiva, que era Jane Bowen.

O resto da tarde foi passado em silêncio e concentração. Às 17h40 recolhi os materiais de arte e guardei os trabalhos de todos os pacientes no armário, do modo mais ordenado que pude. Levou algum tempo para arrumar os materiais adequadamente. Os pacientes permaneciam quase todos onde estavam, curvados sobre as mesas, aparentemente relutantes em sair. Tom e Jim murmuravam entre si junto à janela. Tinham o pantomímico ar conspiratório de meninos de seis anos de idade, ainda meio convencidos de que se não olhassem não podiam ser vistos.

Encontrei Busner em seu escritório. Ele observava a falta de escala pela janela. No canto oposto do hospital uma chaminé de metal que eu não havia notado nessa manhã cuspia uma sólida coluna de fumaça branca. Busner notou a direção do meu olhar.

"Um trem indo para lugar nenhum, hein, Misha?"

"Por que diz isso?"

"Porque é verdade. O que temos aqui é um curral, um purgatório subsidiado pelo Estado. As pessoas vêm para cá e esperam. Não acontece muito mais que isso, nunca; melhorar, eles não melhoram, não de modo apreciável. É como se depois de serem classificados eles ficassem espetados com um alfinete num cartão gigante. O mesmo poderia ser dito também a nosso respeito, hein?" Estremeceu, como se testemunhasse um paciente sendo espetado com um alfinete gigante. "Mas estou divagando, deixa isso pra lá, Misha, foi um longo dia."

"Não, estou interessado no que está dizendo. Os pacientes aqui de fato parecem diferentes dos que conheci em Halliwick ou no St. Mary's."

"Ah, acha isso mesmo? Em que sentido?" Busner girou na cadeira para me olhar por cima dos óculos.

"Bom, os trabalhos que eles fazem. É diferente... é... como posso dizer... é mais planejado, como se fosse a encenação de alguma coisa. O comportamento de Tom, por exemplo."

"Uma involução?"

"Isso mesmo. Uma referência secundária. A condição deles é em si mesma uma forma de comentário, e o trabalho de arte que fazem é uma exegese adicional."

"Interessante, interessante. Não vou fingir que isso não é algo que já observamos anteriormente. Seu predecessor tinha opiniões bem fortes sobre isso. Ele era psicólogo, sabe, muito talentoso, pegou o trabalho com arteterapia para desenvolver um relacionamento funcional com os pacientes, liberados na medida do possível da dialética de um tratamento ortodoxo. Um jovem muito intenso. A direção que os pacientes tomaram com seus trabalhos de arte pode perfeitamente ter alguma coisa a ver com a influência dele."

Busner começou a encher sua maleta com papéis, como se fosse um pão sírio gigante. "Estou de saída, Misha. Vejo você de manhã bem cedo, imagino. Acho que seria uma boa ideia se você desse uma arrumada naquele armário de materiais amanhã."

"Certo, certo, claro." Levantei, arrastando minha cadeira para trás, e saí da sala. No corredor as compridas lâmpadas zuniam e rinchavam para si mesmas. A ala estava quieta e deserta.

Mas quando passei pela porta de um dos armários de roupas de cama, ela repentinamente se abriu com um guincho de rolamentos, e uma mão emergiu e agarrou minha manga.

"Aqui dentro. Vem, não precisa ter medo."

Passei pela estreita abertura e a porta pesada se fechou atrás de mim. Estava escuro e o espaço onde me encontrava era apertado e sufocante. Um odor onipresente de lençóis engomados e quentes. Senti ânsia. Uma escuridão completa. A mão que agarrara meu pulso se aproximou de meu rosto. Pude senti-la pairando sobre minhas feições.

"É você", disse a voz, "não fala nada para não estragar". Era Mimi. Pude sentir o cheiro pungente de seu suor; ele penetrava com força através do ar abafado, felpudo.

Sua mão conduziu a minha a um seio, que parecia imenso na escuridão, pude sentir o tecido de seu sutiã e, sob ele, a inflamação intumescida do mamilo. Ela se esfregou em mim, seu corpo flácido e caído. Sua carne tinha o caráter adiposo de um corpo cujo excesso de peso estava derretendo, deixando atrás de si um saco subcutâneo. Seu jeans estava aberto; apalpou minhas calças, a mão fria e úmida agarrou meu pênis e pressionou-o contra ela. Ficamos assim, a mão dela em mim e a minha nela. Ela me puxou para a frente e subiu no que devia ser uma prateleira ou saliência, depois me enfiou, semiereto, dentro dela. Meu pênis curvou-se em torno da abertura rígida de seu jeans, a pele raspando na costura enrugada e no zíper gelado. Havia mais de frenesi do que de erotismo nessa cópula torturada. Agarrei seus seios e arranquei as duas camadas de náilon. Afundei rigidamente dentro dela. Ela gemeu e ondas de suor subiram e penetraram em minhas narinas. Ejaculei quase imediatamente e tirei. Houve um prolongado momento ofegando juntos no escuro. Pude ouvi-la arrumando sua roupa. Depois, "até amanhã", um suave roçar em minha testa. A porta fendeu a escuridão do teto ao chão, guinchou nos rolamentos e ela se foi. Após algum tempo, ajeitei minhas roupas, saí do armário de lençóis e fui para casa.

Só depois que saí do metrô e comecei a caminhada de dez minutos para voltar a casa onde morava notei o aroma ao ar livre. O cheiro da ala e do hospital se tornara o único cheiro para mim. As sebes frias da rua úmida por onde eu andava eram agora estranhas e desagradáveis.

Em casa, fervi um risoto de caixinha qualquer e fiquei mexendo as pupas de arroz pelo prato sujo de comida. Amigos ligavam para perguntar sobre o primeiro dia no novo emprego. Deixei a secretária ligada e escutei suas vozes, dirigindo-se distantes ao meu eu robótico. Mais tarde, deitado na cama, olhei as paredes enfeitadas com minhas diversas obras, coisas esquisitas que eu fizera com tecido e que podiam ser morcegos abatidos ou guarda-chuvas. Os suportes de madeira e metal filtravam a luz sódica que banhava de laranja o travesseiro. Peguei no sono.

Sonhei que o homem que eu vira na sala de tratamento, o homem anotando coisas na cadeira enquanto Jane Bowen se agachava no canto, fazia algum tipo de apresentação. Eu era o público. Estávamos sentados num auditório muito pequeno. O lugar era fechado e escuro, mas as fileiras descendentes de assentos, algumas com cinquenta ao todo, eram saliências rochosas projetadas em barrancos semicirculares, cobertos de capim.

O homem de preto ficava no centro do palco circular e manipulava uma espécie de projetor holográfico. O aparelho lançava uma imagem de minha cabeça em pleno ar, com cerca de um metro e meio de altura. A imagem, embora claramente tridimensional, era muito imperfeita, tremida, eletricamente fajuta. Entre o público estavam todas as pessoas com quem eu havia conversado na ala: Busner, Valuam, Mimi, Jane Bowen, Tom, Simon, Jim e Hilary. Clive estava no corredor das poltronas, balançando.

O homem de preto pegou uma longa vareta retrátil ou batuta e passou verticalmente através de minha cabeça holográfica. Foi um truque barato, porque estava bem claro que o holograma não era um objeto sólido, mas o público me irritou intensamente com seus aplausos bajuladores. Comecei a gritar com eles, dizendo que não entendiam nada de tecnologia, ou do que ela era capaz...

Manhã. Tive dificuldade de encontrar as minhocas endurecidas de minhas meias. E quando encontrei havia alguma coisa dura e retangular enfiada na prega salina de uma delas. Era uma peça do Enigma. Eu não fazia ideia de como fora parar ali, no entanto murmurei automaticamente, como um mantra, “Estou resolvendo o Enigma..." De repente, os eventos que vivenciei na Ala 9 no dia anterior me pareceram absolutamente bizarros. Na hora, aceitei-os sem questionar, mas agora... Busner e seu jogo, a côncava Bowen, o fetal Valuam, a mãe insensível de Simon, Tom e sua doença mimética, o encontro com Mimi no armário da roupa de cama. Só uma dessas coisas já teria sido suficiente para me trazer inquietação; mas juntas...

Tratei de me recompor. Toda ala psiquiátrica é um teste para a capacidade do terapeuta; de abraçar uma contradição fundamental, de conservar a empatia ao mesmo tempo em que mantém o distanciamento. O dia anterior fora bizarro, pois eu falhara em manter meu distanciamento... dizia-se que se você sentisse demasiada empatia com o insano você também se tornava insano. O próprio Busner tivera um período após o colapso de seu projeto da Concept House, no início dos anos setenta, em que passara seu tempo dedilhando baixos elétricos na penumbra de estúdios de gravação, declamando versos ruins durante entrevistas no rádio e empreendendo outros atos de identificação revolucionária com os assim chamados insanos. Somente se eu me conformasse com isso começaria a cair vítima dos mesmos impulsos, sob sua égide. Nesse dia eu teria de me policiar.

Tomei o trajeto longo através do Heath e passei pela escultura de meu pai. Não faço ideia do motivo de ele ter presenteado especificamente essa para a municipalidade. Ele não demonstrava qualquer apreço particular por essa zona administrativa. E certamente nenhuma preocupação real com a educação estética das massas. Não que as massas apareçam de fato por ali. Esse é um reduto despreocupadamente desguarnecido dos endinheirados, onde passeiam livremente, patrulhados por guardas garbosos em uniformes marrons.

É uma peça grande, representando duas canelas em bronze fundido. Cada uma com cerca de dois metros e meio de altura e uns vinte centímetros além disso na circunferência. Não há pés nem joelhos. Nenhum tendão definido, não se veem pelos sobressaindo ou veias delineadas. Apenas a forma das canelas. Era típico da obra de meu pai. O trabalho de toda a sua vida fora uma luta por encontrar as partes do corpo que, quando removidas do todo, tornavam-se abstratas. Com as canelas creio que atingiu seu auge.

Continuei caminhando na direção da colina onde avistara o hospital na manhã anterior. O idiota recolhia-se em um saco preto de lixo sob seu banco-residência, o rosto evitando a luz do dia. Seu peito estava coberto por um farrapo feito de retalhos, lembrando a colagem de Simon. Olhei para a frente. O hospital adquirira nesse dia um novo patamar em distorção. Iluminado de forma chapada, bidimensional, a profundidade erradicada, havia uma tripa de cidade, uma tripa de céu, e entre uma coisa e outra, o trapezoide do sanatório.

A sanidade cheira. Como eu podia ter me esquecido? Ninguém perde a razão sob a influência penetrante da instituição nasal. É algo mundano demais. As portas do elevador se abriram e o chumaço de algodão se colou em meu rosto. Tudo como no dia anterior. Tom sentava no posto da enfermagem e seus olhos violeta focaram os meus assim que surgi no curto corredor que vinha do elevador.

"Código de cores esta manhã, é isso?" O sotaque de Tom é uma estranha mistura de vogais entrecortadas do pré-guerra e teatralidade arrastada e afetada. Baixei o rosto e notei que eu enfiara uma camiseta com decote em V particularmente biliosa.

"Não foi intencional."

"Nunca é, querido, nunca é."

Afastei-me dele e fui para o armário de materiais. Abrindo bastante os dois pares de portas duplas da altura do teto, juntei as canetas hidrocor e pus tudo num canto separado. Depois fiz o mesmo com os lápis de cor, as barrinhas de carvão, os pastéis, os manchados estojos esmaltados de aquarelas compartimentadas, os poucos tubos contorcidos de tinta a óleo quase vazios, as folhas de papel reciclado colorido, o papel de rascunho, as réguas e os pincéis endurecidos. Em meio à bagunça havia massas informes de argila esquecida, formas primordiais.

Finalmente Tom se aproximou. Ele havia pendurado uma estola de papel higiênico cor-de-rosa em torno dos ombros e fumava um cigarro enrolado, com zelo zombeteiro. Parou com as mãos na cintura e me observou, em silêncio.

Comecei a trabalhar nos próprios trabalhos. Estavam numa grande bagunça, como os materiais. As camadas de pele de uma obra em papel machê tinham sido rasgadas pela ponta toscamente entalhada de um barco de madeira. Grosseiros borrões de tinta em pó em folhas coloridas de papel de rascunho haviam escorrido uns sobre os outros e depois manchado os ubíquos potes espiralados. Mudei tudo rapidamente de lugar. Só joguei fora o que estava irremediavelmente estragado. Sobre o resto impus uma ordem.

Enquanto eu trabalhava, a área de associação permaneceu vazia. A não ser por Tom, que ia e vinha desfilando entre o posto da enfermagem e as grandes janelas, do balcão de servir refeições de volta até onde eu estava, arrastando seu sanitário acessório de moda e um segundo manto de fumaça. De tempos em tempos parava e fazia uma pose de afetação tão ridícula que eu era obrigado a segurar a risada. Ele voltou no exato instante em que eu tentava alcançar as prateleiras mais altas.

"Eu não...", ele disse.

"Eu não o quê?"

"Mexeria nos trabalhos aí em cima."

Arrastei uma cadeira de plástico até lá e subi. Agora, no nível do olhar, dava para ver que ali em cima estavam as melhores produções. A colagem de Simon, as miniaturas de Hilary, a cena de Jim e mais dois trabalhos que eu não vira antes. Um deles particularmente impressionante. Era uma obra abstrata, construída inteiramente com peças do Enigma. Os quadrados de acrílico vermelho haviam sido colados de modo a formar uma caixa, aberta em cima, dentro da qual mais quatro peças foram colocadas, apoiadas sobre a aresta, de frente uma para a outra.

De pé na cadeira de plástico, os olhos no nível da prateleira superior, tive um *double-take* momentâneo. Girei o corpo e, tarde demais, peguei-me dizendo algo estúpido. "Ah, puxa, parece que aqui ficam os trabalhos dos figurões..."

Tom deu um puxão na perna da minha calça. Desci e ele me cercou para segredar algo num canto da grande sala plana, agora banhada numa luz espumosa. Minha mão pousava flacidamente na grade da ventilação. Tom disse, "Cai fora daqui, Misha."

"Do que você está falando?"

"Cai fora daqui. Esse lugar não presta, as pessoas aqui não prestam. Um bando fodido de gente pirada, mais pirada do que você pode imaginar. Muito mais pirada do que pessoas com problemas mentais. Pessoas com problemas mentais são brincadeira de criança comparadas com essa turma."

"Do que você está falando? Explique."

"Olha, pega o Simon, pra começar."

"O que tem ele?"

"Você tava lá quando o Valuam avaliou ele?"

"Estava..."

"Quantos médicos têm que examinar um paciente psiquiátrico antes da internação?"

"Dois."

"E...?"

"Bom, acho que pensei que como Simon entrara e saíra da ala várias vezes os registros já estivessem mais ou menos prontos. É compreensível, na verdade, mesmo sendo um pouco irregular."

"Errado. A mãe do Simon dá umas aulas nesta ala... ela mesma costuma mandar internar o filho."

"Isso parece mesmo um pouco irregular."

"Irregular! Esse troço todo é um puta trampo esquisito do caralho, caara..." O braço de Tom apertou minha cintura "... mas isso não vai atrapalhar nosso amor, Misha, a gente pode se enroscar que nem porca e parafuso...". Libertei-me de seu abraço. "... Seu veado!" E quando virei vi Jane Bowen, me olhando de um jeito engraçado.

Mais tarde, nessa manhã, comecei a propor uns grupos de planilhas. Invenção minha. Umas folhas grandes em que três ou quatro pessoas podem trabalhar ao mesmo tempo. Eu fazia um padrão básico de linhas para cada grupo enfeitar como quisesse, usando materiais de sua própria escolha, ou ignorar, se preferissem. Eu trabalhava com firmeza, concentrado. Dois pacientes que não reconheci sentavam a uma mesa na área de associação. Tentavam chegar a um acordo de algum tipo. De onde eu estava não era possível escutar uma palavra do que diziam. De vez em quando um deles, um sujeito com cara de fuinha usando quepe de marinheiro, se aprumava na mesa para me lançar um olhar. Ocorreu-me não ser improvável que o combinado que estavam discutindo com tamanha atenção aos detalhes fosse, na verdade, sem sentido.

Enfim escutei um murmúrio de vozes que sugeria um acordo. Quando virei para olhar estavam trocando pilhas de peças do Enigma. Os quadrados de acrílico haviam sido passados por um barbante ou fio de algum tipo, através de um furo feito no canto de cada peça. Os dois homens usavam colares construídos inteiramente com velhas peças do passatempo psicológico pop.

Os grupos de planilhas me tomaram a manhã toda. Ninguém mais prestava atenção em mim. Dava para perceber agora que a atmosfera da ala era saturada como adubo. Em questão de horas, qualquer indivíduo via-se enredado por ela e começava a se decompor. Eu deixei de ser novidade.

Busner não estava por perto. Valuam e eu nos cumprimentamos rigidamente em algum momento de pausa no meio da manhã. Vestia uma estilosa camisa xadrez nesse dia. Seus passos estavam ainda mais mecânicos, como um relógio, mais inutilmente imbuídos de autoridade. Pensei comigo mesmo, o que diabos estou fazendo nesta ala? Não preciso do dinheiro. Não tenho certeza se acredito de verdade que minhas habilidades particulares podem ajudar os pacientes. O cinismo de Busner certamente teve o efeito de sufocar qualquer possível idealismo residual que eu ainda pudesse ter — imagino se era essa sua intenção.

Por volta do meio-dia uma paciente de meia-idade chamada Judith teve um ataque parcial no curto corredor que ia da área de associação à ala feminina. No começo, pareceu simplesmente que estava tendo uma discussão um pouco mais acalorada — embora consigo mesma. Mas a coisa cresceu a ponto da histeria. Ela vomitou, também. Mimi e outra enfermeira chegaram muito rapidamente, enquanto eu fiquei parado, suspenso entre a tentação de fingir que não havia notado e o desejo de mostrar que era capaz de lidar com aquilo. As enfermeiras afagaram os membros de Judith, puseram-na de pé e a tiraram de lá. O vômito e a ansiedade da situação foram de algum modo resolvidos e assimilados.

Tive consciência a manhã toda do desejo de evitar Tom e Simon. Tampouco queria me encontrar com Jim. Almocei sozinho na sala de jantar reservada aos funcionários. Não conseguia entender por que eu tinha de estar ali. Ninguém mais estava, na ala toda. Mais tarde, ouvi dizer que fora aniversário de alguém e que haviam todos ido tomar um drinque num pub do outro lado da rua.

À tarde fiz os pacientes que apareceram tentar alguma coisa com as planilhas. Alguns deles se mostraram interessados, outros ficaram mergulhados em seus próprios projetos. Clive se revelou um líder de grupo surpreendentemente eficiente. Obrigou três depressivos um tanto acanhados a traçar sinuosos rastros úmidos de tinta pela folha larga e quadriculada. Seus gestos regulares formavam arabescos sem fim. Ele ficou mais atrás, inspecionando o trabalho deles como se fosse uma espécie de supervisor. Olhando para Clive, o maxilar se mexendo, balançando como sempre, lembrei que era para ter recebido alta nesse dia. Perguntei-me por que continuava na ala, mas seus olhos saltados, suas cotoveleiras gastas dissuadiram-me de perguntar.

Nem Tom nem Jim apareceram para a sessão após o almoço. O modelo de viaduto ficou em sua prateleira. Simon cortou e montou sua colagem. Também perdera o interesse em mim. Revertera à paródia exagerada de adolescente amuado, cutucando casquinhas. Perguntei-me por onde andava Mimi, com sua luxúria leve e doentia de adolescente. Fiquei pensando se me tomara por fracote, ou covarde, ao não ajudá-la com Judith.

A tarde terminou e fui para o elevador. Dessa vez, foi a porta do armário de limpeza que abriu me convidando. Suas nádegas trepidavam e esmagavam os cristais dentro de um saco plástico de soda cáustica. Mais uma vez, foi revoltantemente breve. Mas, agora, antes de ir, ela me fez engolir duas pequenas pílulas verdes, adocicadas.

"O que é isso?", eu disse.

"Parstelin — é um preparado composto do inibidor tranilcipromina e trifluoperazina de MOA. Não recomendado para crianças."

"Por que eu tomaria isso?"

"Pra entender, bobinho. Afinal, como você não é louco, não vai fazer efeito nenhum em você, vai?" Seu tom de voz era casual, leve, zombeteiro. De que aquilo não tinha nada de mais.

"Acho que não." Engoli os dois, a seco.

"Não é para comer queijo de nenhum tipo, nem beber Chianti. Pode dar reação adversa, se fizer isso." Espremeu-se pelo vão da porta. Um seio, demarcado pelo náilon encardido, e ainda pelo algodão saliente, delineou-se contra o batente por um instante, depois sumiu.

* * *

O resto da semana se passou na ala. Prossegui com as planilhas e aparentemente fiz algum progresso. Um número cada vez maior de pacientes vinha às sessões de arteterapia da tarde e ficava para experimentar. Comecei a me entender com os pacientes mais calmos. Isso teve prós e contras. Em mais de uma ocasião, Hilary me segurou por mais de uma hora com uma conversa sobre suas amigas, e a mecânica por trás da exata figuração que fazia delas como imagens em aquarela. De modo similar, Lionel, o contador misteriosamente psicótico, decidiu sentar do meu lado na quinta à tarde, um braço companheiro em torno de meu ombro, e juntos folheamos lustrosos catálogos de material de escritório. Cada peça era uma revelação para ele; algo que enxergava de um modo puramente estético. "Olha só isso aqui", dizia, gesticulando para uma mesa de computador de cor bege, "linda, né?". Tudo que me restava a fazer era concordar, com um resmungo.

Quanto a Bowen e Valuam, murmuravam educadamente para mim e seguiam andando. Ao que parecia não havia razão para contato e Busner continuava ausente. Eu desconfiava que seus subalternos se predispunham contra mim por causa de meu pai e de toda aquela bobagem sentimental que Busner externou quando cheguei à ala, mas eu não me importava realmente. E no almoço eu conversava com os auxiliares ou as enfermeiras.

Toda noite Mimi se encontrava comigo em algum outro armário. Eu nunca sabia qual seria, mas de algum modo ela sempre sabia onde me pegar no exato momento em que eu estava prestes a terminar de arrumar os materiais de arte e deixar a ala, à noite. Nossas cópulas continuaram breves e estilizadas. Ela resistia a minha pressão tácita por alguma intimidade com oferecimentos de mais pílulas verdes, que eu aceitava, na esperança de que pudessem nos manter juntos. Na sexta-feira ela me deu mais quatro, depois de eu ter tomado minhas duas de costume, e disse-me para administrá-las eu mesmo durante o fim de semana.

No sábado à noite fui ao cinema com um amigo. Normalmente saíamos uma vez por mês ou algo assim e pelo menos metade do nosso tempo, muito naturalmente, era passado trocando um resumo superficial do que fizéramos no período entre um encontro e outro. Nessa ocasião mostrei-me mais circunspecto do que de costume. Eu desconfiava que o que vinha acontecendo comigo na ala, sobretudo meu relacionamento com Mimi, era algo sobre o qual não deveria conversar com estranhos. Não que houvesse algo errado, exatamente — era antes que a experiência muito claramente não vinha ao caso.

Também fiquei muito consciente das pílulas verdes aninhadas na confusão de fibras de tecido no fundo de meus bolsos. Eu as apalpava enquanto conversávamos e, com a ponta do dedo, pareciam absurdamente grandes e táteis, do modo como objetos na boca parecem para a língua.

Estávamos sentados no cinema. Eu assistia ociosamente ao filme quando senti pela primeira vez o que devia ter sido algum efeito da droga. Era notavelmente similar à sensação que eu tivera na ala, quando estava de pé sobre a cadeira, olhando pela primeira vez para os trabalhos dos pacientes na prateleira superior do armário de materiais. Uma sensação de distanciamento interno, um rompimento membranoso dentro de mim.

Após o filme fomos comer alguma coisa, numa espelunca de kebab. Ao entrarmos no lugar, passando sob um arco feito de madeira de compensado, senti aquilo se rasgando dentro de mim outra vez. Por algum motivo percebi que era incapaz de falar sobre o filme. Distraidamente, comecei a arrancar a carne de meu frango grelhado com as mãos. Eu havia juntado uma bela pilha no prato quando meu amigo reagiu com nojo e preocupação. Dei de ombros, fazendo pouco caso do episódio.

No fim da noite me despedi de meu amigo e voltei para casa. Sentado à luz amarela vinda da rua, enrolando e desenrolando minha meia, resolvi, calmamente e sem nenhuma agitação emocional, nunca mais vê-lo.

É gozado. É gozado — mas depois disso foi fácil desmantelar a estrutura emocional e espiritual da minha vida. Parentes, amigos, ex-namoradas; ficou evidente que a relação deles todos comigo sempre fora tão contingente quanto eu suspeitava. Bastou um momento de irregularidade, um ou no máximo dois telefonemas não retornados por mim, ou dar o cano em um encontro, para que feixes inteiros de contato humano fossem ceifados, e abandonados em pequenos montes.

Após algumas semanas na Ala 9, e um punhado generoso de M&Ms mutantes, tudo começou a se dissolver nos padrões que eu sempre julgara vagamente captar. Os volteios violeta, raios roxos e espirais luminescentes que jazem sob o mundo das pálpebras pressionadas — da retina estressada. Meu espírito parecia amortecido por uma almofada de ar. Eu não sentia a menor resistência em fazer coisas que teriam infernizado minha consciência no passado, pelo menos era isso que achava. Não tinha nenhum exemplo preciso dessas coisas além do próprio ato de tomar Parstelin. Minhas relações com Mimi? Mas essas experiências nada mais eram que um reflexo patelar.

Por que me isolei dessa maneira? Meu único contato humano agora vem das horas de trabalho e na maior parte com os pacientes da ala. Não faço ideia. Não posso alegar que eu esteja deprimido ou alienado. Na verdade, creio ter sofrido menos desafeição na vida que a maioria de meus contemporâneos, talvez devido à morte de meu pai. E contudo eu me sentia mais em casa na ala do que jamais me senti... em casa.

Os pacientes se lançaram furiosamente ao trabalho com as planilhas. Havia qualquer coisa relativa ao tamanho e à complexidade da tarefa que realmente exercia um apelo para eles. Também o método lhes proporcionava a oportunidade de misturar todos os diferentes estilos. Quando estavam trabalhando calmamente nas folhas em um final de tarde podia-se quase estar em uma situação de trabalho normal. Todas suas idiossincrasias e seus tiques psicológicos pareciam suavizados pelo modo como ficavam absortos. Clive já não balançava mais. Hilary, após integrar suas miniaturas no mais recente torvelinho de machê encrostado de Simon, deu-se por satisfeita de trabalhar em segundo plano. O suporte de sua bolsa de soro movia-se com um leve ruído em torno dela, um ponto fixo delineando o perímetro de sua diligência.

Havia um elemento faltando nisso tudo: Busner. A despeito do fato de que agora eu parecia me relacionar bem com tudo e todos na ala; a despeito do fato de que me sentia aceito; a despeito do fato de que no momento em que a porta do elevador se abria e eu me via diante do corredor curto e familiar que conduzia à área social, já não sentia a atmosfera como opressiva; pelo contrário, era aconchegante, como estar sob cobertas. A despeito disso tudo havia a profunda ausência de Busner. Uma ausência em relação à qual senti uma surpreendente ambivalência.

Busner é o hierofante. Ele supervisiona os áugures, ferve poções, preside rituais que filtram o cotidiano por uma realidade coadora, gota a gota. E ele é um lembrete de tudo que desejo deixar enterrado com minha infância. Um mundo de complacência, de teoria em face da aflição genuína. Meu pai e Busner sentavam juntos por horas à mesa da sala de jantar, passando o mundo a limpo. A conversa deles — percebi isso mais tarde — eivada dessa baboseira banal e piegas que era resultado direto do senso de seu próprio fracasso. Suas esposas fugiam para algum outro cômodo e lá faziam coisas que *precisavam* ser feitas, enquanto os dois seguiam tagarelando, elidindo sua adolescência ainda mais pela meia-idade adentro. Os pavorosos tapetes com aspecto de mingau de aveia de minha infância e a vergonha de ter sido parte disso tudo. Quando penso em Busner hoje, ele é um retrocesso fantasmagórico, ameaçando arrastar-me numa conspiração para evadir a realidade.

Onde ele está? Valuam contou-me, entre uísques e chá, que estava em Helsinque, apresentando um artigo científico numa conferência. Valuam mergulhava seus biscoitinhos e os chupava ruidosamente, algo que eu não teria esperado daquela pequena amostra de retenção anal. Conversamos um pouco sobre meu trabalho com arteterapia, mas na verdade ele não tinha tempo para o assunto e mencionou em vez disso o sucesso que vinha tendo com um novo antidepressivo. “Estados aparentemente intratáveis, beirando o total retraimento, agora com efeito perceptível.” Ele estava se referindo a Lionel, que não ficava mais sentado perto das janelas observando o balcão dos pacientes crônicos com um olhar vazio, mas em vez disso andava de um lado para outro na ala masculina como um leão enjaulado, desesperado por voltar aos negócios. Onde estava Busner? Eu não acreditava em Valuam; ficava esperando que a porta do armário de produtos de limpeza abrisse e eu o encontrasse agachado ali, pílulas suadas na palma da mão gorducha, o guru desacreditado, esperando com um braço afetuoso para descascar uma para mim, em nome dos bons e velhos tempos.

* * *

Segunda de manhã, outra vez. O sol não consegue romper uma massa de nuvens baixas e carregadas e a luz emana por trás dela, exsudando do solo através do acúmulo espesso e esponjoso de névoa no chão, enquanto meus pés avançam pelo gramado. O ar em torno se distorce para formar quartos e corredores, e quartos dentro deles, e divisórias com portas de correr que eu nunca alcanço. A ala saiu para vir ao meu encontro hoje; sinto sua forma em torno de mim, seus rodapés gastos junto aos meus tornozelos, conforme me dirijo ao banco do idiota.

Ele está deitado sob o banco, encasulado em jornais gratuitos. Pequenos anúncios patéticos podem ser vistos como gravuras em seu pescoço. No espaço confinado, rola e bate o queixo contra a perna do banco. Seu rosto fica exposto por um momento contra o colarinho imundo de seu anoraque. Seus olhos incharam e estouraram numa série de trincheiras explodidas e lesões de carne malsã. Sinto o chá oleoso transbordando na boca de meu estômago, a náusea tão clara e pura quanto uma dor. Vomito com precisão e vomito outra vez, até minha náusea deixar de ter função e eu ser capaz de olhar mais uma vez.

Não está claro o que aconteceu com o idiota. Será que bebeu água sanitária? Limpa-forno? Ou é uma doença de um tipo raro, uma mixomatose humana planejada para eliminar o lixo da margem da sociedade, impedir os manguaceiros de copular e gerar mais de sua degenerada espécie? Sei lá. O fato é que evidentemente não faz muito tempo que está morto — seu cadáver ainda se move por causa do *rigor mortis*. Morreu à noite e por acaso sou o primeiro a topar com ele. É minha responsabilidade alertar as autoridades. Então sinto a presença do Parstelin em minha corrente sanguínea. Ele substitui a sensação de náusea — pela primeira vez — por um atributo positivo, em vez de negativo. A droga me municia de outro vago referencial, no qual a morte do idiota não é responsabilidade minha. Algum outro vai comunicá-la, algum outro vai encontrá-lo. Deslizo colina abaixo em meu fofo colchão de ar. Os argumentos de minha consciência são remotos, como lembranças de uma mesa-redonda televisiva entre eruditos pomposos, assistida muitos anos atrás...

* * *

Manhã longa no hospital. Na ala, uma eficiência pouco característica, diligente. Valuam trota de um lado para outro com uma prancheta, coligindo o que parecem ser inventários. Por algum motivo está vestido casualmente hoje, ou pelo menos com roupas superficialmente casuais. Sempre ficou óbvio que passava a ferro seus jeans e camisas xadrez, e também que usava pulôveres cinza sem mangas. Não pela primeira vez me ocorre haver uma estranha simetria entre o senso de vestuário da equipe de psiquiatria e o de seus pacientes. Valuam com sua roupa esmerada parecendo irremediavelmente improvisada, Bowen com seu visual mendiga chique, Busner e suas roupas de baixo escapando. Todos combinando com os pacientes ao seu encargo...

Estou trabalhando em algo próprio que espero ser capaz de fornecer alguma inspiração para os pacientes. É uma planilha, com quase dois metros quadrados, em que desenhei diversas representações do hospital. Cada uma foi executada usando uma técnica diferente: caneta e aquarela, guache, pintura a óleo, carvão, lápis, argila. Passei essa manhã cortando o estêncil para uma gravura em silkscreen.

Pacientes, a caminho de sessões de terapia ou deixando a fila da medicação, param junto às mesas que reuni no refeitório e me perguntam sobre o trabalho. Uma servente, uma filipina de meia-idade, interrompe seu trabalho aguado e circular com o esfregão emaranhado e o balde de zinco pelo piso da ala e discursa demoradamente sobre tornozelos inchados, injustiça e as veleidades do transporte público. Escuto e trabalho distraidamente; a imagem do idiota morto se impõe a mim de repente. Desliza diante de meus olhos de tempos em tempos com um audível clique: a borda do colarinho encardido de náilon, acolchoado, o pescoço raquítico, esquelético, a expressão soturna, os olhos esbugalhados...

Então, o meio-dia. Jane Bowen se aproxima e senta perto de mim, diz olá mas não conversa. Enrola um de seus cigarros mirrados e olha pela janela com ar distraído, dando fundas tragadas. O cabelo foi escovado fortemente para trás, mostrando as duas contusões violeta, invertidas, que são suas têmporas. Ela fita a colina onde jaz o idiota. Sinto um impulso de lhe contar a respeito, mas reprimo. Do lado de fora do hospital o tempo apronta das suas outra vez; faixas compridas e elevadas de cirros filtrando a luz pálida do sol, que desce em barras verticais pela área entre o prédio e o Heath, criando sombreados de perspectiva decrescente, como que expondo o modo de trabalhar no esboço do artista.

Finalmente levanto, vou até onde está e paro ao lado dela. Tomo consciência de seu corpo retraindo-se em minha presença, sob a frente engomada de seu jaleco branco, uma alva carapaça sendo deixada para trás. Ambos olhamos pela janela em silêncio. Meus olhos descem do banco-ataúde do idiota (não consigo ver nenhum sinal de que tenha sido encontrado, veículos de emergência, nada) para o balcão de pacientes crônicos, abaixo, a área aberta projetando-se da Ala 8.

Como já aconteceu antes, dois retardados se agarram em uma dolorosa escaramuça muda. Seus roupões tremulam ao vento, conforme fazem força um contra o outro, travados num desajeitado abraço de urso. Então um deles se move com surpreendente velocidade e agilidade, mudando seu golpe de modo a agarrar o oponente por trás, prendendo seus braços — e ao mesmo tempo reclinando de costas sobre o parapeito na mureta de concreto que delimita o balcão. Os dois rostos virados para o alto, na direção de Jane Bowen e de mim, borrões brancos que se definem como... Mark, filho de Busner, que frequentou a escola comigo, sofreu um colapso nervoso na universidade e tentou o suicídio. Sendo agarrado pelo sujeito bem-apessoado de cabelos pretos que eu vi na sala de tratamento com Jane Bowen. O rosto do homem vitrificado em imbecilidade animalesca. Senti nova onda de náusea, cambaleei e apoiei a mão na janela para me equilibrar. Jane Bowen olha para mim com expressão condoída e gesticula com o cigarro.

"Seu predecessor, Misha, nosso antigo arteterapeuta. Que por pura coincidência acontece de ser meu irmão, Gerry."

"Aquele junto com ele é Mark, o filho do Busner!"

"Isso mesmo, Zack achou que seria uma boa ideia internar os dois na Ala 8 por algum tempo. Achou que talvez fosse um pequeno choque para você ficar sabendo que eram pacientes." Virou para me encarar e disse muito calmamente, num tom de voz distanciado, "Cai fora daqui, Misha. Cai fora daqui agora mesmo."

Não era um conselho sobre os rumos de minha carreira. Era um alarme de incêndio. Reagi de imediato, mas ao atravessar a vasta extensão do linóleo cor de macacão industrial, hesitei e escorreguei numa perna só, como um personagem de desenho animado ao contornar um vaso muito rapidamente. Percebo de repente que o Parstelin havia alterado completamente minha percepção de meu próprio corpo. Fico agudamente consciente da conexão entre cada impulso, cada mensagem e a terminação nervosa de onde provém. Minha orientação física mudou inteira, mas permanece inteira.

Essa apreensão me ocupa conforme corro para o elevador. Pacientes fazem "O" para mim histericamente, mas há silêncio, ou antes um queixume em tom descendente que não tem nada a ver com a fala e tudo a ver com o que as crianças escutam quando pressionam as abas de cartilagem sobre os ouvidos, apertando e soltando, muito rápido. Shiuuuuushiiiuuuuu.

"Ei, hihihahahuuhuuhuuhuu!" Clive desvia junto à mangueira enrolada em um recesso da parede, no curto corredor pelo qual estou indo para o elevador.

"Misha, um minutinho, por favor", Valuam sai de sua sala, pano de calça erguido em cada coxa, amarrotado nas mãos de sagui. Seu rosto esfoliado vira na minha direção, um cogumelo pondo a cabeça para fora da porta. Outra porta se abre a cinco metros dali e uma mão emerge para agarrar minha manga, uma mão gorducha, de covinhas, na extremidade do corpo de sundae gotejante. Passo correndo e em minha mente o flashback da estocada parece rígido e mecânico; meu pênis, uma garra emborrachada e retorcida de retorta de laboratório, enfiado no flanco de um animal putrescente. Preciso chegar às escadas.

Quatro lances abaixo paro de correr. Não vão me impedir de deixar o hospital. Uma droga é só uma droga. Fui um estúpido de merda por tomar aquilo, por trepar com Mimi, mas se parar agora minha cabeça vai clarear em poucos dias e voltarei ao normal. Ficarei livre dessa estranha sensação de ser alguma outra pessoa, alguém forçado a ser razoável.

Não há motivo para alarme. Eu certamente não posso questionar o caráter quintessencial das escadas. Não há como negar sua condição objetiva. Grossas barras de concreto sem pintura perfuradas por parafusos de ferro de quatro polegadas. O corrimão é uma barra vermelha de bombeiro, grossa como um pilar de aço. O Parstelin é uma medicação — eu me dou conta — que deixa você agudamente consciente das coisas-em--si. A realidade da existência delas já não é mais nauseante, mas esplendidamente plena. Isso posto, engasgo um momento e tusso uma massa esbranquiçada, algo entre catarro e vômito, que cai no acúmulo de sujeira amontoado no canto do degrau onde piso.

Em meio a fragmentos de papel-alumínio, alfinetes e detritos indefinidos, uma parte de mim. A fuga é interrompida por um sopro de ar abafado em ascensão. Alguém entrou na escada, forçando bruscamente o amortecedor da porta, talvez três lances abaixo. As janelas da escada formam ângulos oblíquos na parede exterior do hospital. A visão que tenho através delas, que não me permite entrever parte alguma do imenso volume que me contém, mostra claramente que a escada percorre o canto externo da parede inclinada do zigurate.

Desço cautelosamente, parando de tempos em tempos para escutar com atenção e verificar se estou sendo perseguido, mas não ouço nada. Fica claro para mim agora que sofri um delírio, que a ala se apossou parcialmente de mim. Nunca neguei que meus nervos têm andado à flor da pele. Preciso dormir um pouco, preciso de um tempinho para ler jornais. Quanto mais baixo eu chego, mais livre me sinto. Sei que não escapei de verdade de nada — e no entanto, fico com essa tentação de rir e pular, de extravasar.

Calculo estar ainda dois andares acima do térreo quando a escada bloqueia suas próprias janelas. A luz agora é suprida por discos amarelos que brilham nas paredes. A luz amarela me desorienta. Acho que já deu. Sinceramente, não sou mais capaz de dizer se estou acima ou abaixo do térreo. As portas de saída da escada são retângulos lisos. Entro em pânico e empurro uma, que abre com um chiado pneumático, e saio tropeçando em um corredor.

Fica óbvio na mesma hora que a escada desviou significativamente, que não acompanhou o poço do elevador nem me conduziu a uma das áreas abertas que formam um saguão de recepção natural para cada andar. Em vez disso, levou-me a um dos flancos do edifício, num canto distante do hospital, sem falar que não estou no andar do mezanino, mas no subsolo. Reconheço onde estou. É algum ponto ao longo da rota por onde

Simon me levou em meu primeiro dia. Estou a caminho de ver a obsoleta máquina gigante. Estou no mesmo corredor de concreto brilhando de umidade. Em ambas as direções se perpetuam os tubos de neon desguarnecidos; até eles fogem correndo desse lugar arruinado.

Para que lado? Seja lá quem for que entrou na escada enquanto eu descia está agora a caminho. Posso escutar o frio espalmar de pés subindo, e isso apressa minha decisão. Viro à esquerda e começo a avançar pelo corredor, confiando em minha intuição para encontrar o caminho da emergência e sair do hospital. À medida que avanço tomo consciência de que estou quimicamente posicionado no olho da tempestade. Não me sinto mais confuso; sei que meu corpo está impregnado de Parstelin, mas nadei para uma bolha de clareza. Entretanto, ainda não me sinto capaz de formar uma opinião definitiva de Busner e sua ala. O que estava acontecendo? Aqueles pacientes — e sua loucura estilizada como um balé. Seriam eles o resultado lógico da filosofia de Busner? Suas performances eram as de loucos no papel de idealistas? Ou apenas idealistas? Seus sintomas... Seria verdade que parodiavam genuinamente as patologias documentadas, todos eles, não apenas Tom, ou será que a percepção que eu tinha deles era uma ação do Parstelin?

Essas especulações me dão alento. Sinto meu velho eu. Paro e olho para um painel de aço inoxidável aparafusado a uma porta. Meu reflexo, distorcido aqui e ali pelo metal, me devolve o olhar, entretido, acanhado. Sinto conforto ao observar a mim mesmo e fico imensamente tranquilizado com esse momento de vaidade prosaica, irrefletida.

Mas onde estou? Em nenhum lugar perto da emergência. O piso de concreto do corredor não deu lugar a azulejos, tinta nas paredes. Virei para o lado errado. Cinco metros adiante vejo as portas duplas que dão no conservatório. Que diabos. Vou entrar e dar uma olhada; vai ser a última vez que chego perto do hospital por um bom tempo. As portas se abrem com um rangido em seus trilhos enferrujados, e quando me viro para fechá-las atrás de mim elas cortam o inalterável refluxo de reverberação que energiza o hospital. A luz na sala do domo alto é a mesma de antes e a máquina obscura com suas superfícies de baquelite creme projetam-se acima de mim, invioladas.

Tom e Jim surgem detrás de sua base de flange, aparecem impassivelmente diante de mim, como que sem esperar qualquer reação particular. Estou muito assustado.

"Misha, aonde você vai?", diz Tom. Jim lança olhares em torno com rápidos movimentos de cabeça. Fica flexionando e agitando os braços para a frente e para trás, abrindo a palma das mãos para revelar tubos plásticos — do tipo usado para impedir pessoas tendo um ataque de arrancar a própria língua com os dentes —, que adaptou para alguma rotina de exercício manual.

"Vou tirar o resto do dia, Tom, cheguei aqui por acidente. Estava procurando a emergência."

Tom ouve o que eu falo, balançando a cabeça, e então faz um gesto para que eu me junte a ele e Jim. Nós três nos agachamos entre as patas distendidas do grande instrumento, aparafusadas profundamente ao chão. Somos como africanos sob uma árvore de tronco gordo, numa conversa atemporal, até Jim deixar cair seus aparelhos de exercício improvisados nos azulejos rachados do piso, estrepitosamente.

"Fico feliz que tenha escutado meu conselho, Misha. Está de saída, não está?"

"Só por alguns dias. Eu… eu preciso de um descanso. A atmosfera da ala acaba com a gente."

"É, acaba mesmo, não é? É por isso que Jim e eu gostamos de descer aqui para brincar com a máquina, é tranquilo aqui embaixo, silencioso. Você acha que eu sou louco, Misha?"

"E eu, acha que eu também sou louco?", Jim faz coro. Percebo que estou constrangido, o que é absurdo. Assustado pode ser normal, mas constrangido também, isso é ridículo.

"A pergunta deixou você constrangido?" Tom está enrolando um cigarro com dedos hábeis. Ele dobra a aba do papel e o leva à boca protuberante, sensual.

"Não pensei nisso nesses termos."

"Ah, ah, entendo, você é um discípulo do bom Doutor Zê, então a gente está só se comportando de um jeito que os outros decidiram descrever como louco. Somos simplesmente não conformistas."

"Acho que você está simplificando um pouco a posição dele."

"Claro, claro. Você é louco, Misha?" Jim dá uma risadinha de escárnio e rastela os azulejos com suas unhas longas e rachadas.

Não consigo responder. Meus olhos se dirigem para o teto, a uns seis metros de altura. O conservatório é coberto por uma cúpula de vidro, o lado de dentro parecendo sujo, fuliginoso. Mais abaixo um círculo completo de janelas verticais permite a entrada da luz cinzenta. Do centro exato pende um fio — que sustenta um punhado de lâmpadas logo acima do anteparo mais elevado da máquina.

Após algum tempo, Tom, ainda agachado, estica a mão e toca meu braço levemente. "Desculpe, Misha, vamos lá, vamos subir."

"É, vamos." Jim se levanta num salto, um pé já no degrau em forma de rim, com meio metro de altura, na base da máquina. Nós também ficamos de pé. Tom por último. A máquina foi projetada para ser escalada; subimos até uma plataforma horizontal a mais ou menos dois metros do chão. Esta é cingida por um enorme sistema de cardã, cuja finalidade é inclinar a plataforma sob o cilindro principal do aparelho. O que a máquina fazia com os pacientes dispostos sobre a plataforma é obscuro. Talvez projetasse algo através deles: radiação; ultrassom; um raio de luz, ou até alguma coisa sólida... O cilindro da máquina em si perdeu o miolo; tudo que resta é um emaranhado de fios pretos retorcidos, sendo cuspidos de sua boca.

Então nós três nos sentamos lado a lado na plataforma, passando a ponta úmida do cigarro enrolado de mão em mão. A irradiação curva de luz mortiça que desce sobre nós e o pesado maquinário onde sentamos conspiram para criar um efeito de atemporalidade. Judeus prestes a serem executados na câmara de gás ou fuzilados são capturados diante da barra de transmissão e das rodas de uma locomotiva. Sobreviventes de um acidente aéreo saem rastejando dos pedaços de alumínio amassado caídos no húmus da floresta tropical. Sentamos e fumamos e escuto o "pip-pip" de um passarinho, do lado de fora do hospital, parecendo o pager de um médico. O som complementa todo o caráter definitivo de minha situação. Meu pescoço, rígido da tensão absorvida, pastoso de tranquilizantes, parece se projetar acima de minha cabeça para formar um capelo carnoso.

A textura das coisas parodia a si mesma. A dureza cremosa das superfícies da máquina, o retinir poeirento do piso de azulejos, a abrasão tresandante do braço do suéter de Tom. Até mesmo as superfícies se recusam a ser corretas comigo. O perfil de Tom é de uma recortada perfeição, um talho de pureza. O nariz bulboso e o cabelo estilizado, batendo no colarinho, de Jim fazem com que pareça absurdo, impressão acentuada por seus braços simiescos que repousam na plataforma como o par de dentes de uma empilhadeira ociosa. Mas agora ele me tranquiliza. Ambos me tranquilizam. Passo o braço em torno de ambos e eles se achegam a mim, adultos sendo crianças, sendo pais. São meus camaradas, meus irmãos de sangue.

"Vai indo, Misha." Tom se solta e me empurra com suavidade, indicando que devo descer da plataforma. Eu abaixo pesadamente. Meus membros passam essa sensação gotejante, derretida, que, eu sei, indica a absorção de mais Parstelin. Mas não sei por quê; não tomei mais nenhum. Ao chegar ao chão, me viro, não na direção das portas, mas de costas para elas, e contorno a máquina. Jim e Tom me observam, mas em silêncio. Ando com cuidado entre lianas retorcidas de cabos defuntos, outrora presos ao chão, mas agora à deriva. Atrás da máquina, diretamente oposta à porta que dá para o corredor, a porta da Sala do Desastre em Massa está aberta.

Além dela há um pedaço de terreno do tamanho de uma sala, ao ar livre, ar que viaja quinze andares desde o alto para chegar até ele e seu emaranhado de arbustos indefiníveis, empurrados de lado para abrir passagem. Ali, assimetricamente colocada sobre a superfície irregular de entulhos, está uma das mesas retangulares com tampo de fórmica do refeitório da ala. Vejo uma prega de barriga, uma massa de papada, uma mão branca bulindo com um retângulo acrílico, a ponta imperfeita de uma gravata de *mohair*. O dr. Busner está tentando resolver O Enigma.

"Ah, aí está você, Misha. Venha aqui fora, venha, não fique aí feito uma estátua." Busner senta, ao seu lado Valuam e Bowen. Na mesa diante deles há uma fila de objetos claramente relacionados comigo: um pote de pílulas verdes, o baixo-relevo de Jim que tanto me impressionou, um bilhete que enviei a Mimi num momento de ociosidade. Atravesso o pequeno pátio e sento ao lado de Valuam, que me surpreende ao sorrir cordialmente.

Lampejo de reconhecimento: o corte de perfil. Se as feições não estivessem afogadas? Valuam e Tom são irmãos.

"Somos todos uma família aqui, Misha."

"Como disse?"

"Somos todos uma família... Percebo que você está caindo em si, agora que caiu em nossos braços. Não faz grande diferença se somos médicos ou pacientes, não é, Misha? O importante é estar nos braços da família." Busner se levanta e começa a andar de um lado para outro. As paredes maciças do hospital encaixam irregularmente na cidadela atarracada que abriga a Sala do Desastre em Massa. Busner descreve um trapezoide na superfície irregular, esboçando com os pés a elevação do hospital.

"Sabe, o que temos aqui é uma situação que pede ajuda mútua. Meu filho, os irmãos de Jane e Anthony, Simon, Jim, Clive, Harriet, na verdade, todos os pacientes da ala, podem ser considerados baixas de uma guerra que travamos. Foi por isso que sentimos que era nosso dever cuidar deles em um tipo especial de ambiente. Você sem dúvida observou a curiosa involução da patologia que eles exibem, Misha, e tinha razão — você deu o primeiro passo. Eles não são loucos em nenhum sentido aceito, na verdade, são metaloucos. A loucura deles é uma paródia consciente da relação em que a psique resiste a si mesma... mas você sabe disso. Infelizmente, não se saiu tão bem assim nos outros testes..." Busner inclinou o pote, entornando um punhado de Parstelin sobre a mesa. "Você tomou isso aqui, Misha, e trepou com Mimi em todos os armários disponíveis da ala. Esse não é o comportamento de um terapeuta responsável. Você teve uma escolha, Misha. Na Ala 9 podia ter sido terapeuta ou paciente; ao que parece, decidiu se tornar o segundo."

Busner parou de andar e voltou a sentar à mesa. Sentei, aprisionado na doce armadilha. O que ele dizia fazia sentido. Não fiquei ofendido. Jane Bowen limpava as unhas com a ponta de uma ficha do Enigma. O passarinho voltou a mandar seu pager para a natureza. Ficamos os quatro ali sentados no ambiente peculiar, em silêncio. Uma coisa me desconcertava.

"Mas, doutor Busner... Zack, meus pais, o meu pai. Eles não tinham nada a ver com qualquer aplicação terapêutica da psicologia, eram artistas, os dois. Certamente não me qualifico para a ala, não acha?"

"Mais tarde, Misha, mais tarde... Seu pai se tornou um escultor com trinta anos. Antes disso ele estudou com Alkan. Ele teria dado um excelente psicanalista, mas talvez não quisesse que você pagasse o preço."

As portas atrás de mim se fecharam num claque, com uma corrente de ar descendente. A conversa estava definitivamente encerrada.

"Pode fazer o favor de levar Misha para a ala, Anthony? Podemos nos reunir e lidar com a papelada depois do almoço."

Isso, almoço, eu estava morrendo de fome. Mas não gostei de ficar ali embaixo. Havia qualquer coisa de moribundo acerca daquele quadrado de terreno, cimentado com uns borrões brancos que estriavam as paredes altas e estrelavam a terra encrostada. Eu queria voltar para cima — eu quero voltar lá para cima — ha! Talvez seja esse o efeito da cloropromazina, uma espécie de defasagem de tempo contínua entre o pensamento e a autoconsciência — eu quero voltar lá para cima... e deitar na minha cama. Preciso de um cigarro.

Brinquedos duros na quebra para garotos duros na queda

Bill o avistou cerca de oito quilômetros depois de ter passado roncando pela entrada para Dornoch. O sujeito pedindo carona andava com um pé na estrada recém-recapeada, o outro na beira recém-nascida. Usava uma espécie de poncho plástico barato, que não chegava a cobrir de verdade o fardo confuso às suas costas. Não havia faixas pintadas, por enquanto, no trecho novo. Duzentos metros antes de ver o carona, Bill passara por um dos trabalhadores segurando uma placa de pirulito com um SIGA escrito em maiúsculas brancas sobre fundo verde. O trânsito era pesado — filas sólidas movendo-se a trinta por hora em ambas as direções. Água borrifava dos carros e, do céu azul metálico, a chuva caía, gotas grandes, amplamente espaçadas.

O carona tentava simultaneamente virar e oferecer aos motoristas um sorriso sedutor, manter as passadas na superfície desigual e se abrigar sob o poncho plástico. Era uma visão patética, pensou Bill. Havia isso, e também qualquer coisa de indefinível acerca da aparência do carona — Bill pensou posteriormente, e depois pensou que havia pensado isso na hora, no preciso momento em que o pé deslizou do acelerador para o freio —, que ele identificava como sendo não de um turista, mas de alguém indo a algum lugar com um propósito, não diferentemente do próprio Bill.

Bill passara a noite na pousada da sra. McRae, em Bighouse, no litoral norte de Caithness. Na noite tempestuosa, após uma torta porcamente aquecida no micro-ondas — uma noz enregelada em seu âmago pastoso —, ele marchara até o telefone público, a meia garrafa de Grouse no bolso do casaco batendo contra seu quadril, e ligara para Betty. Assim que as pontas de seus dedos foram digitalizadas e se converteram na conexão, a linha soou surdamente no ouvido de Bill. Ele reconhecia o tom do telefone de Betty — conhecia a linha a esse ponto; mas o telefone estava no fundo de uma lata de metal galvanizado. Então Betty surgiu na lata do lixo também, e ele a chamou lá no fundo:

"Betty? Aqui é o Bill."

"Bill, onde você está?" Ela parecia interessada.

"Bighouse, estou na sra. McRae —"

"Bill... Por que você está aí, por que não voltou?"

"Só consegui pegar a balsa de Stromness das quatro, e eu queria ficar entre Wick e Tongue..."* Isso era uma velha piada, mas Betty não riu. De qualquer maneira, era mentira dele — e ela sabia.

"Como está por aí então, entre Tongue e Wick?" Ela tinha uma dívida para com a história da velha piada, então precisava sancionar o diálogo espirituoso — um pouco.

"Ah, você sabe, peludo, um fiapo aqui, outro ali, um pouco de suor, uma lambuzada de sabão, quem sabe mais tarde um pouquinho de porra —" Ele parou — absurdamente, alguém batia na porta da cabine telefônica.

Um rosto branco brotou do vento e da escuridão: "Vai ficar aí a noite toda? O vento está gelado."

"Acabei de começar." Ele brandiu o fone na direção do rosto da velha embrulhado em lenço. Ela olhou para o aparelho. Bill pensou em Betty na outra ponta da linha, escutando a ventania, participando dessa antiteleconferência.

"O vento está gelado", reiterou a velha — não diria mais nada.

Bill se comprimiu de volta na cabine telefônica, mas não deixou a porta pesada fechar completamente. Assim manietado, exclamou no latão de lixo, "Betty, tem uma senhora aqui precisando do telefone — eu ligo de novo mais tarde." Escutou o tênue tchau dela e pôs o fone no gancho. Não tinha ligado de novo mais tarde.

Pela manhã, a tempestade que havia pairado sobre Caithness e as Órcadas ao longo da semana amainara. O sol projetava seus raios com tanta força que fazia explodir tudo que fosse vidro e metal. Olhando pela janela da cozinha, sentado à mesa de fórmica, pincelando gema no bacon, Bill viu o friso de

---

* Jogo de palavras com os dois topônimos: *wick*, "mecha", mas também gíria para "pênis"; e *tongue*, "língua". (N. do T.)

alumínio em torno das janelas de seu carro ficando incandescente. Pagou à sra. McRae de um punhado de notas de libras do Banco da Escócia — onze delas.

"O senhor volta em breve, doutor Bywater?", perguntou a mulher.

"Sabe como é, sra. McRae", respondeu, "quando vier às Órcadas outra vez".

"E faz ideia de quando isso vai ser?"

Ele encolheu os ombros e ergueu as mãos, as palmas viradas quanto pôde, como que a indicar a máxima mistura possível de dúvidas e de compromissos.

Bill jogou sua bolsa no porta-malas do carro e pegou o CD player. Inseriu o cartucho reabastecido de discos na boca retangular de alumínio e escutou com satisfação os servomotores engolindo o módulo. Tornou a embutir o aparelho em seu compartimento e bateu o porta-malas. Deu a volta até a frente do carro e abriu o capô. Checou o óleo, a água, o reservatório do limpador. Checou o tubo de resfriamento do turbo, que estourara quando estava nas Órcadas e que ele próprio soldara. Fez tudo isso com rapidez e destreza, seus dedos insensíveis sentindo o carro com sensualidade impassível. Bill tinha orgulho de suas mãos — e de sua habilidade com elas.

Dentro do carro, limpou as mãos em um pedaço de pano. Deu partida e escutou atentamente o som do motor. Guardou o pano e inseriu o mostrador de CD no painel. Ajeitou os servomotores que ajustavam automaticamente o assento do motorista. Acionou os limpadores e deu algumas espanadas de água ensaboada no para-brisa. Programou o aparelho de CD para o modo aleatório. Finalmente, acendeu um dos baseados que havia enrolado enquanto soltava um barro após o café. A exalação do primeiro sopro de fumaça fez o interior do carro parecer um gerador van de Graaff, as luzes do painel cintilando sobrenaturais em meio à névoa.

Bill torceu o corpo, esticou o braço e apanhou a garrafa de Campbelltown doze anos sob a pilha de periódicos profissionais que guardava atrás do banco. Relanceou a estrada, mas não havia nada, apenas o telhado de ardósia da sra. McRae, com o declive gramado se estendendo diante dele. Bill deu uma generosa talagada no uísque, tampou a "garrafa de passeio", como jocosamente a intitulara — para si mesmo —, e voltou a guardá-

-la. Olhou o retrovisor, depois pisou fundo. O carrão estremeceu um instante antes de arrancar pela estrada. A inércia pressionou Bill no couro gasto do banco, liberando minúsculas moléculas de odor delicioso. Ele escutou o turbo entrar em ação com seu ganido agradável. O sax de John Coltrane prorrompeu dos quatro alto-falantes de setenta watts, os longos e abemolados lençóis sonoros se desenrolando como algoritmos de emoção.

Bill cobriu os trinta quilômetros para Thurso em cerca de meia hora, ridiculamente rápido para aquele trecho de estrada sinuosa, cuja superfície abaulada constituía uma surpresa constante, por sua adversidade. Mas a chuva cessara e a visibilidade era boa. Bill continuou com o pé na tábua, sentindo o peso do enorme sedã fatiar o ar fresco. O carro era tão comprido que, se dirigisse com um braço pousado no apoio de cabeça do passageiro — coisa que muitas vezes fazia —, em seu campo periférico podia ver a traseira do carro girando, dando-lhe a sensação peculiar de ser um fulcro humano.

Enquanto dirigia, Bill observava o céu e a terra. Não gostava de Caithness do mesmo modo como gostava das Órcadas. As Órcadas eram como Avalon, um lugar místico onde além dos despenhadeiros escarpados de Hoy um cardume de ilhas verdejantes refestelava-se como um bando de baleias ao sol no mar anil. Mas a costa setentrional da Grã-Bretanha era composta de elementos desajustados: um tantinho de despenhadeiro aqui, um campo verdejante ali, uma extensão de areia e dunas acolá; e, mais adiante, o prédio globular do reator nuclear em Dounreay, uma bola de golfe à espera de que algum deus malevolente desse sua tacada em direção ao estuário de Pentland. Caithness era permeada por essa sensação palpável de ser subimaginada. Um lugar que ninguém se dera muito ao trabalho de conceber, e a região sofrera as consequências, em seu aspecto não rematado.

Era uma das coisas que Bill mais amava acerca do extremo norte. Seus colegas classe média de profissão lá no sul não faziam a menor ideia da geografia desse território. Quando lhes contava que possuía um chalé nas Órcadas, insistiam em confundir as ilhas com as Hébridas. Isso permitia a Bill sentir que, de um modo muito significativo, assim que a balsa *St Ola* se afastava do porto de Scrabster, ele estava sumindo da face da terra.

Thurso. Um lugar cinzento, duro. Os pequenos prédios dos conjuntos habitacionais acocoravam-se, confinados, aquartelados; e oferecendo suas fachadas fechadas à luz do dia, como que conscientes de que aqueles raios solares eram o fim da linha, e que em breve as intermináveis noites de vento estariam de volta. Bill parou no posto, de cuja altura tinha a melhor visão possível das Órcadas, vinte e cinco quilômetros para o norte. O dia estava tão claro que podia divisar o dedo torto do Old Man of Hoy, apontando orgulhosamente entre os grandes despenhadeiros oceânicos. Uma leve cumeeira de neve encimava a ilha e fulgurava ao sol. Sentindo um aperto no coração, Bill saiu do posto e virou à direita.

Assim que deixara Thurso, e acelerava pelo prolongado aclive, afastando-se da cidade, Bill parou para pensar na viagem. Nessa ação mental ele tomou consciência de que até aquele momento ainda não relaxara no que estava fazendo. O trecho entre Bighouse e Thurso demandara o tipo errado de concentração; Bill precisava mergulhar um pouco mais no ato de dirigir. Ele gostava de se perder num transe quando estava ao volante, até finalmente sua propriocepção fundir-se com os componentes do carro, até ele *ser* o carro. Bill pensava no carro nessas horas como algo animado: o motor como um coração, o cárter como um fígado, o sistema automático de freio como uma primitiva — ainda que encantadora — senciência.

O carro sustentava o corpo de Bill em seu sofá forrado de couro, enquanto ele assistia ao filme da estrada.

Bill pensou na viagem e começou a fazer estimativas absurdamente otimistas do tempo que cada estágio lhe tomaria: duas horas para Inverness, uma hora e meia atravessando as Highlands até Perth, depois mais uma hora até Glasgow. Talvez conseguisse chegar para o almoço. Depois, no fim da tarde, descer a M72 para Carlisle. Depois a M6 — que parecia um rio, serpenteando montanha abaixo até chegar a Birmingham. Talvez chegasse em tempo de dar uma parada em Moseley para um *balti*. Em penúltimo, a M40 na calada da noite, espectrais tentáculos de névoa envolvendo a estrada enquanto o grande carro roncava através das Midlands rumo a Londres. E depois, finalmente, a própria cidade extenuada; o borbulhar da exaustão reverberando nas fachadas envidraçadas das concessionárias de veículos e das lojas de material de escritório na Western Avenue.

Projetando-se em Londres à uma da manhã, após quase mil e duzentos quilômetros dirigindo em alta ressonância, Bill podia antecipar com precisão as condições dissonantes de seu corpo, o esgotamento de sua mente ultraconcentrada. Podia — pensou — se deixar desabar no apartamento de Betty, depois na cama dela, depois nela. Ou não. Ir para a casa de apostas, em vez disso. Encher a cara como se deve. Largar o carro. Vazar pra casa.

O carro ficou preso atrás de um ameaçador caminhão caçamba de sete toneladas. Lama sobressaindo no alto das laterais sulcadas, o ocasional grumo de barro caindo na pista. Estavam na longa reta que vai para Roadside, onde a A882 se estreita na direção de Wick. Chovera mais recentemente ali e poças alongadas riscavam a estrada; à luz do sol eram como estilhaços de espelho, cacos partidos do céu brilhante. Sem pensar, Bill checou o retrovisor, depois o espelho lateral, acionou o pisca-pisca e pisou no acelerador. O carro se projetou adiante, abruptamente, o turbo guinchando num audível "*Gnunngg!*". Bill sentiu os pneus deslizando e derrapando conforme lutava por obter aderência na água, na lama e no cascalho espalhados sobre a superfície da pista. Estava duzentos metros além do caminhão e a quase cento e cinquenta por hora quando reduziu e voltou para a esquerda.

A primeira ultrapassagem era, refletiu Bill, a mais difícil. Representava um salto existencial rumo ao desconhecido. Se carro e homem sobrevivessem, seu pacto para a jornada fora firmado. Havia apenas duas maneiras de cobrir aquele trajeto imenso: devagar e filosoficamente ou *dirigindo*. Bill optara por esta última. Comemorou acendendo o segundo baseado que enrolara quando estava no vaso, reinando. O Upsetter explodiu no CD, o impressionante rumor do baixo transformando as portas em painéis vibratórios e pulsantes, o carro todo numa caixa de som ambulante. Bill sorriu consigo mesmo e afundou um pouco mais em seu banco.

O carro trepidou no terreno desigual. A paisagem continuava deixando de se diferenciar. Perto da estrada um lodaçal de turfa se esparramava rumo ao coração de Caithness, uma papa encrostada de capim e terra preta. Ao longe um pico isolado projetava seu cume coberto de branco. Era, refletiu Bill, um trecho onde alguns triceratopes e pterodáctilos não teriam parecido muito fora de lugar. Um antigo paciente seu sofria de fobia de dinossauros — não era tanto o tamanho das criaturas ou sua possível rapacidade, com isso ele conseguia lidar —, mas a ideia daquela vasta verrugosidade de couro reptiliano. Bill havia curado a fobia, ou quase. Sorriu para si mesmo no retrovisor ao lembrar disso; pesarosamente, assim esperava. Mas o herpetofóbico passou a se mostrar, como resultado, cada vez mais errático em quase toda outra área de sua vida. Finalmente psicótico, acabou internado depois de arrancar a cabeça de centenas de dinossauros de brinquedo, num surto pelas lojas da Zona Sul de Londres.

Bill não psicanalisava mais ninguém. Não conseguia mais enxergar o mérito disso — ou pelo menos era o que dizia a si mesmo. Na verdade, achava mais fácil deixar seu nome nas agências e atuar como substituto em psiquiatrias variadas. Podia selecionar o trabalho, escolher os horários e manter uma agenda variável. Bill sentia uma afinidade peculiar por apaziguar os loucos de verdade; pessoas capazes de agir como dervixes com um garfo na mão. Os policiais o chamavam um bocado ultimamente, sempre que estavam com algum doido espumante na delegacia e não queriam sujar seus uniformes com fluidos corporais. Bill não diria que penetrava plenamente no louco mundo dos insanos — esse tipo de coisa langiana tomara o mesmo rumo da esquizofrenia não congênita —, mas era capaz de simpatizar plenamente com essas psiques em extrusão, cujos pontos de vista eram tão vertiginosos: um minuto no telhado, o seguinte, no chão.

Bill também meio que gostava de viver perigosamente. De agitar. Costumava pegar a mulherada — mas cansou disso, ou achava que sim. Na verdade cansou, simplesmente. Continuava passeando de carro, veloz, concentrado. Indo e voltando das Órcadas cinco a seis vezes por ano. Na chácara em Papa Westray consertava muros e cercas, até mesmo erguia novas construções na propriedade. Tinha cinco bois longhorns — mais como bichos de estimação, na verdade. E é claro que havia a bebida. Havia Betty, mais ou menos. Um relacionamento baseado em sexo, de sua parte, e sexo e expectativa, da parte dela. Bill não pensava na ex-esposa. Não que fosse incapaz de admitir as verdades que a envolviam — insight sendo, afinal de contas, sua profissão —, mas porque realmente achava que não havia necessidade de continuar batendo nessa mesma tecla. Era passado.

Bill tinha um casaco de couro. Bill tinha um sedã turbinado de três litros. Gostava de *single malt* e skunk. Gostava de barcos; tinha uma lancha Orkney atracada em Papa. Era um homem de feições rudes e cabelo loiro desfiado. As mulheres costumavam acariciar sua pele sardenta com admiração. Ele gostava de escalar montanhas — muito rápido. Várias vezes completara três Munros num dia só. Não falava demais, a não ser quando estava muito bêbado. Gostava de extrair informação. Ia fazer quarenta, nesse ano.

Em Latheron, onde o mar do Norte recuava para longe da terra e os rochedos baixos ruíam em meio a sua beleza prata-azulada, Bill olhou seu relógio de pulso — um cronômetro clássico. Quase onze. O relógio no painel dizia 11h05, o LCD no painel de controle do CD piscava 11h cravados e, quando ele voltou a olhar após prestar atenção na estrada, piscou para 11h01. O Portland Arms, em Lybster, estaria abrindo: depois de uma dura manhã como aquela, dirigindo, ele bem que merecia um copo de cerveja — e uma dose de uísque. Preguiçosamente, Bill girou o volante para a esquerda e tomou o rumo norte pela A9.

No bar revestido de painéis de madeira, Bill era o único freguês. Os ganidos de seu casaco de couro contra o vinil do reservado invocaram um sujeito elaboradamente atencioso em seu uniforme de estica — ou pretensão à estica — à Highland: paletó de tweed, colete com botões de chifre, calça de flanela, sapatos de couro em estilo escocês. A camisa Viyella absorvia a gravata tartan com seu próprio padrão levemente axadrezado. O homem usava, além do mais, um bigode ruivo em guidão, ridiculamente chamativo, que compensava seu rosto insípido tão infalivelmente quanto uma faixa vermelha abole o cigarro. Bill não reconheceu o sujeito, e achou que podia ser o gerente do inverno; novo em Caithness e talvez ainda sem ter consciência de quão desalentadores seus outorgados quatro meses junto à torneira da cerveja se revelariam.

"Bom dia, senhor", disse a absurdidade, "é uma bela manhã, pois não?".

"É." Retrucou Bill, curto e grosso — e então, sentindo que fora curto e grosso demais, "Vim dirigindo direto desde Bighouse; não parei nem para uma ducha."

"Hm, disseram que a ventania vai recomeçar essa noite..." Ele pegou um copo pequeno de cerveja no escorredor sob o balcão e passou, vagarosa mas destramente, a esfregá-lo com o pano. Bill foi até o balcão, e a absurdidade pegou a deixa: "Então, o que vai ser?" De perto, Bill notou sujeira marrom nos dentes do homem, e linhas de vasos sanguíneos estourados, como pés de galinha roxos, em torno de seus olhos.

Bill suspirou — não havia a menor necessidade de explicar suas escolhas para aquele ali: "É um Campbelltown, ali em cima?" Esgrimiu um dedo para as garrafas de malte empoleiradas nas prateleiras.

A absurdidade desceu a garrafa, sem mais delongas. "É o quinze anos?" Seu tom indicava que isso era um pedido.

"Um duplo", disse Bill.

Bill trouxera consigo do carro o jornal do dia anterior, mas não se deu ao trabalho de abrir. Virou o uísque para dentro e depois rebateu com uma garrafa de Dark Island, das Órcadas. O uísque dragou um vão de calor em sua barriga e a cerveja *ale* encheu sua cabeça de urze e turfa. Sem brincadeira, pensou Bill, esses dois juntos eram a essência do extremo norte. Recostava no assento do reservado, os pés apoiados num pequeno escabelo. O cabelo e os ombros comprimidos pelo couro grosso de sua jaqueta. Um velho casaco de couro, com corte anos quarenta. Bill o tinha havia muitos anos. Lembrava-o de uma jaqueta que vira Jack Kerouac usando numa fotografia. Ele gostava do forro vermelho acolchoado; e gostava particularmente da etiqueta na parte interna da gola, que proclamava: "Couro Genuíno, Fabricado do Quarto de um Cavalo." Bill costumava mostrar para as garotas, que achavam divertido... sedutor. Bill costumava passar uma graxa especial no casaco, mas na verdade, ultimamente, percebera que não tinha mais disposição para tal, mesmo com o couro rachando nos cotovelos.

Enquanto Bill bebia, a absurdidade ficou indo e vindo pelas proximidades do balcão, mas agora que o copo de cerveja estava vazio, e emborcado de volta no escorredor, não se via o sujeito em parte alguma. Bill o imaginou, seus passos surdos pelos corredores gelados do velho hotel de granito, como uma miniatura de lorde escocês numa ponta de estoque. Com impaciência, tocou uma sineta — e o bigode ruivo apareceu na mesma hora, bem diante dele, içado por seu dono através da portinhola do alçapão, como um cabeludo estandarte de revolta.

"Senhor?", veio de trás das suíças.

"O estrago?", retrucou Bill.

"Vejamos..." Ele virou para a caixa registradora e executou um acorde. "... Quatro libras e setenta e oito pence." Enquanto Bill lutava com seu jeans para pegar o dinheiro, a absurdidade tirara — de algum lugar — um cartão. Entregou a Bill ao receber o dinheiro, dizendo, "O senhor não se incomoda, pois não, de preencher isto aqui. É uma espécie de levantamento sobre nosso trabalho, sabe como é, marketing, essas coisas, tentando descobrir quem é nossa clientela..." As palavras morreram.

Bill olhou para o cartão: "Onde ouviu falar de nós pela primeira vez? 1. Jornais 2. Recomendação pessoal 3. Como parte de um pacote de férias..."

"Claro", afirmou ao iludido hoteleiro, "mas se não se incomoda, preencho mais tarde e depois mando, estou meio que na correria".

"De modo algum, de modo algum — aqui está um envelope com o endereço para o senhor. O que for mais fácil."

Marchando através do pátio de estacionamento até o carro, Bill amassou o cartão e o envelope numa bola e jogou em uma lata conveniente. Também abandonou-se a uma risada desnecessariamente derrisória — a ideia de que aquele ponto isolado seria capaz de atrair qualquer outra coisa que não o comerciante passageiro e o ocasional grupo de caça, pesca e bebedeira era tão ridícula quanto o bigode ruivo.

Sentir o vento ganhando força às suas costas reiterou um pouco mais quão longe de tudo ficava Lybster — exceto do mar do Norte. Bill tirou a jaqueta e a jogou no banco de trás. Depois girou o corpo e se ajeitou no banco do motorista. Enfiou a chave na ignição, virou e deu partida, e o carro ronronou e palpitou. O CD emitiu um chilreio — em seguida tocou algum John Cage. Com outro meneio negligente de mão, Bill girou o carrão em cerca de cento e oitenta graus e triscou o cascalho de volta à A9, dessa vez para o sul.

Pela hora seguinte, até que viu o carona, Bill pisou fundo. Havia alguma coisa no homem do pub em Lybster, o episódio todo, na verdade, que o incomodava. Havia isso, e havia a sensação de que à medida que o carro mergulhava rumo sul — entrando fechado nos acessos e acelerando nos declives montanhosos —, ele conduzia Bill para fora do mundo subimaginado e para dentro do mundo cristalinamente concebido, fixo em sua própria natureza, compelido à banalidade pela compreensão maciça.

Não que desse para saber disso já então: a estrada ainda ondulando e ziguezagueando de tantos em tantos metros, os aclives, muitas vezes um a cada dez, ou ainda mais. Na neblina, ou chuva — que era quase sempre —, a A9 era simplesmente, e superficialmente, perigosa, mas tosada de seu cinzento velocino, ela se tornava quase divertida. Assim pensava Bill, guinando o carro abruptamente pelas curvas.

Na chuva você tinha pouca oportunidade de ultrapassar até mesmo um carro, que dizer das rabugentas jamantas que avançavam laboriosamente nessa rota para o distante norte; e havia muitas dessas. Podia atrasar a viagem toda se você ficasse preso atrás de uma. Atrasar em até cinquenta por cento. Mesmo com tempo bom, o único modo de ultrapassar uma caravana — os caminhões tendiam a viajar aglomerados, formação que ocorria naturalmente, e espaçados igualmente — era acelerar até quase cento e cinquenta na reta, depois executar a contradança escocesa com o tráfego contrário e com as próprias carretas.

Era inebriante — esse mergulho de cabeça no crânio exposto da Grã-Bretanha. Depois de trinta quilômetros ou algo assim, descortinou-se para Bill uma vista espetacular dos montes Grampianos, além do golfo de Moray Firth. As montanhas apartavam terra, mar e céu com grandiosidade indiferente; seus picos dolorosamente alvos, seus flancos enevoados de branco, azul e azul-escuro. Não que olhasse para eles, olhava para a pista, captando fragmentos do cenário nos intermitentes vaivéns que seus olhos executavam do velocímetro para a estrada, para o retrovisor, os espelhos laterais, e voltando, vez após outra, cada relance acompanhado de um espasmo de cabeça, como se fosse um judeu chassídico, rezando enquanto avançava.

De certo modo, Bill estava orando. Na concentração com que freava e acelerava, e nessas velocidades essencialmente brincando com a vida e a morte — não apenas a sua, como a dos outros —, enfim atingiu o estado dármico que viera buscando toda a manhã: uma absorção de seu próprio ser no mero ato de dirigir que se combinava exatamente à absorção de seu corpo na estrutura do carro; uma união biomecânica que tornava olhos em para-brisas, rodas em pernas, turbo em mecanismo de voo. Ou seria o contrário?

As varas de condão das memórias enroscavam-se nos ramos do cenário, e então toda a sebe das impressões era esculpida e modelada um pouco mais pela música que brotava dos quatro cantos do carro, antes de ser aplanada pelo mantra do impulso. Na noite anterior no pub — o doutor local, Bohm, bêbado — tagarelando sobre curas miraculosas para a dipsomania — rituais com drogas psicodélicas na África Ocidental, um blá-blá-blá místico —, depois, a volta sob o vento implacável, a chuva tão forte que castigava suas bochechas e sua fronte com pequenas vergastadas. Agora, na estrada adiante, uma oportunidade passageira, um velho e lento Ford Sierra, à frente dele duas carretas, e mais dois carros um pouco mais adiante, indo a mais ou menos cem por hora — pelo menos setecentos metros até a próxima curva. Uma curva depois dessa possibilitava a visão de mais estrada desimpedida, mas e quanto ao trecho oculto? Calcular quanto havia. Contar: um, dois, três segundos. Arriscar. Retrovisor. Bam! Pisar fundo no acelerador, as mãos agarrando com força o volante, as costas pressionadas no banco. Cheiro de couro. Uma vaga consciência de acordes oceânicos arpejando — talvez Richard Strauss. Seta piscando e tiquetaqueando. Ultrapassar o Ford. Ultrapassar a primeira carreta. Chegando em cento e trinta, agora. Bam! Engatar a terceira. Cento e trinta, agora, alcançando a traseira sacolejante da segunda carreta. Meeerda! Um carro. Cerca de novecentos metros de distância. Vindo rápido. Letalmente rápido. Checar retrovisor lateral. Dançar o foxtrote da porrada. Se enfiar entre as duas carretas. Levar fuzilada de faróis e buzinas. Então — Bam! Sair outra vez. Duzentos metros faltando para a reta — sem visão do trecho seguinte, só moitas verdes, paredão verde-acinzentado, vaca preta e branca estridente — esticar a terceira, ela vai aguentar... cento e trinta... cento e quarenta e cinco... cento e sessenta — a barreira mágica das cem milhas por hora. Restando cinquenta metros — e a segunda carreta foi ultrapassada, comeu poeira, ficou para trás, tão certo quanto a bosta na privada de um posto de serviços no meio da estrada. Para trás como o passado, como o fracasso, como o arrependimento.

Bill sentia essa maravilhosa sensação de liberdade e alívio quando tapeava a morte e se libertava da carrancuda gravidade das morosas carretas. Ele sentiu isso dez vezes entre Borgue e Helmsdale, quinze entre Helmsdale e Brora, depois mais e mais à medida que a estrada se abria e as colinas se afastavam da estrada, permitindo que fluísse e serpenteasse, em vez de descrever guinadas e curvas abruptas.

Um relance da Langwell House, gótica em seu promontório, conforme ele ziguezagueava por Berriedale; o retrato emoldurado em primeiro plano do castelo de Dunrobin quando passou por seus portões e rodou a meio galope pela longa e exígua rua principal de Golspie. E o sol continuando a se pôr, e a estrada continuando a tremeluzir, e Bill continuando a pensar — ou talvez pensasse que pensava — em nada. Passou pelo Highland Knitwear Centre. Quantos suéteres Bill comprara em toda uma vida de mimos? Mais do que devia, talvez. Uma blusa roxa de tricô nessa mesmíssima loja — para uma garota chamada Allegra. Uma loira miúda — nova demais para Bill. Então com vinte e dois, ele em seus trinta e cinco. Ela era toda bocados rechonchudos, um adorável e fofo brinquedinho do amor, que uma vez chapada ficava psicótica, lavando as mãos no ar fanaticamente, como uma atriz obcecada em treinamento do método. Bill tinha de acalmá-la toda vez que isso acontecia — e ele não gostava de levar trabalho para a cama.

Ela chupava como uma cortesã — como uma deusa da felação. Abaixava o prepúcio com os lábios, enquanto sua língua dardejava pela base da glande. Uma de suas mãos infantis sondava entre as abas de tecido que pendiam abertas na virilha, buscando a raiz dele, realizando malabarismos com suas bolas. E isso enquanto o carro rodava pelas margens do Cromarty Firth, passava pelo afloramento de guindastes e turcos em Invergordon. Mesmo na época Bill reconhecera o boquete automotivo como um perturbador acompanhamento da lavagem de mãos maníaca de Allegra. Era o modo dela de submetê-lo novamente ao seu controle; ele podia estar na direção — mas era ela que o dirigia, trocando suas marchas com a boca.

Foi a primeira e última viagem de Allegra para as Órcadas com Bill. Eles antes estilhaçaram que romperam o relacionamento, algumas semanas depois, quando, em um jantar dado por amigos de Bill, um pessoal de meia-idade, Allegra, bêbada, gritara, "Porque ele não conta pra todo mundo que *adora* chupar mulher, mas não aguenta quando chupam ele!", depois esvaziou seu copo de vodca-tônica no rosto de Bill, e então tentou acertar o sólido após o líquido. Um arremesso de Bill esquivou, de modo que o cristal foi se espatifar contra a cornija da lareira, coberta de convites. Os amigos tiveram assunto de sobra depois que Allegra e Bill foram embora.

Com o carro tiquetaqueando pela rua deserta, Bill imaginava as casas cinzentas de ambos os lados habitadas por suas antigas cortesãs, sua miríade de mulheres. Seria como uma sequência onírica felliniana. Não, pensando bem, melhor pôr as antigas namoradas — devia haver pelo menos uma centena delas — no próprio castelo de Dunrobin. Ele era tão grande que haveria um cômodo individual para as mais maduras, e aposentos convenientes para as jovens. Bill sorriu ante o pensamento desse perverso serralho. Mas Fellini não tinha razão? Não era essa a única solução psíquica possível para a sensação de horrível abandono provocada pela prática da monogamia serial? Ter todas em um mesmo lugar. Não era o caso de Bill as querer todas sexualmente disponíveis — muito pelo contrário. Mas ele as queria em um contexto que tornasse o que existia entre ele e elas, se não exatamente importante, em todo caso viável. Ele queria sentir que tudo isso tivera importância, que não haviam sido simplesmente acasalamentos animais, espasmos mecânicos, agora esquecidos, agora pó.

Arrebatado pela fantasia, Bill deixou que ela o absorvesse, conduzindo o grande carro pela longa alameda arborizada que levava de Golspie a Loch Fleet. O castelo de Dunrobin habitado por todas as suas parceiras, todas as mulheres com quem tivera relações sexuais. As mais jovens pegando o grosso do trabalho doméstico. Havia Jane, que era cozinheira profissional, ela podia administrar as cozinhas, com a assistência de Gwen, Polly e Susie. Haveria mulheres suficientes na casa dos vinte anos para servir de empregadas, deixando as mais velhas livres para passar o tempo em conversas ociosas e atividades tipo hobby. Ora, pensando bem, havia até uma paisagista para Bill apontar nesse portfólio; quem sabe talvez não fosse o caso de simplesmente manter os jardins do castelo, mas de reprojetá-los?

Mesmo quando Bill brincava com essa ideia de um reconfortante castelo, rachaduras começaram a surgir na fachada. *Todas* as suas ex-parceiras... Isso significava não só Allegra, partindo para cima dele o tempo todo com adagas vítreas, durante a atração fatal da hora do coquetel, mas também outras, ainda mais instáveis, lamuriando e flanando pelos corredores e escadas. Pior ainda, significava sua ex-esposa; em que recesso ocultar o antigo fantasma? Sem dúvida em algum edifício externo, de onde, nas noites escuras, sons de imprecações vociferadas poderiam ser ouvidos, trazidos pelo vento, e ecoando na sala de visitas, onde as demais estariam a coser, e Bill, de sua parte, a fazer esgares diante de mais um copo de uísque.

E se haveria de ter espaço para sua ex-esposa, teria de haver espaço para outras personagens impalatáveis, também. Contra a própria vontade, Bill impeliu a fantasia para sua maligna conclusão. As putas — haveria lugar em Dunrobin para as putas, as piranhas, as vagabundas. Bill imaginou como seria tentar deixá-las do lado de fora — essa delegação de putas. Ir ao seu encontro nos portões do castelo e tentar mandá-las embora. "Mas você trepou com a gente!", protestaria a porta-voz das prostitutas. "A gente exige um lugar no castelo!" Não lhe restaria outra escolha a não ser admiti-las — e então o frágil pacto do serralho seria quebrado. As outras mulheres talvez estivessem preparadas para aceitar a irmandade como um substituto para a monogamia, mas e as putas? Nunca. As putas iriam praguejar e beber. Iriam fumar crack na sala de bilhar, se picar na copa do mordomo. Iriam seduzir as mais novas e insultar as mais velhas. Nas noites de frio, Bill ficaria desesperado, enfiando a cabeça sob as cobertas, sob os travesseiros, tentando abafar os sons de farra, que se fundiriam aos gemidos e uivos do vento.

Na longa reta que se projetava do outro lado do lago, Bill avistou as placas com o pedido de assistência da guarda-costeira no combate aos contrabandistas de drogas: Se Você Perceber Algo Suspeito... A imagem de agradável poligamia sumiu e foi substituída por uma de Bill andando na praia, cutucando conchas com um pedaço de pau, a gola do casaco virada para cima, as pontas duras contra suas orelhas enregeladas. A extremidade oleosa de sua pá improvisada descobre o canto de um saco plástico azul. Ele cava um pouco mais. Seis blocos retangulares, lacrados com plástico azul, fortemente envoltos em fita adesiva, todos cuidadosamente enterrados. Bill sorri e pega seu canivete...

Outra placa relanceada, ao passar chispando pelo alto da subida: Viaturas Policiais Não Identificadas em Operação... Desmancha-prazeres. Sem serralho, primeiro, e agora lá se ia também o fecundo veio da Mamma Coca; nenhum trilho branco para pautar os pneus do carrão; nenhuma compressão propulsiva, cardíaca, para acelerar o coração de Bill em um compasso mais estreito com o conta-giros... Ele voltou a se curvar, segurou o volante com força renovada, concentrou-se na raspagem metálica da guitarra de John Lee Hooker, dilacerando o interior do carro. Então veio a estrada em obras. Então veio o carona.

Bill diminuiu, e procurou um lugar onde encostar. Cerca de cinquenta metros adiante havia uma interrupção na terra fofa da beira da estrada onde brita azul-acinzentada se acumulara sobre o leito da pista. Bill seguiu para lá, deu seta e parou ao som de cascalho esmigalhado. No retrovisor pôde ver o carona correndo para o carro, sua mochila sacolejando, o capote estilo poncho esvoaçando, uma expressão de desespero banguela no rosto, como se estivesse absolutamente certo de que o oferecimento fosse uma provocação ou tapeação, e que assim que se aproximasse da porta, Bill arrancaria, às gargalhadas.

O carona abriu a porta bruscamente e ar fresco, umidade e sol entraram no carro. "Valeu, parceiro..." Ia ficar de conversa, estava na cara.

"Entra logo!", retrucou Bill. "Não posso parar aqui." Gesticulou para a estrada, onde os carros tinham de andar sobre a linha central para conseguir passar. O carona se jogou no banco do passageiro, a mochila ainda às costas. Bill relanceou o retrovisor, deu seta, girou devagar o volante para a direita e voltou a se juntar ao tráfego.

Por alguns segundos nenhum dos dois disse coisa alguma. Bill fingia estar concentrado em dirigir e observava seu cativo pelo canto do olho. O carona sentava com o rosto quase colado no para-brisa, a mochila — que Bill percebia agora estar amarrada a uma bolsa de barraca e um saco de dormir — era como uma tala inteiriça para o torso, projetada de modo a forçar o sujeito a contemplar a estrada mais de perto. Um espartilho de futurista.

"Eu paro assim que der", disse Bill, "aí a gente pode guardar isso lá atrás".

O carona disse, "Agradeço muito."

Tinha — estipulou Bill — de vinte e tantos a trinta e poucos. O sotaque era de Caithness, os elementos abruptos de um *brogue* escocês, suavizados e erodidos por uma capa glacial de sílabas escandinavas. O cabelo preto, na altura do pescoço, estava cortado irregularmente. Usava o poncho de náilon amarelo e, sob ele, uma nunca na moda jaqueta de brim forrada com imitação de pele de carneiro. Abaixo da aguada lã acrílica despontava a gola de uma camisa tartan. O hálito do carona cheirava horrivelmente a uísque amanhecido. Seus olhos bivacavam em bolsas roxas, tendas de pele atadas por veias roxas. A barba por fazer. Dentes fodidos. Uma infecção impressionante na covinha de seu forte maxilar — não era mal-apessoado.

"Está indo pra longe?", ele perguntou.

"Até o fim", sorriu Bill, "até Londres, quero dizer".

O carona sorriu e tentou — na medida em que a mochila o permitia — achar uma posição mais estável no banco. Foi a última pergunta que fez a Bill por todo o restante do trajeto.

Atravessavam a ponte sobre o aterro de Cromarty Firth e viram-se na Black Isle antes que Bill tivesse tempo de encontrar um acostamento apropriado onde parar. Os dois desceram do carro e Bill ajeitou suas coisas no banco traseiro, de modo que o carona pudesse acomodar a mochila. Voltaram à estrada em poucos minutos. Bill foi a cento e dez por hora e manteve a velocidade, o indicador e o polegar da mão direita segurando a parte inferior do volante como se este fosse um delicado instrumento cirúrgico. A chuva cessou e o leito da pista voltou a brilhar. O CD tocava baixinho o single atual de uma banda de rock de sucesso. O carona batucou com as unhas lascadas e sujas no jeans puído e sujo.

"E aí", disse Bill após algum tempo, "para onde você vai?".

"Eu também vou até o fim." Curvou-se ligeiramente e virou para encarar Bill, como se fossem dois fregueses casuais em um bar, batendo papo no painel-balcão do carro. "Eu vou até Poole, Dorset, mas quero ver um camarada meu em Glasgow hoje à noite."

"Certo, posso deixar você na entrada de Glasgow, vou passar direto e continuar pro sul."

"Pra mim tá ótimo." O carona sorriu para Bill, oferecendo-lhe uma vista dos montes Tártaros. Era um sorriso que devia ter reservado para a conclusão da viagem — não o começo. "Belo carro", disse o carona, ainda sorrindo.

"É", falou Bill, "esse anda. Então, de onde você é?".

"Thurso."

"E qual a finalidade da viagem?"

"Estou estudando em Poole, fazendo tipo um curso de computação. Tinha um tempinho antes das provas, então pensei em dar um pulo lá para ver meus filhos..."

"Eles estão em Thurso?"

"É isso aí."

A velha persuasão continuava lá, pensou Bill. Uns poucos quilômetros, umas perguntas insinuadas nos lugares vulneráveis corretos e, como uma sofisticada peça de marchetaria chinesa — uma caixa de compartimentos ocultos sutilmente embutidos —, a psique do carona começaria a se abrir, a esfoliar. Das alturas funiculares no cume da ilha desceram para a pista dupla. Emergiram de uma floresta esparsa de coníferas e de repente, esparramada em torno da torre da catedral, Inverness brilhava ao sol.

"Inverness", disse o carona.

Ele até reitera o óbvio!, exultou Bill, venenoso.

"Você saiu de Thurso hoje de manhã?"

"Foi. Depois que a gente esvaziou umas ampolas — saca como é?"

"Os amigos foram se despedir, hein?"

"Despedir, não exatamente — entrar em coma. Desmaiaram os cinco, aqueles veados. Daí eu saí na minha. Consegui uma carona bem rápido pra Latheron, depois desci até Dornoch. Daí andei na porra da chuva uns seis quilômetros até você aparecer..."

"Tava difícil parar. A obra..."

"Sei, relaxa."

"Tem barraca e essas coisas aí dentro?"

"Pro caso de eu ser pego de calça curta — se tiver que passar a noite na estrada. Precisei fazer isso quando tava indo. Dormi na beira da estrada, perto de Aviemore."

"Isso não é programa de índio?"

O carona bufou. "Nem me fala. Cinco da manhã caiu o maior pé-d'água, daí uma vaca filha da puta começa a mugir pra minha barraca. Eu tava de volta na estrada antes de o dia nascer, esticando o dedo feito um picolé do caralho..." Parou de falar e ofereceu outro sorriso encardido para Bill. Sua barba por fazer era azul.

Bill ficou encorajado a perguntar, "Certo, então quer dizer que é chegado numa bebida?"

O carona pressionou os olhos, a dobra do polegar em uma órbita, a junta média do indicador dentro da outra. Comprimiu e esmagou suas feições, respondendo das profundezas de sua dolorida massagem. "Ah, bom, acho que sim... talvez mais do que devia. Sei lá."

Bill fez o esgar de um sorriso. Procurou uma entrada à esquerda — continuavam em pista dupla — quando viu uma trilha arborizada. Levou o pé ao freio, deu seta, girou lentamente o volante e parou. "Tirar água do joelho", falou.

Os dois desceram. Bill deixou o carro ligado. Os dois mijaram na beira do mato. Sob o sol e o vapor, Bill examinou a urina do colega. Muito escura. Talvez até escuro-sangue. Havia um toque de icterícia na pele do carona, também. Podia ser infecção do rim, pensou Bill, ou coisa pior. Não que necessariamente fosse algo patológico, de qualquer modo. Bebiam a esse ponto, em Thurso — assim como nas Órcadas.

Bill conhecia dez homens com menos de trinta e cinco só em Papa que sofriam de úlcera no estômago. No consultório do dr. Bohm havia mais de quarenta folhetos alertando os pais a observar eventuais sintomas de uso de drogas em seus filhos. Absurdo, quando praticamente as únicas drogas disponíveis na ilha eram os medicamentos compostos usados para assegurar a eliminação das secundinas no gado. Bohm tinha também um pequeno adesivo gasto junto à porta do consultório, exortando: DRINKWISE SCOTLAND, e fornecendo um número de ajuda. Esse rapaz era, refletiu Bill, muito possivelmente viciado em álcool, sem necessariamente ser um alcoólatra.

Quando voltaram ao carro, Bill esticou o braço atrás do banco do passageiro e apanhou a garrafa de passeio. Estava pela metade. "Aceita um gole?" Agitou o conteúdo; o líquido claro, translúcido — como era para ter sido o jorro de urina. Bill apreciou a batalha escrupulosa entre necessidade metabólica e restrição social que dançou nas feições do rapaz. Ele quebrou o encanto desarrolhando a garrafa e dando uma generosa talagada primeiro. Então passou-a ao outro, que ia dizendo, "Claro... É... Certo."

O uísque explodiu como uma mina de antipersonalidade em algum lugar do campo de batalha em escombros que era o prosencéfalo de Bill. Ele engatou a marcha a ré e os pneus começaram a comer o cascalho. Pegou a garrafa das mãos do rapaz e voltou a guardá-la. Recostou no apoio de cabeça e observou a estrada. Nada. Afundou o pé no acelerador e o carro deu um meio cavalo, sacudindo as cadeiras, para repousar nas ancas vulcanizadas por um segundo conforme Bill engatava a primeira, antes de estremecer e arremeter colina acima na longa subida. Trinta, cinquenta, setenta... o turbo guinchando "*gnunng*"... noventa, cento e dez, cento e trinta... de ambos os lados os troncos ordenados das coníferas ficando para trás, estroboscópicos; a estrada reluzente adiante reverberando como um elástico de escritório; o céu gritando "*Wiiind!*"; o reggae vertendo como um batimento arterial: "*No-no-no-oo! You don' love me an' I know now...*" Bill não sentia dor. O rapaz gritava alguma coisa, Bill apertou o OFF.

"— tura sem —"

"O que você disse?" A voz de Bill saiu precisa e perfeitamente nivelada no ambiente instantaneamente neutro do carro. Soava como uma ameaça agressiva.

"A polícia, meu, saca... a polícia rodoviária... Eles andam de viatura sem identificação nesta estrada."

"Eu sei." Bill bateu com o dedo no velocímetro. "De qualquer maneira, só estou a cento e trinta, eles só param se você estiver triscando nos cento e cinquenta — cê fuma?" Sem nem ao menos dar seta na guinada da conversa, Bill já puxara outro baseado do bolso do casaco.

O uísque e o skunk abriram o homem completamente. Ele torceu o corpo um pouco mais no banco, impondo mais intimidade, e Bill começou a apascentá-lo com perguntas. Seu nome era Mark. Seu pai fora um engenheiro naval. Muito mais velho do que a mãe. O pai era judeu vienense. Um refugiado de guerra, projetara um dos primeiros sistemas de sonar. A mãe morrera de câncer quando Mark tinha oito anos, o pai se foi quatro anos mais tarde. O pai deixara dinheiro, mas o espólio foi mal-administrado por curadores negligentes. Mark e seu irmão terminaram em um lar para menores. Foram separados. Mark largou a escola, trabalhou numa transportadora. Casou, teve dois filhos e...

"Fodi com tudo, acho, pode crer."

"Como assim?"

"Com as crianças e tal. Fodi tudo. Saca, eu era novo — não sabia o que eu queria. Ainda não sei, eu acho." Ofereceu a Bill outro sorriso que um dia — sem dúvida — fora encantador.

Bill estivera esperando por isso; essa descida ao porão da mente de Mark. As crianças — o relacionamento com elas — tinham de ser a porta do alçapão, o acesso ao subterrâneo. Bill sacara Mark como um fugitivo quase imediatamente. Havia um quê de mágoa injuriada naquele jovem que sugeria alguém disposto a ferir, mas com medo de atacar. Alguém que diria o indizível e depois tentaria se retratar. Alguém cuja capacidade de amar a si mesmo se manifestaria apenas por meio de pose e narcisismo.

Bill pensou que odiava Mark desde já. Odiava a predisposição do rapaz em se demorar nas frases mais do que o necessário. Sua absorção consigo mesmo. Sua cansativa falta de semancol — contara a Bill quatro vezes, enquanto queimavam o baseado, como o fumo era bom em Poole, e como ele e seus amigos eram descolados em conseguir. Bill decidiu arrancar de Mark tudo que houvesse para tirar. Estripar o passado do sujeito, esquartejar seu presente, mirar uma arma no seu futuro. Era um jogo que Bill disputara várias vezes antes — tentar descobrir o máximo que pudesse a respeito de alguém que conhecera por acaso. Descobrir o máximo que pudesse e — isso era crucial — não entregar nada a seu próprio respeito. Assim que as cobaias começassem a fazer suas próprias perguntas, o jogo estava terminado.

"É difícil criar os filhos..."

"Principalmente sem um puto. Principalmente sem espaço, saca. Espaço pra pensar. Sempre achei que eu podia ser coisa melhor que motorista. Meu pai foi um cara brilhante. Eu não conseguia me encontrar. Não em Thurso — nada, lá. E minha mulher… ela, saca, não percebia…"

"Ela não entendia?"

"Isso."

"E lá em Poole é melhor? Você foi pra lá direto?"

"Bom, não. Fiquei meio que bundando pelo país por um tempo. Quer dizer, eu saí pensando em ir para Glastonbury nesse ano — e daí meio que continuei andando. Fui *parar* em Poole, saca, por causa do seguro social…"

"Mais fácil de pedir?"

"Isso."

Haviam avançado bem pelas montanhas e as nuvens estavam baixas. À direita, as Monadhliaths, à esquerda, os montes Grampianos. O vale tinha uns dois quilômetros de largura. Além das acidentadas pastagens de verão as montanhas faziam o que montanhas fazem melhor: amontoar. Tanto os flancos forrados de floresta como a arquitetura abrasiva de tálus. Subindo e subindo, até os picos vagos e ascendentes tocarem os maciços enevoados acima. Bill notou que o carro estava quase sem gasolina. Teriam de passar em Aviemore.

"Vou dar uma passada em Aviemore", disse para Mark, que cantarolava junto com a música, "mas não é pra parar, só pegar um sanduíche e seguir em frente — você comeu?". O rapaz viajava de carona. Era óbvio que gastara todo o seu dinheiro em álcool, na noite anterior. Essa era a oportunidade de Bill fazer uma boa ação de verdade para o sujeito. Alimentá-lo.

"Nah, sério… nah… eu tô legal." O conveniente objeto de caridade convenientemente baixou o rosto para o chão. Bill não falou nada — estava procurando placas. Finalmente, uma delas veio pela estrada em sua direção — uma milha para a conversão. A placa — como a maioria nessa parte das Highlands — mostrava uma saída desviando da estrada principal, lancetando um destino furuncular e depois tornando a se juntar a ela. Bill ruminou sobre como isso era parecido com a vida; os desvios temporários que a pessoa tentava fazer, que eram sempre abreviados, absorvidos novamente pela implacável linearidade, a mortal progressão. Bill pensou em partilhar essa observação com Mark, mas depois pensou duas vezes. E depois comentou, de qualquer jeito.

Mark refletiu por algum tempo, depois se incluiu no cálculo: "É, minha sensação é que minha vida toda tem sido sempre assim. Eu nunca estou fazendo o que devia — estou perdendo tempo."

"Massa."

"O quê?"

"Massa."

"O quê?"

"Nada." Ficaram em silêncio enquanto Bill pilotava o carro pela periferia de Aviemore. O lugar continuava decrépito, a despeito de todo o dinheiro que entrara ali recentemente. A maioria das construções era em estilo chalé, com telhados de inclinação abrupta chegando quase até o chão. Mas os materiais eram sintéticos; concreto e alumínio; amianto e acrílico. Todas as superfícies pareciam empenadas; todos os cantos, curvados para cima. "Que buraco de merda", disse Bill.

Vendo um enorme posto Texaco, afastado da estrada, Bill girou o volante preguiçosamente para a esquerda e o carro fluiu devagar até a cobertura. Ele encostou junto às bombas e já descera, com a chave da tampa de gasolina em uma mão e uma nota de dez libras na outra, antes que Mark tivesse a chance de planejar sua chegada. O ar ali era um abraço cortante. Bill ainda vibrava da estrada. O mundo exterior estava distorcido. Era como deixar um cinema após a matinê e sair sob uma tarde inconvenientemente luminosa.

"Vou encher o tanque — pode ir até lá e pegar pra gente uns três ou quatro daqueles sanduíches vagabundos que eles fazem no celofane — atum, frango, tanto faz... E alguma coisa pra beber, Coca, Irn Bru — certo? E cigarro. Regal azul. Valeu?"

Mark saiu, arrastando os pés em direção à loja. Se eu lhe der coisas suficientes, pensou Bill, vai se sentir na obrigação de perguntar sobre mim. Vai ser obrigado a manifestar alguma curiosidade por seu benfeitor. Bill queria isso. Não estava gostando de não gostar do rapaz, não gostava do modo como isso vinha coagulando em seu estômago — coagulando junto com outras cólicas ainda mais biliosas, aguadas. Se Mark fizesse pelo menos uma pergunta sobre sua vida, daria a inquirição por encerrada. Poderiam bater um papo normal, em vez de ficar naquele incessante bate-papo interrogativo. No fim o silêncio viria — não o silêncio da camaradagem, mas também não o da alienação. No devido momento, ele deixaria o rapaz em algum ponto, numa estrada úmida, a cerca de quinze quilômetros de Glasgow. Iriam se separar e se esquecer.

Bill apertou com força o bico do combustível, até o frentista acionar o botão piscando em seu console e a gasolina começar a gorgolejar. Talvez Mark tivesse se mandado, saído de fininho, Bill não conseguia vê-lo na loja. Não teria sido um mau negócio para o jovem; um pouco de uísque, um fuminho, dezão, uma carona, por que não cair fora enquanto estava com a vantagem? Então Mark apareceu, vindo dos fundos da loja, onde ficavam os banheiros, e Bill se permitiu o luxo de sentir-se um pouco culpado, imaginando que julgara mal o caráter humano.

De novo no carro, Mark lutou com o cinto de segurança conforme rodavam de volta para a estrada. "Não tinha atum, mas comprei um de bacon, e frango com milho… e… presunto defumado." Ele exibiu as fatias de sanduíche celofanizadas para Bill, como se estivesse prestes a responder a algum tipo de teste visuoespacial com eles.

"Pegou uma Coca?"

"Aqui." Mark passou a lata para Bill, mas não sem antes abri-la, solícito.

Bill bebeu o refrigerante e batucou no volante. Roncaram através de mais blocos de apartamentos para turistas ao estilo chalé mutante, depois passaram por um centrinho de compras, então de volta ao campo. Bill não abriu a boca até que estivessem novamente indo para o sul pela A9. Então suspirou, acelerou o carro a cento e quarenta, ultrapassou um comboio de vans de campistas finlandeses que avançava penosamente na subida e disse, "Então, passou bastante tempo com os filhos quando esteve lá, dessa vez?"

"Foi…" Mark brigava com um pedaço recalcitrante de presunto; cartilagem num cabo de guerra entre os lábios do pão e os lábios da carne. "Foi…" Bill decidiu ignorar a recuperação apetitiva. "Difícil, saca. Eu não tinha nenhum lugar pra ir com eles, e não sou muito a fim de ficar na casa dela — não que ela esteja morrendo de vontade de me ver, também. Eu levei eles para um parque, umas vezes… e pra tomar um chá."

Ou as nuvens estavam descendo, ou a estrada continuava a subir, pois massas tumultuosas de vapor vinham caindo das gargantas escuras e deslizavam velozmente algumas dezenas de metros acima da estrada. Bill acendeu o farol alto. "Fazia muito tempo que você não aparecia?"

"Eu ainda não tinha voltado lá antes." Mark deixou que isso assentasse entre uma mastigada e outra dos maxilares, então fez uma careta. "Ugh! Esse não sou eu."

"Como assim?"

"Ficar falando tanto."

"Sério?"

"Ugh, é-é, bom, sei lá... Olha, eu sempre fui meio que da pá-virada, saca—".

"Entendi."

"Nada muito sério, só uma trambicagem aqui e outra ali, saca, levando o seguro social na conversa, passando uns cheques, cartões. Então eu sempre fui bom em... saca..."

Saca, saca, saca? O que aquele jovem podia estar imaginando sobre Bill? Que ele sabia tudo? Que essa palavra-tampão tivesse se tornado o bordão asinino de Mark pedia a mesma pergunta cuja resposta a palavra pressupunha. Quanto mais "sacas" enchiam o carro, mais Bill tinha certeza que de fato sabia — e se esquivou da verdade:

"Mentir?"

"É, acho que sim. Tem um jeito de fazer isso..." Ele sorriu. "Quase uma técnica. É como entrevista de emprego —".

"Entrevista de emprego?"

"É. Se você não quer o emprego, tende a ir bem na entrevista. A mesma coisa com mentir. As pessoas sempre cometem a besteira de tentar fazer o outro acreditar no que estão dizendo — mas não é assim que funciona. O certo é não ligar se a outra pessoa acredita — daí ela acredita. Sou muito bom nisso, sem falsa modéstia. Mas não minto mais, hoje em dia." Tagarelava. "Não preciso mais, agora — não preciso d..."

Mas ele havia perdido Bill, que não mais escutava o conteúdo do que Mark dizia — apenas a forma. Bill escutava as formas emocionais que Mark produzia. Nas subidas e descidas de tom, nos enfeixamentos e estiramentos de ritmo, ele era capaz de discernir a arquitetura do histórico anterior de Mark: as edículas de insensibilidade e nos subterfúgios; os vestíbulos de necessidade e recriminação; as garagens de mágoa e injúria. Tudo isso abrangentemente planejado em conjunto, de modo a formar um complexo de institucionalização e negligência. Bill aguçou os ouvidos, concentrando-se nesse apequenamento de uma triste planta baixa. O genuíno *orgulho* do jovem em sua mendacidade — isso só podia ser em parte bravata, em parte mentira e em parte a verdade. Coquetelzinho mais sórdido, esse. Dilemazinho mais sórdido, esse, para nós dois, presos num carro, cruzando velozmente um desfiladeiro na montanha. Bill se deixou largar ainda mais na confortável extrusão acolchoada da porta, apoiando o peso do corpo no puxador interno. Esquadrinhou Mark pelo canto do olho; uma série de vislumbres rápidos e penetrantes, como sempre intercalados a cacos de cenário, fragmentos de estrada. O sujeito era tosco de fato. Os dedos roídos e chamuscados: cobertos de pus aqui — amarronzados ali, os nós magnificamente perebentos. Podia não ser um completo *compos mentis* — esse carona que a jornada agraciara a Bill como um troféu idiótico —, mas isso o tornava ainda mais potencialmente perigoso.

"Potencial para as pessoas, como eu, para fazer todo tipo de coisa..." Mark enveredara pelo assunto da internet. Parecia margear a maior parte de seu discurso. "Não acha?"

"Ah, sem dúvida", replicou Bill, voltando à tona, e aproveitou a pausa para pedir o sanduíche de frango, antes de retomar a concentração na estrada, retomar o interrogatório.

Passando pelo desvio para Kingussie, passando a A86, pegando a entrada para a costa oeste e Fort William, o poderoso carro prosseguia na estrada cada vez mais escura, à medida que a tarde de outono se desenrolava sobre as montanhas. Bill estava bolado — porque acabara a bolinha. Seu último Dexedrine tinha sido usado na viagem para o norte. Seria imprudente de sua parte ir atrás de mais, por um tempo. Mais do que imprudente — uma puta burrice. Então nessa viagem monstro Bill teria de depender da cafeína e das pílulas de efedrina. Uma merda horrorosa que ele não mandava para dentro desde o tempo de provas na faculdade. Sentindo o cansaço e o torpor tomando conta de seu corpo a cada curva ascendente na estrada, Bill vasculhou o bolso do casaco, achou algumas daquelas coisinhas amargas e engoliu com a ajuda de um gole na Coca sem gás. Mark falava sobre o que para ele passava por uma vida amorosa.

"Se você teve experiências ruins, isso afeta você. Sei lá — vai ver não sou muito bom nesse troço de confiança..." Bill percebeu que estava se referindo, absurdamente, a sua capacidade de confiar — não em sua confiabilidade. "Então eu fico na minha. Jennifer" (essa era a nova namorada) "veio morar comigo um tempo, mas eu me senti sufocado. A gente não olhava mais na cara um do outro. O lugar era apertado demais. Ela não me dava espaço — igual a minha esposa. Sempre pressionando, pegando no meu pé com... qualquer coisa. Mas a gente ainda sai junto... mesmo não sendo mais tão a fim...".

Bill pensou que agora provavelmente conseguia decifrá-lo por completo. Mark gostava de um abuso — como tantas vítimas de comportamento abusivo. Em Thurso havia uma esposa que se intimidara quando um desses vociferantes tricôs começara; e em Poole fora a mesma coisa. Bill captava os flauteios histéricos de discórdia heterossexual em seu ouvido interno: Mark e as mulheres anônimas, súplicas e recriminações como duetos detestáveis. O carona vituperava suas víboras.

Nesse ponto estavam descendo as montanhas. A terra se tornava de um matiz mais verde, mais fulvo a cada quilômetro. Os chalés isolados e fechados eram substituídos por moradias esparsas, fazendas abertas nas encostas de urze. Mas como que escarnecendo dos ocupantes do carro, que vinham, afinal, saindo de uma espécie de frio, a chuva recomeçou. Bill cutucou o pedúnculo e os limpadores executaram seu vaivém intermitente, depois constante, depois rápido. E na altura em que passavam pelo desvio para Pitlochry, a terra, a estrada e o céu ferviam em um vaporoso caldo. Turner, pensou Bill, teria pintado essa cerração acinzentada, estivesse ele vivo para pitar a bituca do século vinte.

Mark falava sobre a internet outra vez. Sobre como um amigo seu — um conhecido, na verdade, abrira uma pequena empresa, que atuava como provedora de serviços e dava suporte técnico para software. O amigo vinha deixando Mark conhecer o equipamento, aprender a mexer. A amizade, presumiu Bill, era na verdade tão virtual quanto uma janela do Windows. Mark ia lá muito a contragosto — se é que ia. Mas Bill não pensava realmente nisso, estava se lembrando de uma mulher que pegara em Pitlochry. Uma pretensa atriz, comparecendo ao festival de teatro do verão. Bill fora até lá e a assistira numa produção execrável de *Lady Windermere's Fan*. Engraçado isso — uma produção ruim de Wilde. Engraçado como direção ruim, atuações ruins, cenários e figurinos ruins eram o equivalente dramático de apertar aleatoriamente os controles de uma tevê, de modo que a imagem ficasse com muito contraste, ou escura demais. Nesse caso, o efeito da imperícia era produzir vulgaridade árida, em vez de farsa fecunda e sofisticada.

Após os aplausos sem convicção ele a cercara em seu camarim cubicular. O cheiro de seda, cetim, crinolina e talco penetrante, opressivo. Ela rira nervosamente quando ele erguera sua saia...

"A gente não sabia que ele tinha aquela quantidade escondida lá. A gente só entrou pra conseguir as fitas de volta, mas achou o negócio no quarto, então pegou. Acontece que era tudo que ele tinha. Ele pagou mais de duzentos pra ter de volta — uma grana decente." Mark estava, percebeu Bill, falando sobre outro furto. Ele passara da contemplação do prosaico mundo da codificação eletrônica ao mundo despreocupadamente fascinante das quitinetes em Poole.

"Certo." Bill acendeu um Regal com o isqueiro que agora segurava, permanentemente espremido, entre a palma da mão e o volante. "Você pegou um pouco da droga?"

"Meu Deus, não! Nunca ia fazer uma coisa dessas! Um fuminho, beleza — bolinha, quando tem, mas não quero foder com tudo — já vi o que essa merda faz com as pessoas."

Bill sorriu por dentro. O que um vício em heroína podia ter feito com aquele sujeito? Abandonar outra família? Levá-lo a mentir ainda mais do que já mentia? Torná-lo um ladrãozinho barato ainda menos reflexivo e mais condescendente consigo mesmo? Bill duvidava.

Haviam deixado Perth e percorriam o longo vale na direção de Gleneagles e Stirling. O país ainda era verde por aqui, com o resíduo de restolho das colheitas, com a vibração da luz, a ocasional irrupção do sol por entre as massas de nuvens. As colinas haviam ficado ainda mais distantes da estrada e as casas de fazenda eram mais esbeltas, mais bem cuidadas, mais visuais. A paisagem alterada esfriou as disposições dentro do carro; as evocações de domesticidade, passando em flashes no túnel de vento, levaram tanto Bill como Mark a pensar nas esquisitas acomodações que haviam feito na vida. Bill ficou a fim de uma bebida.

Ele podia visualizar — bem claramente — o nível do uísque ondulando na garrafa de passeio. Sua vontade era parar, dar uma mijada e tomar um trago decente. Pisotear as memórias que sua inquirição de Mark dragava à superfície. Mas Bill não confiava nem um pouco em Mark, agora. Não ia se sentir seguro deixando o carro ligado enquanto urinava na beira da estrada. Ele podia imaginar muito claramente o som da porta batendo às suas costas, os pneus do carro comendo e espalhando cascalho. Seus gritos desesperados ao virar e voltar correndo pela estrada, seu pinto ainda pingando xixi conforme contemplava a perda do carro e tudo mais. E nem ao menos tinha seguro contra roubo. Bill realmente odiava Mark, agora. Odiava-o por ser patético — e uma ameaça; as duas coisas ao mesmo tempo.

Um acostamento surgiu. Bill levou o pé ao freio, girou vagarosamente o volante. O carro esmagou o pedregulho e parou. Bill puxou a garrafa de Campbelltown de seu esconderijo de periódicos médicos. Destampou, deu um longo gole e passou-a para Mark, que olhou para ele cautelosamente, virou um trago e passou a garrafa de volta. "Você não está nem aí pros homens, hein?", perguntou.

"Claro que estou", replicou Bill asperamente, "quem não está? Mas essa é a saideira antes de Glasgow — não vou me arriscar a enfrentar as viaturas deles". Olhou o retrovisor e os espelhos laterais, girou devagar o volante para a direita, depois pisou fundo no acelerador, como se fosse o êmbolo de uma seringa hipodérmica de 300cc. O carrão reuniu sua inércia e arrancou de volta para o topo da estrada. Bill sentiu a bexiga da suspeita pressionar a carga tóxica contra sua pelve. Resignou-se à sensação. Melhor pensar em outra coisa.

"Então, o que você e esse seu amigo de Glasgow pretendem fazer?"

"Sei lá, não muita coisa. Mas tenho certeza que de *single malt* a gente não vai sentir nem o cheiro." Sorriu para Bill de um jeito pesaroso, ou assim esperava. "A gente tem que se contentar com a porra da cerveja. Ele tá de licença médica — meu amigo. Mas eu tenho uma grana, prometi que a noitada é por minha conta. Vai ser nossa rotina normal de sempre. Umas latinhas em casa. Descer pro pub e tomar mais umas. Daí bater um rango; depois a corrida —"

"Corrida?"

"Bom, não é corrida, exatamente. É só uma coisa que a gente faz — a gente sempre fez — quando eu estou em Glasgow. Meu amigo — ele tem esses brinquedos antigos da Tonka, saca?"

"Sei."

"Não os carrinhos — os jipes e coisa e tal. Mas os grandões, que a criança consegue sentar dentro e dar impulso com o pé. Saca, as escavadeiras?"

"Sei."

"Teve uma vez que a gente ficou muito mamado e levou eles pra fora. São dois — uma escavadeira e um caminhão de mineração, mas a gente sempre briga um pouco pra ver quem fica com qual. O caminhão de mineração corre mais, só que uma das rodas tá meio quebrada — ela sai, quando ele pega velocidade. Enfim, a gente vai com eles lá pra fora, como eu falei, e desce a Sauchiehall Street no maior pau. Saca a Sauchiehall Street?

"Sei."

"Então — bom, você já viu que é uma puta ladeira gigante, certo. O efeito é tipo uma rampa de esqui, saca. Enfim, o pessoal se caga de rir. Os caras saem dos pubs pra assistir e torcer; e se um de nós dois atropelar alguém, sempre rola um deixa disso. Puta zona — a gente racha o bico!"

Mark se animara claramente com aquilo, a ideia de uma corrida de bêbados sentados em brinquedos para os quais já estavam bem crescidinhos. Tinha os olhos arregalados — tanto que Bill conseguia ver a orla amarelada completa deles. Passou do sorriso à boca aberta; seu hálito pastoso e acre preencheu o ar do carro. Bill acendeu o último de seus baseados pré-enrolados e deu um longo trago de inflorescências esfumaçadas. Mark continuava inchado, mas o silêncio de Bill acerca da competição de brinquedos Tonka estava claramente sendo brochante para ele.

Finalmente, Bill falou. "Brinquedos duros na quebra para garotos duros na queda", disse.

"Como é?"

"Você lembra — não lembra? Ou é novo demais pra isso? Era o slogan de publicidade dos brinquedos Tonka. O comercial passava numa caixa de areia, você ouvia um som de tambores —

tambores de brinquedo, eu acho —, daí apareciam todos aqueles veículos da Tonka, nenhum à pilha. Sem motoristas — de escala nenhuma. Depois os tambores atingiam uma espécie de clímax, enquanto um dos jipes Tonka vinha balançando pelo terreno, e uma voz dizia, 'Brinquedos duros na quebra para garotos duros na queda!', num tom *muito* estentóreo — lembra?"

"Não, não vou dizer que lembro." Mark ficou cabisbaixo.

Talvez, pensou Bill, eu não devesse ter cortado o barato dele com essa história, ou vai ver ele está constrangido porque não sabe o que quer dizer estentóreo. Seguiram em silêncio, passando o baseado entre si.

Iam deixando Dunblane para trás em seu promontório verdejante quando a chuva, que até ali vinha se restringindo a pancadas ocasionais, apertou com vontade. Bill acelerava o sedã poderoso pela via expressa M9, as cortinas quase sólidas de precipitação pluviométrica fechando-se em torno deles. O mundo desapareceu numa bruma aquosa. Bill aprumou o corpo no banco e se concentrou fixamente na direção. Havia tanta água na pista que qualquer freada súbita resultaria numa aquaplanagem. E o skunk — que nunca atrapalhava quando o tempo estava bom — pareceu alisar seu cérebro, de modo que qualquer pensamento insensato podia resultar numa aquaplanagem psíquica. Tentou mais algumas incursões conversacionais com Mark, mais algumas perguntas insinuantes, mas o carona se fechara em copas. Ele dera tudo que tinha em sua anedota dos brinquedos Tonka. Era isso ou — e a apreensão quanto ao fato deixou Bill particularmente desconfortável — Mark começava a se dar conta da extensão em que fora fatiado; de quanto Bill conseguira tirar dele, enquanto não dava nada em troca.

Qual seria a sensação, considerou Bill, de ter entregue tanto de si e recebido tão pouco em troca? Era a versão psíquica de um estupro. Era um emprego desonesto de suas próprias capacidades analíticas negligenciadas. Era um abuso de alguém que nunca concordara em ser seu paciente. Era como tentar fazer uma prostituta gozar. Era uma obscenidade — uma violação. Bill ficou em silêncio, pilotando o carro através do novo e turbulento elemento.

Passou por Stirling, com seu extravagante castelo bruxuleando sob a chuva. Toda vez que Bill passava por lá ele prometia a si mesmo que um dia iria parar e escalar a torre, preferivelmente com uma mulher. O alto da torre parecia ser um bom lugar para fazer amor. Ou, em todo caso, para dar uma trepada. A chuva havia piorado a essa altura — era quase sólida. E o trânsito estava ainda mais pesado — em todos os sentidos. Enormes jamantas articuladas socavam a pista. Bill começou a morder o lado de dentro das bochechas. Na altura em que haviam passado Falkirk, e tomado a A80 por um tempo, as condições estavam verdadeiramente perigosas, e o carrão chapinhava entre cinquenta e sessenta.

"Não vai ter muita corrida hoje à noite se continuar desse jeito", disse Bill, tentando desanuviar o clima. Mas tudo que recebeu de Mark foi um grunhido.

Bill não conseguia tirar a disputa de Tonkas da cabeça. Ele podia imaginar perfeitamente: os dois porra-loucas de porre no topo da estrada, seus brinquedos desproporcionais presos entre as pernas dos jeans puídos. Os bandos de homens e mulheres enchendo as calçadas ao sair de pubs e clubes. E então o grito de largada. As rodas acrílicas derrapando e raspando no asfalto. A sensação de acelerar sem impulso conforme as pernas estabilizantes se retraíam. Um solavanco aqui, um tranco ali, o tempo todo ganhando velocidade. A perspectiva trepidante dos corredores descortinando apenas o influxo da rua em sentido contrário... Como tudo isso vai terminar, a não ser em lágrimas? Brinquedos duros na quebra — para garotos duros na queda.

"Não posso deixar você em Glasgow —"

"O que foi?" Mark teve de berrar acima do estrondo do aguaceiro e da vibração do baixo. Bill desligou o CD.

"Não dá pra deixar você direto em Glasgow, eu ia fazer isso quando pegasse a M73, mas —" Bill se lembrou da mochila confusa, do poncho plástico vagabundo. "Não posso deixar você nessa chuva — você ia ficar ensopado." Mark lançou-lhe um olhar como que a sugerir que isso era tudo que pessoas como Bill faziam para pessoas como ele. "O que você acha de eu te deixar em Motherwell, daí você pega o trem por lá — são só umas libras..."

Mark olhou para Bill, sua expressão pesadamente carregada com a falta de algumas libras a mais do que as pouquíssimas que ele tinha; e a eterna recorrência de pessoas supondo que talvez fosse capaz de tirar vantagem da deficiência. Bill pensou na noitada de Mark, filando bebida barata; esvaziando fundos chocos de canecas; um fininho de haxixe escondido embaixo de uma garrafa de leite; talvez solventes ou brigas perto do amanhecer. Bill ambivalentemente aproveitou a oportunidade para dizer, "Olha, não é incômodo pra mim — umas libras. Eu quebro essa pra você... depois, quem sabe, vai ver você tem chance de me pagar de volta, no futuro." Bill ofereceu a Mark o sorriso de um gato de Cheshire ao inverso — o sorriso sumira muito antes de Bill.

"Não quero abusar —", disse Mark, com a tranquila insegurança de alguém que viera fazendo exatamente isso durante anos.

"Sem problema — relaxa." Bill queria seguir em frente com essa minilitania de palavras de conforto, dizer que não haveria nenhuma *dor*, nenhuma *pobreza*, nenhuma *necessidade* de nenhum tipo. Que Mark e ele voltariam a se encontrar depois que a tempestade desse trégua. Que os dois se veriam em um verdejante campo de oportunidades, fértil em dinheiro; e que os dois iriam fumar skunk e beber uísque. Usufruir da dourada colheita fiscal.

Mas, em vez disso, Bill ficou quieto — apenas continuou a dirigir; e com a proa do carrão cindindo as ondas do aguaceiro, ele imaginava a Sauchiehall Street, os brinquedos duráveis, seus pilotos inquebráveis. Sem dúvida, com aquele oferecimento de dinheiro, Mark lhe perguntaria alguma coisa — seu *nome*, pelo menos. Mas não.

Rodaram pela pista encharcada e escorregadia na direção da M8 e do centro de Glasgow. Na altura em que atingiram a saída da M74 para Motherwell, a chuva não diminuíra simplesmente — cessara por completo. A estrada adiante brilhava como um espelho mais uma vez; suas margens dolorosamente verdes. Até mesmo os afloramentos de casas a média distância pareciam lavados a ponto da pureza. Perceba a Diferença com a Inundação do Flash. Se ao menos isso durasse, pensou Bill, sabendo muito bem que não. Começou a fazer os mesmos cálculos implausíveis de quando dirigia compenetrado na estrada depois de Thurso naquela manhã. Eram quatro e meia agora, deixaria o carona às cinco. Podia estar na área de Manchester às oito, Birmingham às dez, à meia-noite em casa — onde quer que isso fosse.

Roncavam colina acima por Motherwell, para em seguida se verem despejados no vaivém do sistema de mão única. Os moradores da antiga cidade do aço tinham aproveitado a pausa da chuva como uma deixa para sair de seus refúgios. Havia uma abundância de bolsas com rodinhas e casacões grossos pelas calçadas. Finalmente Bill achou a entrada da estação e parou o carro. Virou de lado em seu banco, enquanto Mark, galvanizado pela chegada, abriu sua porta, girou para sair, abriu a porta traseira e começou a retomar sua mochila incompreensível. Bill deu um jeito de extrair uma nota de dez do bolso apertado; a nota tão surrada e macia que parecia o forro do bolso. "Isso aqui deve dar", disse para Mark. O carona olhou para o dinheiro como se nada fosse mais justo — uma medida profilática razoável, Bill concordou tacitamente, para a vergonha ocasionada pela caridade recebida.

"Tem certeza?"

"Não esquenta, sério, sem problema."

"Bom, valeu por isso, sério, valeu..." Mark emudeceu, consciente talvez de uma lacuna em sua gratidão; uma lacuna onde um nome devia ter sido inserido — mas era tarde demais para isso, agora. "Sei lá — quem sabe uma hora dessas —"

"Com certeza, pode crer — qualquer hora." Bill executou sua performance do gato de Cheshire negativo outra vez.

"E valeu pela carona, e pelo fumo... e pelo uísque —"

"Que isso, sem problema, foi bom ter companhia. Boa sorte aí com as coisas que você quer fazer. Você é um jovem inteligente — você chega lá." Soar pomposo parecia não ter mais importância agora. Melhor encenar essa ridícula farsa à la Capra do que dar ensejo a Mark para chafurdar na percepção crescente de que era um autômato sem pensamentos nem sentimentos. Que era capaz de pegar carona com um sujeito, fumar seu baseado, comer sua comida, beber seu uísque e depois aceitar seu dinheiro, tudo sem sequer perguntar seu nome.

O carona endireitou o corpo, um pé na calçada recém-construída, o outro no asfalto úmido da rua. A mochila de volta ao lombo, o poncho enfunado com o vento: o spinnaker de um iate solo numa regata de volta ao redor da vida.

Bill se curvou sobre o banco e falou com ele pelo vidro abaixado da porta do passageiro. "E sobre a grana — não esquenta. Espero que sobrem uns dois mangos — você vai precisar de um pouco de lubrificante pra corrida de hoje à noite —" Bill escutou Mark ensaiar alguma coisa após essa imprecação final, mas o carrão já estava em movimento, e a mão insensível já girava o volante, e os olhos injetados já checavam em torno, e os ouvidos desinteressados já se ajustavam à vibração do baixo.

Pelo retrovisor Bill viu Mark ajeitar a mochila numa posição mais confortável e se dirigir à entrada da estação. Somente quando se pegou de volta à M74 e indo para o sul, a milhão, que Bill considerou o que podia ter sido que o carona estava tentando dizer.

Comida, quem precisava disso? Só servia para fazer você cagar mais, nessas migrações sedentárias. Melhor nem se dar ao trabalho. Melhor não pensar em descansar, também. Aquelas placas que passavam como um raio no campo periférico já enevoado de sua visão:

F...A...Ç...A......U...M...A......P...A...U...S...A...
C...A...N...S...A...Ç...O......M...A...T...A.

E de qualquer maneira, como ia ser o tal descanso? Bill tentara essa opção, curvado sobre o volante como um air-bag humano, no estacionamento deprimente de algum posto de beira de estrada. Ou se hospedando na porcaria de um Welcome Inn para sete horas de luta insone em edredons vagabundos, depois o chá na aurora gelada de rachar, arrumando os copinhos plásticos individuais de leite UHT na prateleira estreita, antes de enfiar as calças e o casaco, voltar ao volante.

Não, parar estava fora de questão — já fizera aquela parada imprevista na sra. McRae. Mas aquilo fora de se esperar... na altura em que o *Ola* entrara em Scrabster, já eram onze... e não fazia sentido ter prosseguido com aquela dor de cabeça cruel... ou aquele tremor cruel. Por acaso estava com um tremor cruel agora? Bill tirou uma das mãos do volante e observou seu nivelamento relativo ao horizonte do para-brisa, que, conforme era utilizado como aferidor de equilíbrio, devorou uma centena de metros de estrada e um torrão de encosta. Não, nenhum tremor em particular. Bill procurou mais algumas pílulas de Pro-Plus no bolso da jaqueta. Acendeu outro cigarro. Aumentou a velocidade, ultrapassando um caminhão, ultra-ultrapassando uma perua na faixa rápida, acelerando o carrão a cento e cinquenta conforme pairava à distância de uma colisão lateral na mureta central. Contradança escocesa com a barreira de aço!

Bill gostava dessa parte da viagem. De ter escapado tão inequivocamente de Glasgow e agora estar desabalando rumo a Clydesdale com o derradeiro sol da tarde rebatendo em seu ombro, e as colinas de Ettrick Forest descortinando-se a sudoeste. Era também uma entrada para outro rincão — as Borders* — e apropriado que a noite encontrasse o dia ali.

Mas Jesus Cristo! Bill estava cansado. E desde que deixara o carona em Motherwell, desde que o deixara de volta em sua própria sarjeta particular de anonimato, ele ficara nervoso. Fora um erro ter apanhado o carona. *Ele* certamente não apreciara o gesto. Não, gesto não — na verdade, um *altruísmo*. Ou seria o caso de o carona ter percebido perfeitamente com quem estava lidando? Ele não era assim tão estúpido. Ficara genuinamente insultado com o interrogatório, decidira não entregar nada real — passar a lábia em Bill. "Genuinamente insultado!" Que expressão mais asinina. Bill riu da asneira e então tentou surfar um pouco mais em sua própria hilaridade. Tentou imaginar que estava de alto-astral — e de coração leve. Não funcionou.

A escuridão vinha subindo pela estrada; transbordava dos vales, a oeste. Bill voltou a acionar o farol alto. Vou me aconchegar no meu pequeno túnel de luz, gracejou. Havia parado na sra. McRae porque a bebida o deixara ruim. Meio que viajara para Orkney nessa ocasião porque a bebida o deixara ruim. Não gostava do serviço de psiquiatra substituto — não conseguia suportar mais nenhum tipo de trabalho lá no sul. Não aguentava mais. Ele sabia o que o deixava genuinamente insultado — Bill sabia. O que o insultava genuinamente era o vigor de suas unhas. Elas continuavam a crescer, apesar de tudo. Nesse preciso mo-

* Scottish Borders, uma região administrativa escocesa; *border* também significa "fronteira". (N. do T.)

mento, aliás, os dedos pálidos enroscados em torno do volante tinham cada um seu pequeno crescente de vida nova — e sujeira nova. Só uma coisa tão idiota quanto uma unha podia continuar crescendo naquele ambiente do inferno. Pegue a pele, por exemplo. Pegue a pele nos tornozelos de Bill — Bill pegava. Bill cutucara, arrancara e até raspara a pele ulcerada de seus tornozelos, e fora recompensado com uma generosa supuração. Isso era a pele — um troço muito inteligente. Não continuava crescendo depois da morte, como o cabelo ou as unhas.

O carona carregara essa informação codificada em seu corpo asqueroso, estropiado de bebida. Nisso eram semelhantes — nisso e talvez em um monte de coisas mais. Bill pensou em como normalmente era eficaz, em como era confiável sua negação de seu próprio problema com a bebida. Era como um conveniente anteparo móvel que ele podia posicionar diante de qualquer um dos corredores escuros que conduziam para longe de sua autoconsciência. O carona — Bill não deveria tê-lo apanhado. Ele quebrara o ritmo da jornada, fizera Bill se atrasar. Fodera com os anteparos. Ha! Atrasado para o próprio funeral. Não — a própria *cremação*. Em Hoop Lane, do outro lado da Express Dairy. Quando Bill era novo, achava que todo mundo morrera ali, que todo mundo era queimado ali — no Golders Green Crematorium —, sua essência desaparecendo na forma de fumaça de carvão cuspida de uma torre de tijolos vermelhos, rumo ao céu cinzento. Agora Bill sabia que estava com a razão.

E agora, na escuridão crescente, Bill sentia que fora arrancado de sua forma normal. Seu método de lidar consigo mesmo dependia de transições cuidadosamente executadas do estar sozinho para o estar com outros. Daí a sra. McRae — que, claro, não contava. Daí também Anthony Bohm, que não era ameaça para ninguém; muito menos — com seu fígado inchado meio que *apoiado* no balcão — para Bill, como, aliás, qualquer outro curandeiro de corpos, mas não de cabeças.

O encontro com o carona virara Bill do avesso. Ele havia castigado mentalmente o sujeito por seus relacionamentos abusivos — mas o que constituía um abuso desse tipo? Ele sabia o que constituía um abuso desse tipo. As brigas às três da manhã, o volume subindo e depois descendo, para então voltar a subir; o canto de sirene da fratura emocional. Ele sabia tudo a respeito, assim como tinha pleno conhecimento do estilo de vida serial, paralelo, do monogâmico. Não, foda-se o freio social, ele dizia o que pensava. Ele trepava sem pensar — sem rédea. Montava na égua que queria. Na conversão felliniana do castelo de Dunrobin, não seria simplesmente um caso de putas à porta causando problemas — toda a utopia emocional, toda a fantasia de inclusão não passava disso — uma fantasia.

A vida de Bill estava atualmente — e ele se deu conta disso buscando no escuro a garrafa de passeio, com o grande sedã estilingando pela rotatória e pegando a A74 — baseada, assentada na exclusão. Cada evasiva histérica, cada sessão da madrugada esfregando a garrafa de uísque, até que Choradeira, o gênio bêbado, emergisse — tudo lhe voltava agora. Ele deu um gole, e no afã de erguer e baixar a garrafa sem descuidar do volante, conseguiu entornar várias doses em seu peito. Estava cansado — e, sim, talvez fosse útil admitir para si mesmo — só um pouco bêbado.

Não havia tempo para pensar nisso agora. Cabeça no lugar, sem bobagem, sem nenhuma dança estúpida. Concentrar-se na música — ignorar o estridente ruído de fundo das Fúrias, que o perseguiam: "Bill! Bill! Por que você fez isso/ fala/ vai lá/ mente/ volta/ me trata assim!" Ele aumentou o CD. Mordeu outra pastilha de cafeína, na esperança de que o amargor fosse suficiente para deixá-lo alerta. Não estava funcionando. A estrada ficou duplamente borrada. Esfregou uma canela ulcerada na outra. Mastigou o lado de dentro da bochecha. Com as unhas, beliscou a gordura na parte interna de suas coxas, sem dó. No fim, deu uns tapas em si mesmo. Generosas bofetadas de mão aberta. Primeiro com a esquerda, depois com a direita. Esquerda na esquerda e direita na direita. Cada bolacha daquelas lhe proporcionava alguns segundos de clareza, mais cem metros de progresso furioso.

E conforme o grande carro cindia a noite, rugindo por Lockerbie, ignorando as placas azuis que trombeteavam: BERÇO DE CARLYLE, e finalmente ganhando a M6 — iluminada ao longo dos primeiros quilômetros, uma rampa betuminosa —, Bill estripava a carcaça de sua própria vida. Pôs para fora as entranhas da negligência e a vesícula biliar do ressentimento; removeu o fígado ingurgitado da indulgência e extirpou os rins do cinismo.

Apalpou as cavidades de seu corpo à procura do coração — mas não conseguiu encontrar.

O grande carro seguia mergulhando. Não mais uma quimera, amálgama de homem e máquina, mas meramente máquina, com um fantasma à solta em algum lugar ali dentro. Desesperadamente, Bill carteou o baralho de suas memórias gastas, luzidias: de amor ao ar livre, de cenas bucólicas na montanha, de... seu filho. Que estaria com — uns cinco anos, agora. Não tinha muita clareza. Clareza nenhuma — sem ver o filho fazia dois anos. Três. Eram três anos.

Essa fora a acusação mais esfarrapada que fizera contra o carona — a de negligência. Bill era doutor em negligência. Era doutor em não atender o telefone, em amassar cartas, em rasgar cartões-postais. As pessoas diziam que não queriam filhos porque não queriam a responsabilidade. Mas se você não assumia a responsabilidade por eles — como podia assumir por si mesmo?

Cerca de quarenta minutos depois, em Shap, no Lake District, no ponto onde a M6 realmente começava a parecer que mergulhava inexoravelmente serra abaixo, rumo sul, rumo a Londres, o fantasma pilotando a máquina lançou um último longo olhar pelo retrovisor, antes de vagarosamente girar o volante para a esquerda e entrar no acostamento inexistente.

Compreendendo os ur-bororos

Na época em que conheci Janner em Reigate, no começo dos anos setenta, considerei-o um tipo desinteressante. Um jovem determinado cuja aparência frágil servia de complemento perfeito para sua natureza obsessiva. Seu corpo parecia feito de limpadores de cachimbo embebidos repetidamente em cera cor de carne. Todos os seus traços eram erodidos e macios, a não ser por seu nariz, que era a gota de cera que endurece quando escorre pelo toco da vela. Havia também qualquer coisa de fungoide em Janner, algo indefinível, mas sempre suspeitei que, sob as roupas, Janner sofria de frieira — no corpo todo.

Não me entenda mal, Janner e eu éramos, por assim dizer, amigos do peito. Na verdade, isso é um pouco forte, estava mais para nós contra o resto — Janner e eu versus toda a faculdade e todo o corpo estudantil combinados.

Imagino que hoje eu perceba que meus sentimentos não são responsabilidade de Janner, e nunca foram. Ele apenas teve a infelicidade de aparecer numa época em minha vida em que eu estava aberto à ideia de mistério. Janner assumiu o papel de Prospero; eu rangi os dentes e uivei — e em algum lugar da ilha espreitavam os lindos, os fascinantes ur-bororos.

Nem todo mundo tem a oportunidade de vivenciar um mistério de verdade em sua vida. Ao menos eu tive, ainda que a desilusão que se seguiu à resolução de meu mistério às vezes pareça pior do que a ignorância cega que de outro modo eu teria experimentado. Esta então é a história de um rito de passagem. Uma idade adulta que levou dez anos para chegar. E embora fosse minha maturidade que estivesse em jogo, Janner é o personagem central desta história.

* * *

Às vezes acho que em um ambiente mais estimulante, em algum lugar onde qualidades intelectuais são admiradas e peculiaridades sociais são desejáveis, Janner teria conhecido tremendo sucesso. Ele era um excelente papo, espirituoso e bem informado. E, se havia qualquer coisa de repelente no modo como o catarro subia e descia gorgolejando e golfando por sua traqueia quando falava, isso era mais do que compensado por sua animação, sua empolgação e sua capacidade de ficar completamente envolvido com ideias.

Janner e eu não éramos apreciados pelo restante do corpo estudantil em Reigate. A gente os achava imaturos e patéticos, com seus cabelos hippies démodés e suas paixões ardentes por solos de guitarra incrivelmente longos. Me arrisco a dizer que não achavam coisa alguma a nosso respeito. A gente não existia.

Você já adivinhou; eu tinha inveja. Eu não queria ser limado com o ceroplástico Janner. Eu queria combinar meus melados cachinhos a outros melados cachinhos ao som dessas gaitas de foles elétricas. Eu queria ser a artéria ideal para o tráfego de chatos, mas ninguém me deixava brincar. Eram os alunos das faculdades de artes que ocupavam o centro da maioria das panelinhas. Se você, como eu, estudasse geografia e educação física, podia esperar sentado na beira da quadra — principalmente se não tivesse a aparência certa, se não falasse as coisas certas. Sem essas qualificações ideais eu era marginalizado. Na escola, minha capacidade nos quatrocentos metros com barreiras confortavelmente abaixo dos cinquenta segundos fizeram de mim um herói; em Reigate, riam de mim.

Ostracizado pelos grupinhos que realmente importavam, conheci Janner, e vivi para lamentar. Se ao menos tivesse fritado meu cérebro com psicotrópicos! Hoje poderia estar levando uma vida tranquila no campo, regateando com um recalcitrante funcionário do seguro-desemprego no País de Gales, ou batendo um retalho úmido de tapete pendurado no varal frouxo de uma casa invadida no centro de alguma cidade. Janner me arrastou para longe disso, instruindo minha moderação com seu exemplo extremado. Aos dezenove anos eu podia ter ido por qualquer caminho.

Cimentei minha amizade com Janner durante longas caminhadas que passavam por uma paisagem rural nos arredores de Reigate. Já nessa época essa parte de Surrey nada mais era que as sobras do que fora esquecido nos choques entre as municipalidades adjacentes. As faixas irregulares de terra cultivada, cinza e marrom, os despropositados pisos de concreto pontilhados de mato e as colinas baixas e corcoveadas cobertas por arbustos fuliginosos, descoloridos. Cruzávamos todo esse cenário e, conforme caminhávamos, ele falava.

Janner era aluno de antropologia. Agora, é claro, ele é O Antropólogo, mas, naquela época, não passava de um aluno entre tantos; cinco, para ser preciso. Exatamente por que Reigate tinha um departamento de antropologia era um mistério para a maioria da faculdade, e certamente para os alunos. Quase ninguém ouvira falar da Lurie Foundation, que fizera a dotação, e — mesmo eu só fiquei sabendo anos mais tarde — por quê.

No período que Janner e eu passamos por Reigate (quase não se pode dizer "estivemos" em Reigate) o departamento era dirigido pelo dr. Marston. Um homem de aspecto impressionante. Chamá-lo de prognata seria faltar grosseiramente com a verdade. Seu maxilar se projetava numa linha reta a partir do pescoço e seguia em frente ainda por um bom tempo. Olhando para o restante do rosto a explicação mais óbvia era que o queixo tentava a todo custo escapar de sua fronte formidavelmente carrancuda. Suas sobrancelhas despencavam sobre seus olhos como nuvens de tempestade, enormes e ameaçadoras. Acrescente-se a isso dois olhos negros imperturbáveis, dentes minúsculos, uma quilha por nariz e a boca tentando se ocultar atrás das fímbrias de uma barba negra aparada com selvageria, e você tinha alguém cujo crânio parecia ter sido montado na tentativa de perpetrar um embuste científico no século dezenove.

Presenciar o dr. Marston e Janner conversando era como testemunhar o encontro entre duas espécies diferentes que haviam recém-descoberto uma linguagem mútua. Não que eu os visse juntos com muita frequência; o dr. Marston não tinha tempo para mim, e Janner, após seu primeiro ano, fora liberado de frequentar regularmente as aulas e autorizado a prosseguir com sua própria pesquisa.

Acho que seria justo dizer (e lembre por favor que esse é um torneio de frase aprovado apenas para o uso de pessoas extremamente dogmáticas e desesperadamente inseguras) que ao longo desse ano recebi por tabela uma educação antropológica razoavelmente abrangente. Janner tinha pouquíssimo interesse no que eu estava estudando. Quando muito, usava meu escasso conhecimento geográfico como uma espécie de fichário e, quando discorria sobre hábitos e costumes desse ou daquele povo isolado, consultava meu mapa interno do mundo. Na maior parte do tempo que passávamos juntos, eu escutava e Janner falava.

Janner falava dos pioneiros em seu campo. Reverenciava a estatura colossal dos primeiros homens e mulheres que haviam aspirado à objetividade em relação ao estudo da espécie humana. Contava-me sobre suas teorias e hipóteses, suas intrigas e disputas, suas coleções de objetos e artefatos, falava e falava enquanto andávamos e andávamos pelas colinas pardacentas rumo ao seu trabalho de campo.

Para Janner, toda a vida era um prelúdio ao trabalho de campo. Reigate era apenas uma antecâmara para o mundo real. Um mundo onde Janner queria mergulhar completamente — a fim de se tornar um observador puro. Ele era indiferente às teorias relativistas, estruturalistas e pós-estruturalistas da antropologia, com sua aflitiva preocupação com o efeito do observador sobre o observado. Janner não tinha dúvidas; assim que chegava no campo, efetivamente desaparecia, tornando-se como uma bateria de aparelhos de gravação sensível ocultados numa árvore. Sua vida toda o conduzia a esse período puro de observação. Janner queria ser o voyeur supremo. Queria sentar em uma cadeira de cozinha no canto do mundo e observar as sociedades interagindo entre si.

Quando Janner não estava me falando sobre infibulação entre os tuaregues ou ritos propiciatórios dos shan, partilhava comigo os frutos de sua laboriosa observação da sociedade de Reigate. Janner ficava intrigado com Reigate. Ele a via como uma sociedade única em um ponto crucial de desenvolvimento.

Caminhando a seu lado, fosse no hospital do condado, na parte alta, fosse na malha de ruelas que formava a cidade velha, abaixo, eu me encolhia de vergonha quando Janner parava algum transeunte; leiteiros, funcionários de escritório, donas de casa. Janner os encorajava a falar sobre si mesmos, suas vidas, e o que estavam fazendo, sem mais nem menos; de repente, sem maiores explicações. É desnecessário dizer que as pessoas invariavelmente consentiam e, em geral, de muito bom grado.

Ao passarmos por filas de cinema ou discotecas em nossas caminhadas intermináveis, ou pararmos em cafés para comer sanduíches de bacon, Janner moldava e formava suas observações em um delicado retrato de costume, ritual e crença. Reigate era para ele uma "sociedade" e como tal merecia tanto respeito quanto qualquer outra sociedade. Não lhe cabia julgar os valores relativos de caçar um *bandicoot* ou levar uma garota na garupa de sua Yamaha 250 pela A23 a cento e sessenta por hora; as duas coisas eram ritos de passagem igualmente válidos.

Após seu primeiro ano em Reigate, Janner deixou a pensão da sra. Beasley, na Station Road, e se mudou para um barracão nas imediações das North Downs. Sua intenção era começar o mais cedo possível o negócio de viver autenticamente — em harmonia com o objeto escolhido para seu estudo de campo —, pois a essa altura Janner caíra sob o encanto dos ur-bororos.

Se já era incomum estudar antropologia em Reigate, em vez de algum outro ramo das humanidades, era ainda mais incomum que um aluno de graduação acalentasse sonhos de partir para outro continente em seu estudo de campo na pós-graduação. O dr. Marston estava bem acostumado a fazer as malas e se mandar para Prestatyn a fim de estudar o declínio das comunidades do Vale Metodista, ou para Yorkshire, a fim de estudar o declínio das comunidades unitaristas da charneca, ou para as Órcadas, a fim de estudar o declínio das comunidades à beira-mar que se alimentavam de gaivotas. Reigate era, se não exatamente famosa, pelo menos moderadamente renomada por sua tradição de realizar trabalhos sobre grupos subsocietários. O próprio doutorado do dr. Marston fora intitulado "Tiffin ritual e o tabu da hora do chá: práticas em declínio entre coronéis aposentados do exército indiano em Cheltenham".

Mas, dito isso, o próprio dr. Marston passara por um breve período de estudo de campo no exterior. No caso, entre os ur-bororos, na região de Paquatyl, no Amazonas. Foi Marston quem inflamou em Janner o entusiasmo por essa tribo até então pouco notável de índios. Não faço ideia do que disse para ele, decerto devia conter um elemento de verdade, mas Janner me repassou uma versão seriamente limitada. Escutando Janner falar sobre o assunto, a pessoa logo descobria que sua informação sobre os ur-bororos consistia quase inteiramente em declarações negativas. O que se sabia era quase tudo de ouvir dizer e muito pouco *realmente* em primeira mão; o pouco que ouvira dizer estava muito desatualizado — e assim por diante. Eu não me dava ao trabalho de questionar Janner a respeito disso, a essa altura ele estava fora de meu alcance. Havia se retirado para sua cabana, nas Downs, raramente era visto na faculdade e me dissuadira, com educação mas firmeza, de procurá-lo.

Cheguei a visitá-lo algumas vezes. De certo modo, imagino que eu quisesse implorar que não me abandonasse. Pois Janner, com seu torso de haste de cachimbo embrulhado no suéter tricotado estilo Fair Island e os olhos umidamente brilhantes atrás das lentes redondas, era mais do que um amigo, no que me dizia respeito. Eu não podia admitir para mim mesmo, mas estava um pouco apaixonado por ele. Ele me contou que sua cabana era a reconstrução fiel de uma habitação ur-bororo tradicional. Não acreditei nem por um segundo; qualquer um que olhasse a cabana podia ver que fora algo encontrado no Exchange & Mart. As laterais de tábuas creosotadas, o telhado impermeabilizado com betume, uma única janela chumbada, o soalho desnivelado em relação ao chão. Todos esses detalhes traíam sua natureza pré-fabricada. Dentro da cabana tomamos chá em copos de cerâmica crua. Mais uma vez Janner me assegurou que se tratava de objetos tradicionais dos ur-bororos, mas eu realmente não via a menor lógica no que estava me dizendo. Nesse momento pude perceber, só de olhar para ele, que não havia mais esperança. Ele já não precisava de mim como um intermediário passivo entre sua mente e o mundo que estudava. Encontrara seu destino.

Deixei a cabana sem implorar coisa alguma e pedalei de volta a Reigate. Eu aceitara o fato de que dali em diante ficaria sozinho. Mas é difícil bancar o Werther em Reigate, certamente não quando você está alojado numa encantadora ruazinha de águas-furtadas com janelas de vidro duplo. Minha depressão logo consumiu a si própria. Sem Janner para conversar, fui impelido de volta ao convívio de outros estudantes. Fiz novos colegas; arrumei até uma namorada. Não que eu tivesse esquecido Janner, isso teria sido impossível, era só que eu tentava construir para mim uma vida em que ele não tivesse relevância. Nisso fui bem-sucedido, mas não sem suas consequências.

Durante os dez anos seguintes, pouca coisa aconteceu para mim. Claro, terminei Reigate e fui lecionar numa escola em Sanderstead. Conheci, me apaixonei e rapidamente me casei com a professora de geografia e educação física de uma escola próxima. Casa própria providenciada, veio a criança, pequena, bem-feita e bem acabada; e sonhadora e introvertida a ponto da imbecilidade. Tínhamos amigos e opiniões, as duas coisas com moderação. Era uma vida cheia, aparentemente sem problemas sérios. Eu passara da adolescência modesta e sossegada a uma vida adulta modesta e sossegada. Cheguei até a conquistar certa celebridade por minha fleuma na escola onde dava aula, pois era capaz de enfrentar alunos agressivos com indiferença. Alguns colegas meus ficaram convencidos de que dentro de mim espreitavam impulsos um tanto violentos. Isso, receio, estava longe da verdade. A realidade era que eu me sentia amortecido, como se todas as lacunas em minha visão de mundo tivessem sido preenchidas com algum tipo de isolante contra a vida. Eu me sentia ridiculamente contido e estático. Assistia aos eventos se desenrolando em torno de mim. Eu sentia, eu reagia dramaticamente a tudo, mas o controle do volume estava sempre funcionando. Em algum lugar pelo caminho alguém apertara o mudo em minha cabeça e eu não fazia ideia de quem, ou por quê.

Durante todo esse período, não tive notícia de Janner. Eu sabia que ele se formara em Reigate com uma distinção excelente e sem precedentes e, com as bênçãos do dr. Marston e uma bolsa não tão generosa assim do SSCR, viajara ao exterior para visitar sua preciosa tribo. Mas, fora isso, nada. A única evidência que tive da existência de Janner durante esse período de dez anos foi quando encontrei por acaso, olhando distraidamente uma pilha de discos de World Music, um álbum do qual Janner participara como "consultor de produção". O título era *Cantos de culturas extintas*. Comprei o disco na mesma hora e corri para casa.

Se eu esperava algum tipo de iluminação, ou recapturar o arrebatamento de nossas caminhadas lado a lado pelo campo, fiquei decepcionado. O álbum era triste e bizarro. Os produtores tinham visitado diversos grupos indígenas no mundo todo, notáveis apenas por sua persistência em cantar sem o menor propósito. Havia os ketchem de Belize, com sua muda eructação, "Cai Fora da Água — Peixe". Os i-aranas, da Guiné, desiludidos cultuadores de carga que gemiam suavemente, "Chama o Serviço de Quarto", e muitos outros tediosos e deprimentes demais para mencionar.

O essencial de todos esses cantos extintos eu captei nas notas da capa, escritas por Janner. Os cantos em si eram mal-gravados e incompreensíveis. Depois de pôr o disco para rodar umas duas ou três vezes, a agulha de nosso aparelho começou a escavar filamentos torcidos de vinil no fundo dos sulcos — e isso foi o fim dele. As notas de Janner, até onde pude perceber, eram pouco elucidativas e digressivas. Não me informaram nada de concreto acerca de seu envolvimento com o projeto e não me deram pista alguma sobre seu possível paradeiro. Quando tentei descobrir mais com a gravadora, foi outro furo n'água. A Ha-Cha-Cha Records falira.

Podia ser que eu não tivesse encontrado o amigo de minha adolescência, mas o álbum me deixara seriamente preocupado. Eu presumira que a essa altura da vida Janner estaria confortavelmente instalado no departamento de antropologia de alguma universidade provinciana, seu tremendo entusiasmo e energia murchando com o ciclo melancólico do magistério. Mas o disco e suas notas de capa apresentavam um quadro alternativo, o retrato de um Janner diferente, com uma carreira menos acomodada. Na noite em que cheguei com o álbum em casa, fiquei sentado na sala por horas, aproveitando o período em que minha esposa dava aula para tentar penetrar no destino de Janner, sem nada além da frágil capa de disco com que seguir em frente.

Meu filho, James, não ajudou. Ele aprendera alguns cantos extintos e quando o pus para dormir naquela noite ele disse, num uraico passável, "Vede! As plantações estão murchando." De certa forma, mesmo entre os adesivos de personagens infantis e os coloridos braços e pernas dobrados dos bonecos dobrados, isso não pareceu tão incongruente quanto deveria.

Depois, nada. Por mais dois anos, nenhuma palavra ou sinal de Janner. Não fiquei à sua procura, mas cheguei a tentar descobrir sobre a Lurie Foundation, cujo corpo diretivo, assim eu sabia, custeara parcialmente sua pesquisa sobre os ur-bororos. O secretário da fundação não estava muito a fim de conversa. Escreveu-me uma carta reiterando os objetivos da fundação nos termos mais básicos: "Para contribuir para a compreensão dos ur-bororos, uma bolsa será concedida a um único aluno de pós-graduação a cada vinte anos. Após seu trabalho de campo, o aluno deverá contribuir com um artigo científico de no mínimo 30 mil palavras para o Arquivo Lurie, na Biblioteca Britânica." A carta era assinada pelo dr. Marston. Conversei com uma bibliotecária na Biblioteca Britânica, mas fui informado de que todos os documentos relativos à Lurie Foundation eram mantidos em um arquivo inacessível ao público. Eu chegara a um beco sem saída.

Janner representara para mim uma série de possibilidades não realizadas. Mesmo depois de doze anos, esses horizontes mais amplos continuavam a avançar para além de meus passos comedidos. Ocasionalmente, sentado na sala dos professores durante algum intervalo, eu me pegava chorando, de repente. Sentia as lágrimas úmidas escorrendo por meu rosto, e uma bolha de sentimentalismo açucarado se formando em meu estômago. Só que minhas mãos agarravam as folhas do *Suplemento Educacional* com força demais, erguiam o jornal rigidamente demais diante do meu rosto. À minha volta, a conversa era sempre sobre taxas de juros. De vez em quando uma calça de veludo cotelê surgia em meu campo de visão.

Então, certo dia, no fim do verão, logo depois do dia de competições esportivas na escola, eu descia a colina na direção de Purley quando alguma coisa chamou minha atenção na vitrine de uma lavanderia. Um sujeito frágil e pálido como uma vela altercava com uma senhora gorda de meia-idade. As vozes se ergueram e ficou claro que estavam prestes a passar às vias de fato. Ouvi a mulher dizer muito distintamente, "O senhor devia ter vergonha de ficar aqui assistindo às pessoas olharem a roupa delas. Não tem sua própria roupa para cuidar, seu pervertido nojento?" Ela ergueu a mão para bater no homem. Quando ele se virou para desviar do ataque, vi seu perfil. Era Janner.

Entrei na lavanderia. Janner desviara do primeiro tapa e recuava para evitar um segundo. Toquei em seu ombro e usei meu melhor tom disciplinar, “Poderia me acompanhar lá fora por um minuto, senhor?” A Guardiã dos Fru-Frus ficou convencida na mesma hora de que ali se apresentavam as Devidas Otoridades. Cedeu de bom grado seu distintivo de delegada temporária. Janner saiu.

E continuou uma conversa comigo como se ela tivesse sofrido apenas uma hora, e não uma década, de interrupção.

“Estou morando aqui em Purley [gorgolejada de catarro], num lugar meio engraçado. Faz poucos meses que voltei do exterior. Só estava observando esse negócio de olhar a roupa. Estou convencido de que o ciclo giratório da roupa lavada tem algumas propriedades da mandala.”

Nesse momento descíamos a ladeira a um trote ligeiro. Janner seguia falando sem parar, tentando encaixar as práticas de lavanderia de Purley em um retrato complexo e altamente inconvincente da sociedade suburbana do sul de Londres. Não perdera nada de seu vigor. Quaisquer tentativas que eu fizesse de interromper seu monólogo ele interpretava como um desejo de saber ainda mais. Chegamos à estação. Janner continuava falando, continuava gesticulando.

“Sabe, Wingate Crescent representa uma espécie de epicentro; para chegar na High Street você tem que descrever um círculo. A posição das quatro lavanderias — Washmatic, Blue Ribbon, Purley Way e Allnite — também é circular.” Parou, como se tivesse atingido algum tipo de conclusão óbvia. Interrompi.

“Por onde tem andado, Janner? Você ficou no Amazonas esse tempo todo? Achei um disco em que você escreveu uns comentários. Você tem coletado mais cantos extintos? Casou? Eu casei. Você vai me contar algum fato concreto ou só vai continuar falando de teorias?” Janner levou um susto. Quando estávamos em Reigate, eu mal respondia. Minhas interjeições destinavam-se pura e simplesmente a azeitar o maquinário de seu discurso. Ele se tornou evasivo.

“Hm... bom, só descansando. É, tenho andado fora. Bem chato, pra falar a verdade, só fazendo um trabalho de campo, preciso produzir um artigo. No momento não estou dando aula em Croydon. Morando aqui em Purley. Nada além disso, pra falar a verdade.” Parou no meio da calçada e apontou a biqueira endurecida de seu nariz para o chão, dava para escutar o discreto borbulhar de muco em seu tórax. Um trem vindo da Victoria entrou com estrépito no entroncamento de Purley. Percebi que Janner estava prestes a escapar de mim outra vez.

"Eu também andei pesquisando um pouco, Janner. Li tudo que pude sobre essa tribo, os ur-bororos. Parece que existe um tipo de fundação para os antropólogos que estão prontos para fazer trabalho de campo sobre eles. O homem que criou a fundação, Lurie, era um amador excêntrico. Ele doou suas anotações de campo para a Biblioteca Britânica, mas com a condição de que ninguém lesse. As únicas exceções são os antropólogos preparados para dar prosseguimento à pesquisa de campo de Lurie. Parece também que o número de bolsistas aceitos pela Lurie Foundation é muito restrito. Desde que Lurie criou a fundação, nos anos trinta, só teve dois — Marston e você."

Um ônibus de dois andares deixava o ponto, do outro lado da rua. Por um momento, pareceu suspenso em meia aceleração, como um foguete espacial absurdo, pesado demais para se separar da terra, e então avançou ladeira acima, chacoalhando e rugindo, uma nuvem densa de fumaça de diesel, mais pesada e mais tangível do que a própria terra, expandindo-se atrás dele. Janner cuspiu um muco amarelo na sarjeta. À luz de fim de tarde, sua boca franzia-se de desaprovação, como um ânus.

"Imagino que você esteja querendo saber tudo sobre eles, então?"

"Isso mesmo, Janner. Andei pensando um bocado em você nesses últimos dez anos. Eu sempre soube que você ia fazer alguma coisa importante, e agora quero saber o que é — ou o que foi."

Ele concordou em jantar em minha casa no dia seguinte e eu o deixei ali, na High Street. A meu ver, parecia suspeitosamente inconspícuo. As roupas comuns, a conduta de um homem qualquer. Era como se tivesse treinado especialmente para se infiltrar em Purley. Comprei meu bilhete e me dirigi às catracas. Quando virei para olhar, havia revertido completamente ao tipo. Recostado contra um duto, aparentemente lendo o jornal vespertino. Mas pude perceber que observava cuidadosamente a multidão de usuários pela estação.

* * *

No dia seguinte, Janner chegou pontualmente às 19h30 para o jantar. Trouxe uma garrafa de vinho e cumprimentou minha esposa com as palavras, "Você deve ser uma santa para estar casada com esse aí." Palavras que foram recebidas com aprovação. Tirou o sobretudo de gabardina, sentou e começou a brincar com James. Janner foi um tremendo sucesso. Se alguém me perguntasse antes, eu nunca teria imaginado que Janner era o tipo de pessoa capaz de se dar bem com crianças pequenas, mas ele agradou tanto que James lhe pediu para ler uma história na hora de dormir.

Quando Janner estava no quarto, no andar de cima, minha esposa disse, "Gostei do seu amigo. Você nunca me falou dele antes." O jantar foi outro grande sucesso. Janner havia desenvolvido uma facilidade para a conversa amena e sociável que me deixou espantado. Exibiu um vivo interesse em cada minúcia de nossas vidas: James, nossos empregos, nosso jardim, nossa hipoteca, nossas atividades com os grupos de voluntários locais. Tudo isso era lenha para a fogueira de sua curiosidade, e contudo em nenhum momento pareceu condescendente ou meramente inquisitivo, apenas com o intuito de reunir mais dados antropológicos.

Após o jantar, minha esposa saiu. Ela dava aula à noite na CFE local. Janner e eu ficamos na sala de estar, passando a garrafa de Piat d'Or de um para o outro, de uma maneira cada vez mais lânguida.

"Você era bem diferente quando a gente estudava em Reigate", disse eu, finalmente. "Na época, você falava tudo de um jeito muito sério e verborrágico. Como foi virar esse conversador proficiente?"

"Aprendi a jogar conversa fora com os ur-bororos." E com essa estranha introdução, Janner iniciou seu relato. Falava com o brilho de sempre, sem fazer pausas, como se tivesse se preparado para dar uma palestra diante de um público solo. Era, claro, o que eu sonhava escutar. O dia todo tive medo de que não aparecesse e que eu me veria obrigado a passar semanas procurando pelas lavanderias do sul de Londres, se quisesse encontrá-lo novamente. Mesmo considerando que viesse, minha preocupação era de que pudesse não me contar coisa alguma. Que continuaria sendo um enigma e que sumiria outra vez de minha vida, dessa vez para sempre.

"Os ur-bororos são uma tribo, ou grupo interligado de famílias estendidas, vivendo na região de Parasquitos, na bacia amazônica. Em diversos aspectos eles se parecem muito com as tribos ameríndias nativas da floresta tropical brasileira: são caçadores-coletores. Subsistem com uma dieta de mandioca suplementada com proteína animal e legumes variados. São seminômades — seguindo um circuito fixo que os conduz por seu território em um ciclo anual. O sistema social deles é rigorosamente definido pela inter-relação dos indivíduos com a família, a família totêmica e a tribo como um todo. A interação social é definida por uma aguda consciência do tabu do incesto. Suas crenças espirituais podem ser caracterizadas como animistas, embora, como veremos, essa concepção se sustente apenas ao exame mais apressado. Talvez as únicas características superficiais que os destaquem dos grupos tribais vizinhos sejam a extrema rusticidade de sua manufatura. A cerâmica, os entalhes em madeira e a construção de abrigos não devem ter paralelo em sua pobreza e falta de ornamento — isso é algo que chama a atenção imediatamente de alguém de fora. Isso e o fato de que os ur-bororos são racialmente distintos..."

"Racialmente distintos?"

"Shh..." Janner ergueu a mão, pedindo silêncio.

No breve intervalo transcorrido antes que começasse a falar outra vez, escutei o arrulhar baixo dos pombos no jardim e, olhando do outro lado da linha de trem que passava além, pude divisar a silhueta recortada e as chaminés das casas geminadas, delineadas contra a escuridão, como uma selva suburbana.

"Todo povo, assim se diz, tem sua realidade definida pela linguagem. É apenas mediante uma sutil apreciação da linguagem que podemos penetrar na consciência coletiva de um grupo tribal e ainda explorar as relações delicadas e sutis entre essa consciência, a consciência individual e o mundo numênico. A linguagem entre as tribos ameríndias do Amazonas é tipicamente suplementada por sistemas semiológicos intercalados que, mais uma vez, representam a natureza coextensiva dos laços de parentesco e a ordem natural. Tipicamente, em uma tribo como os iguatis, tatuagem corporal e facial, escarificação, motivos cerâmicos, botoques labiais e tangas contribuirão todos para o corpus geral da linguagem.

"O notável sobre os ur-bororos é que eles não exibem nenhum desses sistemas semiológicos. Não usam tatuagens nem escarificações e se vestem de maneira uniforme."

"Vestem?"

"Shh...! Lurie penetrou a realidade dos ur-bororos e ficou horrorizado com o que descobriu. Ele guardou seu segredo em um local seguro. Marston só viveu alguns meses entre os ur-bororos e no fim estava desconfiado, mas mesmo assim foi tapeado por eles. Coube a mim expor as molas e engrenagens secretas que movimentam a visão de mundo dos ur-bororos; fui eu que tive de revelá-las."

Janner fez uma pausa, aparentemente pelo efeito dramático. Deu um gole em sua taça de Piat d'Or e tirou um maço de Embassy Regal. Acendeu um e olhou em volta, à procura de um cinzeiro. Passei a ele um pequeno recipiente, do tipo que você ganha quando compra patê de fígado de pato na Sainsbury's. Ele examinou o objeto com algum interesse, virando-o desse e daquele lado à luz amarelada do abajur de pé, antes de retomar seu relato.

"A língua básica dos ur-bororos é razoavelmente simples e fácil de aprender, para um europeu. Nem a sintaxe nem o vocabulário são notáveis. Ela se refere ao mundo que pretende descrever com simples literalidade de pensamento. A justaposição de sujeito-objeto-predicado, com sua nítida consistência, reflete aparentemente uma cosmologia marcada pelo mesmo dualismo conceitual nosso. Isso é enganador. Aprendi o básico da língua dos ur-bororos depois de uns dois meses convivendo com eles. Enquanto nos deslocávamos pela floresta tropical, os mais velhos da tribo se revezavam para me ensinar. Apontavam objetos, faziam mímica e coisas assim. Quando fiquei proficiente nessa comunicação do dia a dia, começaram a se referir a ideias e conceitos mais complexos.

"Devo acrescentar nesse estágio que sua atitude em relação a mim durante esse período foi singular. Não ficaram particularmente admirados comigo — embora eu possa dizer com certeza que fui apenas o terceiro europeu com quem tiveram contato —, nem abertamente desconfiados. Levei meses para ser capaz de caracterizar adequadamente seu modo de ser: eles eram insossos.

"Para começar, a linguagem conceitual dos ur-bororos parecia muito pouco problemática. Ela descrevia um mundo de deidades animistas que precisavam ser propiciadas, rituais de parentesco que precisavam ser realizados e coisas assim. O aspecto notável foi que, na vida da sociedade ur-bororo, não havia qualquer evidência nem de propiciação, nem de performance ritual. Eu escutava os homens mais velhos discutindo a importância vital de cuidar do grupo seguinte de iniciados: de mandar os rapazes adolescentes ocupar uma casa longa isolada na selva e providenciar a circuncisão. Eles falavam a respeito disso como se fosse iminente, e depois nada acontecia.

"Os motivos para isso ficaram evidentes quando comecei a decifrar exatamente sua linguagem conceitual: os ur-bororos são uma tribo tediosa." Janner fez uma pausa outra vez.

Uma tribo tediosa? O que isso podia significar?

"Quando digo que os ur-bororos são uma tribo tediosa, não estou tentando ser pejorativo ou, pior ainda, irônico." Janner foi um pouco para a frente em sua cadeira, contraiu os olhos e apoiou as mãos com firmeza na beirada da mesinha de centro. "Os ur-bororos são objetivamente tediosos. Eles próprios se veem como tediosos. A despeito da natureza superficialmente intrigante da tribo, sua proveniência racial obscura, seu encorajamento da ilusão de similaridade com outras tribos amazônicas e a estrutura em camadas de sua língua, quanto mais tempo eu passava entre os ur-bororos, mais incessantemente banais eles se tornavam.

"Os ur-bororos acreditam que foram criados pelo Deus Céu, que essa divindade modelou seus antepassados homens e mulheres da caca primordial. Não era o que o Deus Céu deveria estar fazendo, era para ele estar terminando seu trabalho com o firmamento e as estrelas. A criação dos ur-bororos foi o que se pode chamar de uma atividade divina deslocada. Ao contrário de grande número de grupos tribais isolados, os ur-bororos não se veem de forma alguma como seres humanos 'típicos' ou 'essenciais'. Muitas tribos desse tipo se referem a si mesmas como 'O Povo' ou 'Os Seres Humanos', e a todos os demais como bárbaros, metade animais e coisas assim. 'Ur-bororo' é uma tradução conveniente do nome que as tribos vizinhas usam para eles e significa simplesmente 'aqui perante os bororos'. Os ur-bororos na verdade se referem a si mesmos, com uma autodepreciação caracteristicamente irritante, como 'As Pessoas Por Quem Você Não Ia Querer Ser Alugado Numa Festa'. Eles veem outros povos tribais como levando vidas infinitamente mais atraentes do que as deles, e muitas vezes falam, não sem uma ponta de mágoa, das inúmeras festas e dos outros eventos sociais para os quais nunca são convidados.

"Comentei há pouco sobre uma linguagem conceitual 'mais profunda', falada pelos ur-bororos. Isso não é estritamente preciso. Os ur-bororos possuem um nível de nuance que podem aplicar a todas as suas crenças conceituais, e isso mais ou menos corresponde aos vários níveis de inflexão que conseguem imprimir à sua língua cotidiana. Dizendo de outra forma: os ur-bororos falam frequentemente de várias crenças religiosas e situações cosmológicas aceitas, mas sempre com a implicação de que são, quando muito, céticos. A 'nuance' significa antes de mais nada que são indiferentes.

"Por extensão, toda palavra na língua ur-bororo tem um número de diferentes inflexões para expressar tipos de tédio, ou de estados emocionais associados ao tédio, como apatia, enfado, lassitude, enervação, depressão, indiferença, fastio e coisas assim. Lurie cometeu o erro de interpretar a língua ur-bororo como se 'tédio' fosse a palavra-raiz. Como resultado, ele identificou nada mais, nada menos que dois mil sujeitos e predicados correspondentes em significado à palavra inglesa. Como caçada tediosa, coleta tediosa, pesca tediosa, relação sexual tediosa, cerimônia religiosa tediosa e coisas assim. Ele tinha razão em certo sentido — a saber, que os ur-bororos encaram a maior parte do que fazem como uma perda de tempo. Na verdade, a expressão que grosso modo corresponde a 'agora' em ur-bororo é 'perda de tempo'."

Janner fez outra pausa e contemplou a taça vazia que segurava na mão.

"Quer um café?", eu disse.

"Eu, ahn... Pode ser, tudo bem."

"Só vai levar um minuto."

"Sem problema."

Na cozinha, fiquei olhando para os objetos familiares enquanto esperava a chaleira ferver. O lava-louça que fora nosso orgulho e alegria assim que casamos, o jogo de saleiro e pimenteiro em formato de estátuas gregas que comprei por piada no Mercado de Brixton, os desenhos infantis de James presos na geladeira com fita isolante colorida. Eu me senti como se estivesse olhando para essas coisas todos os dias por um milhão de dias e que nada mudara. E de fato era verdade. Nunca antes o familiar me parecera tão... familiar. Voltei para a sala, abalado com minha epifania.

Voltamos a nos sentar em nossas cadeiras e passamos os momentos seguintes em silêncio amistoso enquanto usávamos nossas colherinhas para dissolver os torrões amarronzados em nossas xícaras. Finalmente, Janner começou a falar outra vez.

"Vivi entre os ur-bororos por nove meses. Cacei com os homens e colhi com as mulheres. No começo morei com os adolescentes na casa longa, mas depois construí uma cabana para mim e me mudei. Eu sentia ter obtido tanta compreensão da sociedade ur-bororo quanto desejava. Estava magro e usando uma barba enorme. Os ur-bororos pararam de me importunar com amenidades banais sobre o tempo, que aliás nunca mudava, e passaram a me ver com total indiferença. Eles sabiam perfeitamente o que eu estava fazendo em seu meio e encaravam a prática da antropologia com igual indiferença. Tinham uma máxima em ur-bororo que pode ser mais ou menos traduzida como 'Onde quer que você esteja no mundo você ocupa o mesmo volume de espaço'.

"A cada dia nascido sobre o dossel da floresta eu sentia a força desse aforismo. A despeito do caráter singular dos ur-bororos, eu sentia que, consideradas todas as coisas, podia perfeitamente nunca ter saído de Reigate.

"Eu terminara de fazer minhas anotações e sabia que se voltasse para a Inglaterra estaria em condição de completar minha tese de doutorado, mas sentia uma estranha sensação de inércia. Para falar a verdade, não tinha nada de estranho nisso, eu simplesmente sentia uma inércia. Havia alguma coisa errada com a floresta. Ela parecia senescente. Cascatas de cipós cobertos de fungo descendo dez, vinte, trinta metros das abóbadas e dos botaréus vegetais. As complicadas torceduras e espirais petrificadas lembravam-me mais do que tudo um velho cardigã, levemente salpicado de caspa e sujeira de nariz, à medida que seu dono arqueia-se mais e mais na bruma da velhice.

"Os ur-bororos professam a crença de que um espírito habita cada árvore, arbusto e animal — todas as coisas vivas possuem espírito. Em que sentido acreditam nisso é ambíguo; não é uma crença positiva, assertiva. Antes, ficam contentes em deixar que a hipótese se sustente até prova em contrário. Esses espíritos — como os próprios ur-bororos — estão em estado constante de devaneio inexpressivo. Voltados interiormente para o momento, encostados no mero fato da vida.

"Talvez tenha sido minha imaginação, ou o efeito de ter ficado por tanto tempo longe da sociedade, mas também eu comecei a sentir a presença da floresta tropical como se ela fosse um ser transcendente. A sala enorme, úmida, variegada era inacabada e desfeita. Em algum lugar ficavam os espíritos, inchando em sofás, repousando de uma orgia de carboidrato. Todos os dias fundiam-se em uma única prolongada tarde de terça-feira. Eu sabia que tinha de deixar os ur-bororos, mas bem quando me decidira a partir, uma coisa aconteceu. Eu me apaixonei.

"Era a época do ciclo anual dos ur-bororos em que a tribo partia em massa. O objetivo de sua excursão era pegar o peixe preguiçoso. Esses animais inertes e prostrados vivem exclusivamente embaixo de uma série de quedas-d'água, situadas no tributário do Amazonas que faz a delimitação norte do território ur-bororo.

"A tribo se deslocou à meia-luz do alvorecer. Quando caminhávamos, o sol nasceu. A selva deu lugar a uma vegetação rasteira, sobre a qual pairavam fiapos de névoa. Era uma cena primordial, perturbada apenas pela conversa incessante e estridente dos ur-bororos. Esse fato nunca deixou de me espantar, de que a despeito de seu tão propalado tédio absoluto, os ur-bororos continuavam a ter o impulso de entediar ainda mais uns aos outros.

"Nessa manhã em particular — assim como fizeram quase todas as manhãs durante o tempo que passei entre eles — ficaram todos contando uns aos outros os sonhos que haviam tido na noite anterior. Eles optavam todos por encarar seus sonhos como algo único e singular. Era a justificativa que precisavam para a repetição constante. Na verdade, você nunca ouviu nada mais desgraçadamente óbvio do que o relato de um sonho ur-bororo. Eles falavam e falavam, repetindo os mesmos padrões e as mesmas caricaturas da realidade. Era como um papel de parede numa creche ou escolinha infantil, só que surrealista. 'Daí eu virei um peixe', dizia um. 'Gozado', seria a resposta totalmente previsível, 'eu também virei um peixe no meu sonho, e hoje a gente está indo pescar'. E coisas assim. Uma correspondência estrita entre sonho e realidade, essa era a ideia de profundidade dos ur-bororos, e, como consequência, eles davam apenas a interpretação mais irritante para seus sonhos. Até onde pude perceber os ur-bororos não tinham qualquer visão particular sobre o status do inconsciente — eles certamente não atribuíam qualquer significação mística a isso. De um modo geral, a impressão que seus sonhos passavam era de uma espécie de câmara de compensação onde todos os detritos do mundo desperto podiam ser despachados como puras coincidências.

"Escutando essa lenga-lenga, eu mordia a bochecha por dentro, de irritação:

"'Eu sonhei que estava em uma floresta.'

"'Uma floresta?'

"'Mais ou menos. Eu estava andando com outras pessoas em fila única. Sabe como é?'

"'Eram o tipo de pessoas por quem você não ia querer ser alugado numa festa?'

"'Sem dúvida, éramos nós. Então eu comecei a virar...' (O que poderia ser dessa vez? Um pássaro, um lagarto, uma mariposa, um inhame... não, era...) "... um galho! Não é incrível?'

"'Incrível.'

"Sim, incrível. Eu estava tão absorto em minha irritação crescente que simplesmente não notei a pessoa andando diante de mim pela trilha da floresta. Mas, ao sairmos numa clareira por um momento, um facho de luz brilhante penetrou o dossel e iluminou a trilha. De repente, vi uma jovem, banhada em luz brilhante, sua figura esguia delineada em dourado. Ela virou para me encarar. Estava usando o traje ur-bororo tradicional — uma roupa cinza comprida e sem corte. Relanceou meus olhos por um segundo; os dela estavam enevoados de imobilidade, sua mão segurava e remexia a barra do traje. Ela fez um beicinho, afastou uma mosca do lábio inferior e disse, 'Sonhei ontem à noite que eu era uma bola de pelo.'

"Nesse preciso instante me apaixonei. O nome da garota era Jane. Era filha de um dos anciãos da tribo, embora isso dificilmente tenha alguma importância. Você deve compreender que a essa altura eu estava bastante condicionado pelos valores estéticos dos ur-bororos e para mim Jane pareceu se não exatamente linda, ao menos bem atraente, a seu modo agradável, relaxado. Era em muitos aspectos uma ur-bororo típica, de altura mediana, com pele mais para pálida e cabelo pardacento. Suas feições eram um tanto salientes, mas razoavelmente simétricas, e sua boca era hipnotizante, virada para baixo numa exasperante expressão erótica de indiferença amuada.

"Nosso namoro começou imediatamente. Não existem normas especiais para cortejar na sociedade ur-bororo. Na verdade, toda a atitude dos ur-bororos em relação a sexo, gênero e sexualidade é nebulosa e ambígua. Pelo menos ostensivamente, sexo pré-marital, homossexualidade e infidelidade são malvistos, mas na prática o ímpeto sexual dos ur-bororos é tão limitado que ninguém dá realmente a mínima para o que o outro possa estar fazendo. A reação geral é simplesmente de moderada admiração por você ter a energia para aquilo.

"Ao longo do dia todo os martins-pescadores entravam e saíam do regato marrom e cintilante. E os ur-bororos ficavam ali pelo raso, perfeitamente imóveis durante vários minutos, observando a água. De vez em quando um deles se abaixava e com um langor infinito tirava um peixe. Não demorou para eu me sentir entediado e me afastar com Jane até a mata rasteira. Caminhamos lado a lado, sem conversar nem tocar um no outro. O sol do meio-dia brilhava no alto, mas os raios mal penetravam no dossel da floresta, sessenta metros acima de nossas cabeças.

"Gradualmente, a estranheza da situação começou a se impor sobre minha consciência preguiçosa e passei a olhar para a floresta como se fosse a primeira vez. Eu prestara atenção no mundo natural apenas na medida em que tinha algum significado para a vida dos ur-bororos, mas agora eu me pegava assimilando o cenário estranho num sentido estético, com os olhos de um apaixonado. E um cenário bastante enfadonho e desinteressante, também. Você não precisava ser um botânico para perceber que essa área da floresta tropical era excepcionalmente carente de diversidade no que dizia respeito à fauna e à flora. Os troncos castanhos das árvores altas projetavam-se no céu como um sem-número de hastes irregulares de abajur, enquanto o primeiro plano imediato era ocupado por fileiras e mais fileiras de arbustos do tipo do rododendro, aparentemente nenhum deles em flor. Era uma cena de monotonia sem paralelo — o equivalente amazônico a um enorme parque municipal.

"Eu sabia que Jane e eu nos desviávamos rumo à fronteira tradicional das terras ur-bororos, mas nenhum de nós ficou particularmente preocupado. Embora a tribo vizinha, os yanumani, fossem caçadores de cabeça e canibais notórios, suas tentativas de atrair os jovens ur-bororos em guerra ritual fora recebido no passado com tal apatia de parte dos ur-bororos que desde então pararam de tentar. Não havia nem sensação de perigo, nem da beleza da natureza para aumentar meu sentido de excitação erótica e, após cerca de uma hora, ele sumiu completamente. Fiquei me perguntando o que eu estava fazendo, andando no meio do nada com aquela jovem um tanto emburrada, vestida daquele jeito sem graça. Então eu vi o maço de cigarro.

"Era um maço velho de Silk Cut, esmagado e sujo de barro, as letras impressas meio apagadas, mas ainda nitidamente legíveis, principalmente naquele contexto discrepante. Mas não tive muito tempo de me espantar com a presença incongruente, porque já dava para escutar o lamento distante das motosserras. Virei para Jane.

"'Homens brancos?'

"'É, estão prolongando a Rodovia Pan-Americana por aqui. A data estimada para terminar é junho de 1985.' Ela ficou puxando e remexendo a barra da roupa.

"'Mas vocês não têm medo? Não ficam preocupados? A chegada da estrada vai destruir sua cultura inteira, pode destruir até vocês.'

"'Grande coisa.'

"Fizemos meia-volta e começamos a andar outra vez na direção do rio. Nessa noite, quando Jane e eu deitávamos juntos, sua forma inerte cortando a circulação do meu braço, e fazendo pouco a pouco com que adormecesse por completo, tomei uma decisão..."

Ouvimos o som da porta da frente se fechando e minha esposa entrou na sala. Trazia na mão seus faróis de bicicleta e vestia um impermeável cor de laranja.

"O quê, ainda conversando? James não chamou, amor?"

"Não, ele não deu um pio a noite toda."

"Ótimo, quer dizer que ainda não fez xixi. Vou acordá-lo agora e depois deixar que durma pelo resto da noite." Virou para Janner, "James está passando pela fase de molhar a cama."

"Sério?", disse Janner. "Sabe, eu molhei a cama até pouco antes de ir para Reigate." E lá foram eles outra vez. Janner parecia não ver o menor contrassenso em passar diretamente do extremo drama de sua permanência entre os ur-bororos para as virtudes dos lençóis de plástico com minha esposa. Recostei ruidosamente no vinil de minha poltrona e esperei que os dois gastassem a corda um do outro. Eu tinha de ouvir o restante da história de Janner, não ia deixá-lo em paz até que tivesse terminado. Se necessário, eu o forçaria a ficar até amanhecer.

"Bom, você precisa visitar a gente de novo. Vocês dois parecem ter muita coisa para pôr em dia."

"Temos mesmo, mas da próxima vez são vocês que vão lá em casa. Minha mulher não conhece muita gente em Purley e está tentando sair um pouco mais, agora que teve o bebê."

Endireitei o corpo na mesma hora. O que era isso que Janner dissera? Esposa? Bebê? Minha esposa havia dado boa-noite e me lembrado de trancar a casa. Seus passos ecoavam surdamente na escada.

"Sua mulher, Janner, é...?"

"Jane, isso. Agora, se você ficar quieto, eu conto o resto da história.

"Cortejei Jane por três semanas. Isso envolvia pouca coisa além de sentar na companhia dos pais dela e jogar conversa fora. Os ur-bororos têm um apetite quase insaciável por papo-furado. Como os ingleses, introduzem quase todas as conversas com uma longa discussão sobre o tempo, embora no clima monótono deles haja muito menos coisas sobre o que comentar. Tão pouco, de fato, que se limitam a ruminar sobre minúcias de temperatura, umidade e precipitação. Os pais de Jane eram pessoas bastante afáveis. Pareciam não fazer objeção ao nosso casamento, contanto que observássemos as formalidades e os rituais de costume. Fui despachado para receber instruções com o xamã.

"O xamã era atipicamente interessante, para um ur-bororo. Imagino que tinha alguma coisa a ver com sua profissão. A cabana dele ficava um pouco afastada do resto da tribo. (Você deve se lembrar da cabana onde eu morei quando a gente estava em Reigate. Era quase a réplica exata de uma habitação ur-bororo, tirando, é claro, que os amazonenses têm as tábuas um pouco mais rústicas e nenhuma janela, só uma abertura quadrada.)

"'Entre, caro jovem, vamos entrando', disse ele. 'Quer dizer então que vai se casar com a pequena Jane e tirá-la de nós, não é?' Balancei a cabeça, admitindo.

"'Bom, imagino que um antropólogo como você deve saber um pouco sobre nossas crenças, não? Como fomos criados sem querer pelo Deus Céu. Como vivemos nossas vidas. Como praticamos a circuncisão e a infibulação como rituais de purificação. Como nossos rapazes conhecem rigorosos ritos de passagem e como nossos ritos de iniciação duram semanas e envolvem a ingestão de quantidades tóxicas de raízes psicotrópicas; você sabe de tudo isso, não sabe?'

"'Bem, no geral, sei, mas não posso dizer que já tenha visto algum de vocês em algum momento fazendo qualquer uma dessas coisas.'

"'Não. Você tem razão, perfeito, perfeito. Aí é que está, você parece ter a cabeça no lugar. Claro que não fazemos de fato nenhuma dessas coisas."

"'Mas por quê? Por acaso não temem todos os deuses e espíritos?'

"'Bem, de fato não acreditamos neles exatamente desse jeito, veja bem. A gente acredita neles mais como, ahn... exemplos, metáforas, se preferir, do modo como as coisas são, mas a gente não acredita de verdade em espíritos da árvore, valha-me Deus, não!'

"O xamã riu baixinho por algum tempo com o pensamento de um zelo religioso tão excessivo, depois me ofereceu um copo de coya. Coya é uma bebida sem graça feita da raiz em pó da árvore coya, incrivelmente parecida com café instantâneo, mas o gosto é muito mais insosso. Eu não ia me dar ao trabalho de discutir com aquela figura absurda. Ao contrário de outras tribos que possuem xamãs, o status do xamã na sociedade ur-bororo é ambíguo e até certo ponto irrelevante. O xamã muitas vezes descrevia a forma de alguns dos rituais rigorosos em que os ur-bororos teoricamente acreditavam, mas era difícil que qualquer um deles algum dia tenha se dado ao trabalho de comparecer a essas performances fajutas. De um modo geral, ele era encarado com uma espécie de desdém bem-humorado. Mesmo assim, ainda era considerado importante ter versões pálidas das cerimônias realizadas para nascimentos, casamentos e mortes.

"Vi o xamã mais uma ou duas vezes antes de nosso casamento. Ele me instruiu enfadonhamente sobre a fé ur-bororo e também recitou para mim uma porção de conselhos inúteis sobre como fazer o casamento funcionar. Coisas como contar até dez quando eu ficar com raiva, dar oportunidade a Jane para expor seu ponto de vista quando tivéssemos uma discussão e toda essa lenga-lenga, o tipo de coisa que você esperaria de uma coluna de conselhos numa revista feminina de quinta categoria.

"A cerimônia em si era para ser um grande sucesso. Cerca de vinte ou trinta de nós nos reunimos diante da cabana do xamã e Jane e eu demos as mãos enquanto ficamos todos escutando sua cantilena de abobrinhas entoada numa voz aguda e aflautada. Posso dizer com toda a franqueza que nunca vi uma ocasião social mais besta do que a cerimônia matrimonial dos ur-bororos. Todo mundo com sua túnica cinza, parado sob o lusco-fusco da clareira, entediado dos pés à cabeça.

"Após a cerimônia propriamente dita, os convidados passaram a se entreter pela clareira, tagarelando sem cessar. Jane me conduziu de um em um, apresentando-me a tias, primos e amigos. Todos os quais eu já conhecia perfeitamente. As tias beliscavam minha bochecha e faziam comentários idiotas. Houve muita ingestão de cerveja de mandioca, um troço mais para aguado, e que se seguiu, inevitavelmente, por esse tipo de flatulência túrgida que é tida por animação entre os ur-bororos.

"Jane tem um irmão, David, e os ur-bororos sabiam que eu pretendia levar os dois comigo para a Inglaterra após o casamento, mas mostraram pouca surpresa ou emoção a respeito. Sabiam também que eu estava convencido de que sua sociedade estava fadada à extinção, mas isso também não foi capaz de deixá-los preocupados. Eles não sentiam nada em particular acerca da chegada da civilização e achei impossível tirá-los de seu torpor. Para ser honesto, já fazia um bom tempo que desistira de tentar.

"Nossa partida foi uma experiência sem emoção. Houve abraços rápidos, roçares de bochecha e apertos de mão gerais. Jane parecia ligeiramente ofendida. Quando nossa canoa descia o rio, um dos rapazes mais jovens gritou, 'Voltem em breve, se puderem aguentar o ritmo!' E assim partimos. Em dois dias chegávamos ao vilarejo de Mentzos, onde tomamos uma lancha que nos deixou na foz do Amazonas. Dois dias depois estávamos em Buenos Aires e um dia depois chegamos em Purley, de onde não saímos desde então."

"E é isso? Essa é a história?"

"É. Como eu disse, estou morando em Purley agora e dou aula de vez em quando na Croydon Polytechnic. Se quiser, pode pôr nesses termos: estou curado de minha obsessão com os ur-bororos."

"Mas e quanto à Lurie Foundation? Você não tem de publicar seu trabalho? Ele não vai ser popularizado nos suplementos dominicais?"

"Não, não, não há necessidade disso. Tudo que Lurie queria era que algum outro pobre idiota sofresse o tédio inacreditável que ele vivenciou quando esteve entre os ur-bororos nos anos trinta."

"E quanto a Jane e David? Não vai me dizer que conseguiu integrar os dois na sociedade inglesa sem a menor dificuldade. Você disse que os ur-bororos são racialmente distintos, o que isso quer dizer?"

"Certo, isso é verdade, e imagino que seja algo intrigante, de certa forma; os ur-bororos não possuem de fato nenhuma característica definidora enquanto povo. Não são mongoloides, negros ou caucasianos, nem coisa alguma, aliás. Mas sua aparência enquanto povo é tão pouco notável que a gente — como posso explicar — tende a nem tomar nota. Quanto a Jane, estou bastante apaixonado. Devo confessar que embora não se possa dizer que tenhamos muita coisa em comum, ainda me sinto terrivelmente atraído por ela; alguma coisa em sua absoluta inércia quando está na cama me faz sentir tão... tão macho. Temos um filho, agora, Derek, e é um sonho de garoto. E David ainda vive com a gente. Por que você e sua esposa não aparecem na semana que vem para conhecê-los, poderão ver como foram bem assimilados."

Depois que Janner saiu, fiquei ali sentado observando o par de resistências da lareira elétrica. Era pleno verão e elas estavam frias e inertes e cobertas com uma fina penugem de poeira que, assim eu sabia, queimaria com um cheiro metálico quando chegasse o inverno. Engraçado como ninguém pensa em tirar o pó das resistências nas lareiras elétricas. Talvez houvesse espaço no mercado para algum tipo de produto especializado.

Exatamente uma semana depois, minha esposa e eu estávamos em Fernwood Crescent, 47. A casa estava iluminada de um jeito alegre, com as cortinas das janelas abertas, e ali dentro tudo parecia novinho em folha. O número 47 era mais ou menos a residência típica de Purley, uma casa geminada com cobertura de ferro corrugado anexa para o carro, em lugar da garagem. Como outros moradores de Fernwood Crescent, Janner se dera ao trabalho de pintar a madeira e as calhas no lado de fora com uma cor individualizada, no seu caso, verde brilhante. A campainha fez dim-dom sob meu dedo e a porta verde se abriu.

"Você deve ser Jane?"

"Isso mesmo, entrem. Ouvi falar muito de vocês."

A primeira coisa que notei nela foi seu sotaque, extraordinariamente abemolado e desinteressante — puro sul de Londres, até o mais leve fonema nasalado. Confesso que não prestei a menor atenção em sua aparência; nesse quesito, a descrição que Janner fizera dela era perfeitamente precisa. Era como alguém por quem você passa na multidão, um rosto que você foca momentaneamente e depois esquece para sempre. Quanto a seu irmão, David, que se levantou do sofá para nos cumprimentar, havia uma óbvia semelhança familiar.

Penduramos nossos casacos e sentamos em um semicírculo aproximado em torno da lareira redundante, conversando as costumeiras trivialidades que as pessoas usam "para se conhecer". Após algum tempo Janner entrou. "Desculpe, não ouvi vocês chegando. Eu estava no jardim, mexendo nas plantas. Querem beber alguma coisa?" Pegou os pedidos e sumiu na cozinha.

Quando voltou, eu estava profundamente envolvido com David numa discussão sobre os méritos relativos do sistema decimal de Dewey, por comparação a outros métodos de catalogação. Janner pegou o rabo da conversa. "Percebo que o David já pegou você de jeito", riu. "Agora ele não solta mais, ficou viciado em classificação desde que começou a trabalhar na biblioteca. Chegou até a bolar um código de cores para os potes de tempero na cozinha, imaginem só." Todos rimos com isso.

O que Janner disse era verdade. David não me deixou em paz a noite toda. Era um conversador irritante e que tinha o hábito não só de repetir tudo que você dizia, como também de terminar suas frases por você, de modo que um diálogo típico era mais ou menos assim:

"É, a gente experimenta e mantém um catálogo..."

"Um catálogo na escola para os alunos mais graduados — mantém um catálogo de microfichas para os alunos mais graduados, hmn..."

Minha vontade era dar um soco em David, não fosse o fato de ser tão afável e parecer querer agradar. O jantar não foi nada de mais. Algum tipo de carne ensopada com legumes, mas não consegui dizer que tipo de carne era.

O ávido interesse de David por taxonomia me fez mergulhar numa profunda prostração. Quase afundei literalmente em minha poltrona durante a sobremesa e em uma ou duas ocasiões até o vinil gemeu em protesto. Minha esposa e Jane estavam absorvidas numa conversa sobre o comitê de ensino local e Janner sumira no andar de cima para trocar a fralda do bebê. Pedi licença a David e subi silenciosamente atrás dele.

Encontrei-o numa água-furtada transformada em quartinho do bebê. Ele manuseava destramente os lenços umedecidos, como um homem nascido para aquilo. O bebê era uma criaturinha desinteressante, cor de massa de vidraceiro, um cachinho pardacento indeterminado sobre o minúsculo couro cabeludo.

"Puxou a mãe", disse Janner, segurando os dois pezinhos juntos em sua mão ossuda. "Não posso dizer que acho ruim. Eu não ia querer minha cara em nenhuma criança."

"Janner, o que você vai fazer?"

"Fazer? Sobre o quê?"

"Sobre Jane, sobre David, sobre os ur-bororos."

"Ah, nada, não vou fazer nada." Ele prendeu as fitas adesivas da fralda e devolveu o bebê ao seu berço. A criança nos fitou com seus olhos vagos, desfocados, desinteressados.

"Mas, Janner, você é um cientista, tem o dever de informar. É a Lurie Foundation, eles têm algum tipo de controle sobre você?"

"Nada do tipo. Claro que eu poderia publicar, se quisesse, mas por algum motivo todo esse assunto dos ur-bororos me deixa indiferente, simplesmente não me sinto animado com ele. Acho que o mundo pode passar muito bem sem minhas observações a respeito."

Logo depois fomos embora. Por todo o trajeto até em casa, minha esposa falou sobre Jane. As duas pareciam ter se dado realmente bem. Fiquei em silêncio, completamente absorto em meus pensamentos sobre Janner e os ur-bororos.

Nossas famílias permaneceram muito próximas durante esse outono. Eu diria que a gente se viu ao menos uma vez a cada quinze dias, às vezes mais. Cheguei até a apreciar David. Havia qualquer coisa de admirável em seu apego canino às categorias mais simples pelas quais era capaz de se interessar. Quanto a Janner, toquei no assunto dos ur-bororos com ele diversas outras vezes, mas parecia completamente desinteressado. Estava no processo de se tornar uma celebridade menor — o tipo de acadêmico pop que o público geral acolhe de tempos em tempos e transforma numa personalidade televisiva. Seu livro ligando a observação da roupa girando na máquina de lavar à meditação budista tradicional tornara-se um surpreendente sucesso e ele estava negociando uma série de artigos nas revistas encartadas em jornais dominicais.

Quanto a mim, continuei lecionando, jogando vôlei e perguntando a alunos recalcitrantes os nomes das usinas elétricas. O revestimento isolante que por um breve período fora removido de minha cabeça voltou — junto com um material novo, moderno, melhorado, muito mais grosso.

A volta dos cinco balanços

"É por meio das crianças que a alma é curada."
Fiodor Dostoievski

Stephen acordou e deu consigo mesmo caído numa rua fria e úmida. Os joelhos recolhidos junto ao peito, as mãos dormentes suplicando ao asfalto. Sua bochecha e seu queixo estavam espremidos contra a sarjeta coberta de folhas sujas e molhadas, misturadas numa salada com punhados de Ss de isopor, do tipo usado como proteção em embalagens de objetos grandes. Ali perto estava o corpo morto de seu filho de seis anos, Daniel. Stephen soergueu-se num cotovelo; o motorista do táxi preto que havia atropelado e matado seu filho estava de pé junto ao cadáver da criança. Stephen notou que os dois vestiam shorts, o de Daniel, jeans, o do taxista, brim cáqui. O taxista coçava a cabeça, perplexo.

"Ele morreu?", perguntou Stephen.

"Ah, é, tá morto." O taxista era amigável, quando não um pouco solene. "Não teve chance, a porra do capô acertou a cabeça dele que nem um martelo."

"Não está certo uma coisa dessas", balbuciou Stephen com a saliva adocicada do luto, "um menininho morrendo nesse lugar nojento".

Ele se ergueu e se aproximou vacilante de onde o taxista estava. Gesticulou na direção do cruzamento, dos conjuntos habitacionais recém-construídos, das garagens tubulares e oficinas alojadas nos arcos da ferrovia, dos semáforos e da mureta retorcida. Até onde um guard rail podia entortar, refletiu Stephen, antes de deixar completamente de sê-lo?

"Não, num tá." O taxista esfregou seu queixo-papada inteiriço. "Você ia preferir muito mais que ele estivesse numa caminha limpa, né, com enfermeiras, médicos e a mãe pra cuidar dele, hein?"

"Ah, pode apostar."

"A gente faz o seguinte —". O taxista era claramente o tipo de sujeito para quem uma boa indicação é um bom negócio.

"O St. Mary's não fica muito longe daqui. O que cê acha de a gente pegar o cabo da chupeta, dar um tranco no moleque e ver se consegue pôr ele pra funcionar uns vinte minutos? Isso deve bastar pra levar ele até o hospital e dar entrada no PS antes de ele arriar outra vez."

Não eram exatamente cabos de bateria, mas uns cabos grossos e compridos encapados em amarelo. Em lugar dos jacarés nas pontas havia um pino do tipo usado em geradores portáteis. Stephen ficou surpreso ao descobrir — quando o taxista puxou para trás a franja do menino — que Daniel tinha o encaixe apropriado, de três furos, na testa. O taxista enfiou o plugue na tomada e voltou para o táxi, que continuava ali parado, o motor ainda roncando, como uma grande e negra hesitação.

"Beleza", chamou de lá, "fala que cê ama ele".

"Eu te amo, Daniel", disse Stephen, agachando ao lado do filho, percebendo pela primeira vez o ângulo antinatural do pescoço do menino, o sangue e a massa cerebral numa poça sob sua cabeça. O taxista acelerou o motor, os cabos pulsaram, os olhos de Daniel se abriram: "Pai?", ele indagou.

"Tudo bem, Daniel", disse Stephen, sentindo a vasta inexplicabilidade da perda. "A gente vai levar você para o hospital."

"Mas eu vou continuar morto, não vou, pai."

"Ah, é, você vai continuar morto."

O taxista voltou e deu algo para Stephen, que podia ser um pellet grande, ou um tubo pequeno. Tinha a mesma cor amarela de seus cabos de bateria.

"Esse negócio é show de bola, meu velho", disse. "Se encostar na água, expande dez mil vezes de tamanho."

"Tipo uma semente?"

Stephen olhou para o cilindro plástico e sentiu que toda espécie de tudo se comprimia ali dentro, uma energia incrível, biomecânica. Pôde sentir uma lágrima lutando para se desprender do poço de sua pálpebra, combatendo a tensão da superfície mais ampla com sua própria necessidade de se tornar um momento. E lá foi ela. Rolando por seu rosto, pingou no cilindro. O completo caos.

* * *

E se decompôs numa estúpida colagem de lenços grudados com ranho, um radiorrelógio, um abajur, um livro, a cara de lua de uma criança pequena olhando para ele a poucos palmos de distância.

"Bissa — bussa", disse a criança, e depois, "Gu-ii-mii."

Stephen içou o próprio corpo com braços de empilhadeira. O sonho continuava explodindo em sua cabeça, tatibitateando tudo que ele via com suas associações simultaneamente vibrantes e tediosas. Os sonhos foram sempre prosaicos desse jeito?, ele se perguntou, ou ficaram assim pelo excesso de análise? O inconsciente coletivo agora parecia habilidosamente arrumado para comercialização, como um vasto supermercado, corredor após corredor de congelados psíquicos. Mesmo assim, seu filho... morto... era insuportável pensar nisso.

"Currle", arrulhou a menina, cutucando seu braço com uma escova de cachos pretos.

Stephen enrodilhou um braço em torno dos ombros miúdos e puxou a criança para cima dele.

"Aii-ia", ela disse, pressionando os lábios no tufo.

A criancinha se contorceu em seu abraço, bateu com a mão embaixo de seu queixo, levando-o a dar uma leve mordida na língua.

"Certo!", interrompeu Stephen. "Hora de levantar!" E devolveu a criança ao chão, seguido de seus próprios pés.

Uma base pequena e ampla de fralda empapada e os fundilhos de náilon gastos do pijama sustentavam a criança de dezoito meses, uma expressão impassível estampada no rosto suave. Stephen se levantou, vacilante, uma careta sofrida aplicada no rosto áspero. Casual, mas deliberadamente, derrubou o pequeno torso de lado com o pé repelente, e a criança desabou, a cabeça cacheada aterrissando surdamente no tapetinho. Surpresa demais para protestar, ela ficou ali, emitindo fracos choramingos. Stephen escrutinou as bolhas de saliva se formando nos perfeitos lábios róseos, cada uma refletindo com seu olho de peixe o quadriculado luminoso nas janelas do quarto. Não conseguia dizer seu nome, seu nome absurdo. Afinal, nomear é admitir — e ele não tivera participação alguma na escolha do nome.

"Esse quarto parece uma porra de banheiro!", praguejou, depois acrescentou, "e o banheiro parece uma porra de quarto!".

E era isso mesmo. Ela pusera tapetinhos de banheiro em ambos os lados da cama, pendurara uma rede de pesca na janela, com estrelas-do-mar e cavalos-marinhos secos capturados em suas dobras esgarçadas, instalara um papel de parede com listras verticais azuis e brancas. Mas faltavam quebra-mares e sobrava quebra-pau nessa regata.

Stephen entrou no banheiro contíguo, onde almofadas brancas com franjas de renda empilhavam-se em pequenas superfícies atapetadas; havia uma prateleira com estufadas edições de bolso acima da banheira e o espelho sobre a pia tinha moldura dourada. Stephen agarrou as laterais frias da pia e fantasiou que a arrancava do chão. Encarou seu rosto no espelho. "Nenhum retrato a óleo!", grunhiu. E de fato, com dois dias de barba grisalha por fazer e o triste anacronismo de espinhas e rugas no mesmo rosto, parecia mais um velho escravo do que um vetusto senhor.

Uma bosta boiando na privada captou seu olhar — era dela. Lisa, marrom, delicada — como ela. Ele ergueu um roupão invisível e acocorou em cima.

"Cago no seu cocô!", proclamou raivosamente, enquanto ao mesmo tempo, numa proeza de propensão moral bizarra, sentiu satisfação por economizar alguns litros d'água.

Na sua cabeça passou o filme de trás para a frente de mulheres macilentas do Terceiro Mundo andando desajeitadamente de costas, retrocedendo de um distante poço poeirento para um acampamento de barracos arruinados. A criança surgiu engatinhando em seu campo de visão.

"Cago no cocô da sua mãe", disse-lhe Stephen, em tom amistoso, mas então, enquanto fazia força, pensou, Não posso continuar me comportando desse jeito, esses pontapés casuais, esses comentários desleixados. Nada disso é inofensivo. Mas por que ela deixara a criança com ele justo nesse dia?

Quando ergueu o corpo para se limpar, e involuntariamente olhou para trás, viu que suas fezes haviam se casado com as dela, que estavam ambas entrelaçadas, um babado de sua bosta enrolado em torno da bosta dela, como um braço tranquilizador. Intimidade, ocorreu a Stephen, é um negócio supervalorizado demais. No meio da noite ela o chutara com força, seus calcanhares martelando as coxas dele, flácidas de sono. Ela o chutou e xingou, e na hora ele se sentira inclinado a lhe conceder o benefício da dúvida — duvidar que ele estava acordado. Agora ela se fora.

Enquanto servia a papinha de aveia da qual a criança se servia como bem lhe aprazia, Stephen pensava em como tinha ido parar naquele apartamento, naquela quitinete decrépita, do outro lado da cidade. Dois anos após ter se mudado, ainda acordava com essa sensação de desorientação, querendo voltar para o lar que não era mais seu lar, e sair dali, que não era lar coisa nenhuma. Ele olhou em torno do ambiente para as afiadas lâminas de fórmica soltando das superfícies, para a silhueta mesopotâmica da jarra elétrica, para a malevolência nodular de um *mug tree*, e se deu conta de como todas as linhas de sua vida haviam saído do esquadro. Ele não iria — não podia — assumir a responsabilidade por aquilo... Não queria o rabo de andorinha preso a essas outras vidas, encaixado nessa confusa ensambladura emocional. Tudo o que sentia era uma monumental autopiedade por sua própria autocomiseração.

"Zai-gar", disse a criança.

No rádio, uma voz da meteorologia falava da nebulosidade. Stephen ouvira a respeito de como contrapunham uma grade ao céu e contavam a cobertura de nuvens em cada quadrado. Havia mesmo um cálculo bruto — pelo que entendeu — chamado de nebulosidade média. Entrecerrando os olhos pela minúscula janela basculante, Stephen viu, entre afiladas paredes de tijolos londrinos, um céu de nebulosidade mais do que média, cinza sobre cinza sobre mais cinza, informes cardumes de cinza se sobrepondo uns aos outros, incessantemente. Era sempre deprimente, em dias assim, seus dias livres. Livre do quê? Ele lembrou do dia anterior, pela manhã, e da cara feia junto ao quadro de planejamento anual quando lembrou seu chefe de que não estaria lá no dia seguinte. "Mas e sobre o —?" e "Você não viu que —?" e "Não dava para você —?" Quando já estava tudo ali, no quadro, seus dias livres, distribuídos pela ponta da caneta-marcador. E de todo modo, o trabalho de Stephen, no que consistia? Nada além de dar um até-mais-ver para pessoas que nunca tinha sequer visto, para começo de conversa.

"H'hulu", ululou sua parceira de café da manhã.

Stephen tentou tirá-la do cadeirão rápido demais; as pernas gorduchas ficaram presas sob a bandeja e ele deslocou o edifício todo — uma torre de metal e plástico, a cobertura de carne — para cima. Então baixou tudo ao chão, desenroscou os pés, tentou outra vez. Fez uma troca de fralda, limpando as dobrinhas em torno dos genitais com esmerado desamor. Fechou o pequeno pacote de excremento com suas abas de velcro. No devido tempo, resmungou mentalmente, esta iria parar entre as dezenas de milhares de outras, depositada em um lixão nas East Midlands, onde aguardaria por dezenas de milhares de anos para confrontar os perplexos arqueólogos do futuro com mais uma evidência de seus ancestrais adoradores de merda.

Stephen fardou seu fardo, sentindo os dedos como linguiças intumescidas brigando flacidamente com as fitas e os fechos excruciantes. Encapuzada em seu macacãozinho de náilon, a criança pareceu a Stephen o funcionário anão de uma equipe de inspeção nuclear, pronto para aferir a toxicidade da Chernobyl que o aguardava do lado de fora. Recuando e trombando no desajeitado apertamento — onde o conjunto de dormitório, banheiro, quitinete e sala dava para o saguão do tamanho de um mousepad —, Stephen manobrava o carrinho com uma mão ao mesmo tempo que aparava a nuca glabra com a outra. O carrinho emprestado — que geringonça mais risível, dissimétrica. Com sua estrutura dobrável de alumínio, era como uma tragicômica luva de boxe num braço articulado, feita para socá-lo no rosto uma, duas, três vezes. Podia dobrar o carrinho, mas guardar, nunca. Agora, semiarmado, ele atravancava a porta, e enquanto Stephen o fechava, sua prisioneira escapava. Mas no momento da recaptura o carrinho para gêmeos abria mais uma vez.

Uma vez na rua Stephen sacramentou as núpcias de criança e meio de transporte numa cerimônia de fivelas de plástico e véus de náilon, depois sentou na mureta rente a uma sebe e, sentindo os galhinhos pontudos espetando-o através da roupa fina, chorou por alguns minutos. Foi ali que a Fatalidade — essa criatura hedionda, deformada — decidiu lhe fazer companhia. E quando se levantou e saiu empurrando o carrinho pela calçada, a Fatalidade foi junto para um passeio.

"In-qui-tty", disse a criança, captando o tilintar-e-baque de um bate-estacas caindo numa construção por onde passavam, e Stephen ponderou como podia ser que, embora tudo tivesse corrido perfeitamente bem com o desenvolvimento da criança, agora que ela começava a falar era ele que começava a ficar autista.

Uma ameaça pairava no ar. Um evento terrível lutava por ocorrer. Já estava enlouquecido, debatendo-se contra a vidraça da realidade com suas asas negras, como um pássaro preso numa casa. Eu nunca, pensava Stephen, ao empurrar o carrinho, deveria ter deixado minha esposa maluca aumentando devagar a duração dos trajetos quando a gente estava junto no carro. Eu sabia que ela não tinha o menor senso de direção e mesmo assim eu a atormentava. Se a gente precisasse ir à casa de uns amigos, ou mesmo ao supermercado, toda vez eu fazia um caminho diferente, toda vez um pouco mais longo. Claro que ela protestava: "Stephen, tenho certeza que a gente não foi por aqui da última vez." E para enlouquecê-la ainda mais, eu dizia, "É um atalho." E agora não havia carro nem esposa. Ou melhor, havia uma ex-esposa, e em vez de ficarem circundando um ao outro como boxeadores no confinamento de sua própria casa, o ringue agora se expandira para ocupar a cidade, enquanto os dois continuavam agarrados no mesmo maldito clinch, macerando os respectivos abdomes com jabs curtos.

No ponto de ônibus, esperando, Stephen tinha por companhia uma velha que bebia uma lata de Special Brew e um velho na maior estica que se apoiava na bengala em um ângulo airoso. O velho usava uma pluma no chapéu *porkpie* e seu terno de tweed estava imaculadamente passado. Parecia alguém à espera de um páreo, com os cavalos e seus jóqueis prestes a dobrar a esquina e subir pela rua a galope numa explosão súbita de tendões e músculos martelando e sedas espumando. Parecia feliz. Stephen desabou em precário equilíbrio num dos exíguos assentos emborrachados; sua miséria queimava como azia. A Fatalidade, aproveitando o ensejo, brincou com a criança.

A Fatalidade fez cócegas em seus pés e a criança riu. "Qui-qui-qui." A Fatalidade acariciou uma bochecha e acolheu o chamego da cabeça carapinha. A Fatalidade simpatizou inteiramente com a criança e assumiu sua personificação alucinógena de uma gamela de odor pungente, cheia de carrinhos de brinquedo, e delimitada por pilhas ordenadas de blocos de construção. Atrás destes havia muros cinzentos altos demais para tocar e acima de tudo se desfraldavam ganidos fantasmagóricos de uma gaita de foles. A criança, nova demais para conhecer a Fatalidade, percebia-a como um desdobramento do alheamento parental aboletado ao seu lado, e acatava de bom grado sua presença deformada.

"Fulub", ela disse.

Mas a velha, que conhecia a Fatalidade muito bem — que a sentia encrostada em seus cabelos, lambuzada em seu pescoço —, gemeu, sacudindo as mãos para repeli-la, "Sómidakissómi —".

A cerveja aspergiu a pequena testa, Stephen agarrou o cabo do carrinho para rodá-lo alguns palmos para trás e levou a mão ao bolso, procurando um lenço. O ônibus chegou.

No tempo que levou para o velho obtuso pagar seu bilhete e subir no ônibus até seu lugar, Stephen pôde içar sua carga humana, dobrar o carrinho e guardá-lo no porta-bagagem. A Fatalidade, acobertada pelo sibilo do ar comprimido e pelo estrépito da porta automática, sorrateiramente também subiu a bordo, e tomou o assento ao lado do motorista, reservado a idosos e a pessoas com crianças de colo. A velha — se é que se pode chamar de velha uma pessoa com cinquenta e três anos — continuou sentada no banco, e observou, admirada, o ponto de ônibus partir pela rua afora, deixando o ônibus para trás.

Do outro lado da cidade, a pensionada ex de Stephen ocupava seu casarão eduardiano. Stephen não sabia se estava namorando — ela não admitira —, mas, se estava, havia espaço de sobra nos cômodos generosos. Só os closets da casa podiam abrigar cinco ou seis casanovas e, quando Stephen queria se sentir particularmente mal, ele os imaginava lá dentro, confortavelmente acomodados na proteção do escurinho, os vestidos dela roçando em seus ombros, enquanto aguardavam que viesse escolher um deles. A ex de Stephen era muito bonita. Magra, o cabelo negro e lustroso, o perfil delineado. Desprezava a incontinência sexual em homens específicos — isso ele sentira na pele —, mas, misteriosamente, admirava na humanidade como um todo. E assim era mais fácil imaginá-la com vários parceiros do que com um único namorado.

A Fatalidade seguiu suas pegadas ao pelejar com o carrinho pelas pedras do calçamento, com seu musgo malévolo entre as fendas. Do ponto de ônibus, ele subiu a ladeira ladeada por casas geminadas, contornando o campo de futebol ao atingir o topo, as traves sem redes parecendo patíbulos. Em seguida passou pelo gasômetro, cruzou o paredão da curta rua de opressivos sobrados operários e finalmente percorreu a procissão de comércio vagabundo, cada estabelecimento aparentemente concebido para a inconveniência pública. Um quitandeiro com apenas dois tipos de fruta e três de verdura; um açougue vendendo apenas linguiça e carne moída, que se fiava em três caixas de recheio desidratado a título de tentação de vitrine; uma lojinha de material de construção que nunca tinha nada que você quisesse. Stephen lembrava de ter procurado fusíveis de treze ampères ali, tinta de parede, fio para varal, rejunte, mas tudo isso estava em falta. Absurdamente, a lojinha passara por uma reforma no ano anterior, mas continuava sem ter coisa alguma de que alguém precisasse. Talvez, pensou Stephen, a lojinha só existisse para ser reformada — menos um empreendimento varejista do que um passo à frente em todo o conceito do faça você mesmo.

Dobraram a esquina na Tennyson Avenue e passaram pela casa dos Hicks (a mãe idosa de cama, o filho nas drogas), pela casa dos Fakenham (ele um pedófilo no armário, ela um esteio da igreja local), pela dos Gartree (nenhuma criança humana, mas muitos gatinhos bebês). Como podia acontecer de ele, Stephen, ver-se exilado desse Éden peçonhento, enquanto todas essas outras serpentes conservavam seus inquilinatos? Passou-lhe pela cabeça — não pela primeira vez, não pela milésima — que deveria simular o próprio suicídio, utilizar o oportuno desastre de um trem que nunca tomara, ou a imolação de um prédio de escritórios em que não entrara, ou simplesmente deixar suas roupas, uma vez na vida cuidadosamente dobradas, sobre uma pedra, e abandonar de uma vez por todas a pensão alimentícia, as crianças, o sofrimento.

Curvando-se para soltar a tranca do portão, percebeu o forte odor de urina emanando da criança. Melhor fazer alguma coisa — aquilo ia virar uma assadura, e então ele teria de enfrentar a ira da mãe. Ao passar pelo portão desafivelou a criança e a deitou no trecho gramado atrás das latas de lixo. Relanceou as janelas vazias da casa, cada uma com sua catarata de cortina de gaze, mas não viu movimento algum.

"Anurk'a", protestou a criança, quando ele abriu bruscamente os botões de pressão na frente do macacão, puxou as perninhas rechonchudas e as segurou abertas, como um frango na grelha, enquanto tirava o chumaço absorvente.

Quando Stephen tateava à procura de uma fralda limpa no compartimento sob o carrinho, escutou a porta da casa abrindo e ao erguer o rosto deu com a ex-esposa ali de pé, irradiando desprezo. Além de seus ombros esguios o corredor de entrada retrocedia, forrado de ambos os lados com amontoados de mochilas escolares, sapatos perfilados, feixes de equipamento esportivo e pilhas de livros.

"Huh!", exclamou ela, os braços cruzados, e Stephen, observando os sabugos roídos de seus dedos agarrando os respectivos cotovelos, e a raiva sinalizando nas lanternas de seus olhos, não conseguiu deixar de se lembrar da exata qualidade de sua ira.

"Estou com piolho, caralho!" Aquelas mesmas mãos em frenética agitação, ela sentada na beira da cama. "Lêndea, caralho! Achei uma lêndea, caralho!"

Ele se levanta pulando de sua metade no leito conjugal, nesse instante se dando conta de que nunca mais voltará a deitar ali. Seus olhos esquadrinham o tapete à procura de algum objeto seguro onde se fixar nesse mundo subitamente fluido, assustador. Mas tudo que vê é uma boneca Barbie nua, empurrada pela amurada por uma criança de passagem, os pés acima da cabeça, seu púbis plástico rosado uma junção perturbadora. Como um negócio desses pode ser — ele se perde em tempestuosa irrelevância — um brinquedo?

"Crianças!", berrou a ex de Stephen, virando-se na direção da casa, e de novo, mais alto. "Crianças!"

Stephen terminou de embrulhar sua criança e voltou a prendê-la em seu lado do carrinho duplo.

Agora ele tem tão poucas coisas que tenta tratá-las com o respeito que as outras merecem. No pequeno apartamento do outro lado da cidade, lava a banheirinha plástica do bebê com carinho, depois a seca e guarda no armário. Ele não é mais proprietário do casarão eduardiano, com seus cantos inumeráveis, todos lentamente assoreando com a materialidade de anos de vida familiar.

As crianças de seis e oito anos desceram a escada para o hall de entrada como conspiradores pegos no pulo, relutantes em admitir seu envolvimento um com outro. Pegando seus anoraques no porta-casacos da parede, vestiram-se com tal método e eficiência que Stephen não conseguiu deixar de sentir pena. Depois começaram a calçar as galochas, os pés como caracóis entrando na casca, e ele ficou com vontade de ir até lá e ajudar, mas sabia que era melhor não. Saíram da casa e vieram pelo caminho da entrada até ele.

"Oi, pai", disse a menina, a mais velha, enquanto o menino disse só "oi". Ambos acenaram para a meia-irmã no carrinho, como se aquilo fosse apenas mais um dia no trabalho e estivessem sendo formalmente apresentados pela primeira vez. "Oi", disseram outra vez.

"Uhu", disse o bebê.

Stephen se agachou e avançou um pouco para abarcar todas as três crianças com os braços esticados. Sentiu cheiro de suco Ribena no hálito dos dois, de condicionador em seus cabelos. Olhando para seus rostos claros viu mais uma vez como os traços expressivos de sua ex sobrepunham-se aos seus próprios traços ordinários.

A ex-esposa de Stephen reapareceu na entrada, arrastando pelo braço, aos protestos, um menino de dois anos.

"Não é pra eu ir!", se queixava o menino. "Vou ficar aqui, vou fic—"

"Ele não quer vir junto?", exclamou Stephen, um pouco esperançoso.

"Ah, não, ele vai, sim", replicou ela, destramente enfiando o menino em seu anoraque, depois usando o pé para tirar seu equilíbrio e obrigá-lo a sentar. Enquanto calçava suas galochas, persistia no encantamento de irritação: "Se você acha que eu vou perder as duas únicas horas da semana que fico com a droga da casa só pra mim... a única hora que eu consigo pegar no telefone, a única hora que dá pra lavar a droga do meu cabelo... Você não faz ideia, faz? Não faz a menor ideia..."

Enquanto o menino, de sua parte, seguia recalcitrante. "Eu tenho que pegar uma coisa pra mostrar pro papai, porque... E o Daniel disse que eu não ia, porque... Ele pegou, ele-ele —"

"O Josh quer levar o negócio de dirigir", explicou Daniel.

"Eu falei pra ele que não dava", a irmã mais velha, Melissa, explicou.

"Mas eu preciso!", gemeu Josh na porta de entrada.

"Então leva a droga do negócio! Leva-a-droga-da-coisa!"

No "leva" ela pegou o painel de brinquedo com volante e câmbio; no "droga", enfiou o brinquedo nos braços de Josh; em "da" ergueu o menino e o depositou do lado de fora; e em "coisa" bateu a porta.

No instante congelado antes de Josh começar a berrar para valer, Stephen virou e olhou para o outro lado. Do lado de lá da rua passavam duas freiras. Ambas de óculos, ambas vestindo capuz azul e impermeável azul. Abaixo da barra de seus casacos entrevia-se cerca de um palmo de náilon branco. O conjunto todo, pensou Stephen, emprestava-lhes um ar ao mesmo tempo eclesiástico e médico, como se estivessem a caminho de dar assistência ao seu Salvador numa van de emergência especialmente equipada para crucificações. O vidro de suas lentes rebrilhou em sua direção, e Stephen sentiu vontade de exclamar, "Deixai ir a vós estas criancinhas! Vocês não vão encontrar um bando de gente mais necessitada do que nós..." Mas, em vez disso, voltou a virar para Josh, que se lamuriava, "Erherr-erherr-erherr", preparando o terreno para a histeria, "uaaaa!".

"DeixadissoJosh, numchora, aqui, aqui..."

Stephen continuou murmurando a prece ao erguer junto com seu brinquedo o menino que urrava, carregá-lo pelo caminho de entrada até onde os outros esperavam junto ao carrinho, afivelá-lo em seu lugar, equilibrar o brinquedo de dirigir em seus joelhos, passar com o carrinho pelo portão, posicionar os mais velhos um de cada lado, as mãozinhas segurando no carrinho, e com sua atônita progênie devidamente em formação, começou a voltar pela rua. A Fatalidade assumiu seu lugar na retaguarda.

"Tudo bem, Josh, tudo bem. A gente vai passear — calma, peraí..."

Melissa assumira o controle e, embora ficasse agradecido, Stephen não podia deixar de se sentir mal com a própria incapacidade, o fracasso paternal derretendo sobre seus ombros como uma irrevogável jaqueta de napalm.

"Então, criançada", ele disse, alegremente. "O que a gente vai fazer hoje? Museu? Zoológico? Cinema? O que vai ser — vocês decidem."

"A gente fomos no cinema —"

"Foi", Stephen corrigiu Daniel — a gramática do menino de seis anos era sempre a primeira baixa nesse fogo cruzado emocional.

"A gente foi no cinema ontem."

"Bom?"

"Legal."

"Então que tal o zoológico ou um museu?"

"Nah, é chato", fizeram coro as crianças maiores.

"Então o quê? Está meio frio pra ir no parquinho, não?"

O silêncio deles disse que não concordavam.

"Então vocês querem dar a volta dos quatro balanços?"

"É, daí você empurra a gente beeem aaalto —"

"Tão alto que a gente passa por cima do ferro —"

"Ou então sai voando no espaço e daí a gente passa pela Lua e Marte e vai —"

"Pra outra galáxia —"

"Pra outro universo, você quer dizer."

"Tudo bem, então a volta dos quatro balanços, mas não posso prometer a exploração espacial."

Outro universo — essa era uma boa ideia. Stephen tinha certeza de que Daniel e Melissa queriam fazer a volta dos quatro balanços porque isso os conectava com o período anterior à separação. As crianças mais velhas descobriram os quatro balanços: dois junto ao campo de futebol local, depois mais um em um parque anexo tomado pelo mato e o último enfiado no parquinho de um conjunto habitacional. Talvez eles imaginassem que se balançassem suficientemente alto poderiam descrever uma parábola perfeita rumo ao passado.

"Suush", disse a pequena, de seu lado esquerdo no carrinho, e foi só então que Stephen percebeu que era outono, pois a criança estava imitando o som de pés e rodas varrendo as folhas da calçada.

Outono, o que explicava aquele céu carregado, opressivo, como um pano cinza e sujo esperando por ser torcido. Outono, que inseria essa sensação de perda irremediável em seu contexto apropriado. Outono, de onde o dolorido cansaço de Stephen. Ele teria dado qualquer coisa para poder ficar deitado debaixo daquela sebe podada até a primavera. Outono, o que explicava a silagem sob seus pés, um húmus de palitos de sorvete, lacres de latinhas e copos de papel esmagados, depositado durante a prolongada colheita das férias escolares. Outono, quando tudo acontecera.

"Vem aqui! Vem já aqui! Vem aqui e senta do meu lado. Senta aqui!" A barriga dela redonda e inchada entre os travesseiros amarrotados, sua camisola arrepanhada em pregas furiosas.

"Fazia não sei quantos meses que a Melissa não pegava — meses! Eu escovo o cabelo dela todo dia — todo dia! Senta aqui, deixa eu ver o seu. Deixa eu ver a droga do seu cabelo!"

E assim, como macacos seminus, entregaram-se a uma catação destruidora de coesão social. Ela separa e puxa tufos de seu cabelo.

"Olha! Olha! Você também pegou! E está com lêndea — lêndea, caralho! Que merda é essa, Stephen? Você tá trepando com alguém, não tá?! Alguma piolhenta do caralho. Quem é, Stephen? Alguma putinha de colegial?"

Não, colegial nenhuma. Na época, ainda fixado na perturbadora junção das coxas da Barbie, Stephen considerara que, talvez, fosse ela uma colegial, a verdade teria sido mais fácil de admitir, pois teria sido tão grotesca, tão singular. Mas é claro que as mentiras é que são singulares; a verdade — que era a professora de Melissa — era meramente prosaica.

No pequeno centro comercial, a locomotiva de Stephen, com o carrinho para gêmeos por limpa-trilhos, tomou um entroncamento invisível e foi para a esquerda, voltando a subir a ladeira na direção do campo de futebol. A Fatalidade ia no vagão-breque.

"Uuuu-uuu!", disse o bebê, e Josh, que ia ao seu lado girando o volante de plástico laranja, apertou a buzina.

"E na escola, como vão as coisas?", perguntou Stephen para Melissa, porque achou que devia.

"Tudo bem", ela respondeu.

"Tudo bem ou mais ou menos?", inquiriu ele.

"Tudo bem. Tudo bem."

E foi isso, a isso se resumiu toda a sua participação na educação da filha.

Assim que chegaram ao campo de futebol, os dois mais velhos deixaram as laterais do carrinho como mísseis balanço-

-guiados em disparada através do gramado malcuidado. Gaivotas alçaram voo ante seu avanço, gritando com estridência. Stephen empurrou o carrinho pela trilha, passando por uma área de bancos dilapidados onde dois adolescentes se abraçavam. Sentiu uma intensa simpatia física pelo pequeno cavanhaque de pus e perebas no queixo do rapaz. Sentiu vontade de tocá-lo ali, mas afastou o pensamento olhando onde pisava, desviando dos troços e toroços dos cachorros, uns marrons, outros pretos, esses brancos e secos, aqueles amarelo-claros. Era interessante o modo como os dois menores conseguiam se ignorar mutuamente. Talvez dali a alguns meses Josh virasse para a outra criança e dissesse, do nada, "Você já sabe conversar, agora?".

No parquinho, Melissa e Daniel já ocupavam dois dos balanços maiores. Daniel jogava os pés para cima e reclinava o corpo para trás, indo bem alto, mas Melissa não conseguia, e se limitava a ficar pendurada, girando para um lado e para outro. Stephen tirou Josh do carrinho e o sentou num dos balanços pequenos, enfiando seus pés pelas aberturas. Depois fez a mesma coisa com a outra criança e balançou os dois.

"Segura aí na frente!", ordenou.

"Pai, vem balançar pra *mim*!", chamou Melissa. "Não consigo balançar."

"Ela não sabe balançar!", exclamou Daniel, deliciado. "Não sabe, não sabe, não sabe!"

"Daniel, fica quieto! Fica quieto!" Na mesma hora, Melissa ameaçou chorar.

"Ela tem oito anos e não sabe balançar!", exultava ele, voando como um pêndulo.

"Fica quieto — é sério!"

"Espera aí", disse Stephen, deixando os dois menores. "Vou balançar vocês."

Usou as duas mãos para pôr o balanço de Melissa em movimento, depois mudou o peso do corpo para empurrar o menino com uma mão e a menina com a outra. Empurrava alternando o ponto de apoio, primeiro a mão no assento, depois nas crianças. Sentia as costas delas, a curvatura de suas espinhas, o calor de suas pequenas nádegas. No ápice da curva dos balanços, sentia os corpos flutuando em suas mãos. E contudo não sentia empatia física alguma por essas crianças — seus próprios filhos. Melissa e Daniel se abandonavam ao balanço, abandonavam seus eus anormalmente envelhecidos, viajavam no tempo — quando não no espaço — para um lugar de diversão, que era simples e fisicamente o agora. Stephen fazia cócegas em suas axilas quando o balanço vinha, e eles riam. Corria para a frente e como um toureiro louco evitava por pouco ser chifrado pelos pés, e eles gritavam. Corria até os dois menores em seus balanços de bebê e renovava o impulso, depois corria até os dois maiores e os empurrava ainda mais alto. Empurrando um depois o outro, depois o outro, depois o outro, correndo e dando voltas. Todos os quatro riam, agora — até o bebê impassível. A Fatalidade pegou uma luvinha de lã que alguém esquecera em cima da grade e experimentou para ver se servia.

Então terminou. Daniel brecou com um guincho de seus tênis, as solas de borracha raspando no piso de borracha. Pulou do balanço antes que este parasse totalmente e foi para o gira-gira imóvel. Ajoelhou na beirada e recostou a cabecinha morena na barra de metal, como em oração. Nesse instante, toda a desolação da cena voltou: o céu ameaçador, a superfície gasta do parquinho, a borracha descascando do asfalto sob ela, o asfalto descascando do concreto; a gaiola de duas décadas de idade como um colorido pretzel de aço à espera de um gigante comedor de metal; os próprios balanços, alguns com as correntes enroladas em torno da viga de ferro, evidência de caos adolescente, ou talvez de crianças genuinamente catapultadas em órbita. Havia vidro quebrado junto à grade do parquinho, havia barreiras de trânsito desalinhadas em torno de uma depressão no concreto que se enchera de água e folhas, havia uma lata de lixo muito amassada dentro de sua bandoleira de sarrafos. Que um objeto tão resistente pudesse ser alvo de vandalismo era uma evidência, pensou Stephen, da mais extrema explosão populacional.

Melissa também desceu de seu balanço. Os outros dois continuavam pendurados, mal se movendo em seus balanços pequenos.

"Vamos lá, todo mundo!" Stephen injetou entusiasmo em sua voz como se fosse uma droga estimulante. "Vamos para o balanço dois."

"Dois!", gritou a criança menor, alto, distintamente, com enunciação perfeita. Todo mundo a ignorou.

O balanço dois ficava no parquinho menor, recém-construído, junto ao centro público de recreação. O miniexército marchou através do campo de futebol, uma rota direta pelo terreno barrento entre as traves patibulares, eretas na lama. Os dois mais velhos correram na frente, o bebê ia no carrinho, Josh caminhava, carregando o painel de brinquedo. Stephen se lembrou de como Melissa e Daniel haviam sido ferozmente apegados a ele, pedindo colo até bem depois da idade de Josh. Mas o menino de dois anos avançava chapinhando em suas galochas, curvado, sem dúvida tão pouco ansioso por um contato físico com seu pai quanto seu pai por um com ele.

Como era fim de semana, o centro recreativo estava fechado, a porta de aço baixada até o chão, cada faixa horizontal preenchida com pichações disformes. O pequeno playground ainda estava por ser vandalizado, o piso emborrachado incólume. Cada brinquedo lindamente aparelhado inserido em um tapete verde de borracha. O tanque de areia fora coberto e fechado com cadeado. O escorregador combinado a trepa-trepa tinha um caprichado telhado de empenas e os degraus de madeira das rampas eram protegidos com borracha preta, nas quinas. Havia plataformas em forma de trevo de quatro folhas sobre molas gigantes. O arranjo todo era incrivelmente novo, esmerado, amortecido. Desafiava o mundo exterior com sua evocação de uma segura interioridade doméstica.

"Puta lugar claustrofóbico", murmurou Stephen em voz alta, pondo Josh e a pequena em outro par de balanços. Conscientizou-se desse parquinho ao avesso e ao ar livre no campo de futebol, e do campo de futebol por sua vez dentro da cidade, e da cidade circundada pelo país, e do país numa massa confusa com outros países dentro do mundo. O mundo como uma vasta e bagunçada sala de recreação, atulhada de brinquedos quebrados e abandonados por uma humanidade imatura, fazendo uma manha terrível por décadas a fio. Por dois tenebrosos milênios. Assim como a câmera de segurança no topo do poste vermelho em um canto do parquinho, Deus observava tudo isso de seu recanto distante, um amante das criancinhas passivamente de olho nos pedófilos.

Stephen pôs os dois menores para balançar outra vez e depois foi até os balanços maiores e pôs as crianças maiores em movimento. Os dois conjuntos de balanços ficavam de frente um para o outro, de modo que quatro pares de galochas miravam Stephen conforme ele galopava em torno dos obstáculos vermelhos de segurança, desesperado por manter todos os balanços no ar.

"Eu gosto mais desse", disse Melissa.

"Eu gosto mais do três", disse Daniel.

"Esse balanço é mais rápido", disse Melissa.

"É." Daniel cultivava a conversa como se estivesse em um coquetel aéreo. "Mas o três vai mais rápido — eu consigo ir mais rápido."

"Sai-nii!", cantarolou a menor.

"Minha boca tá com sede", disse Josh.

"Você quer dizer que você tá com sede", ofegou Stephen.

"Minha boca tá morrendo de sede", reiterou o menino.

Deixaram o parquinho por uma ruela curta que virou um beco sem saída. Estacionado junto à calçada havia um carro abandonado e duas scooters tombadas. O carro fora cauterizado e estripado. Todos os vidros estavam caramelizados, os bancos retalhados em fatias de espuma de poliuretano queimadas. O painel fora arrancado e as entranhas elétricas jaziam esparramadas pelo chão. Todas as rodas tinham sido levadas, tornando a altura perfeita para Josh, que partiu em meio ao entulho brandindo seu próprio painel. "Meu carro", falou. "Meu carro."

"Não é, não!", exclamou Stephen. Agarrou o menino com muita força e, erguendo-o, enfiou-o em seu lugar no carrinho de bebê. Josh começou a chorar, e as outras três crianças viraram seus rostos assustados para ele.

"Desculpa, Josh, desculpa." Stephen se ajoelhou para consolá-lo. "Sério, desculpa. Olha —" Passeou os olhos pelos rostos acusatórios. "Olha, a gente pode comprar refrigerante e bala pra todo mundo. Que tal?"

Tudo foi silêncio, a não ser pelas fungadas durante três segundos, e então Daniel disse, ecoando a performance de algum ator americano de quinta categoria que se alojara em seu próprio repertório, "OK, então, certo, falou."

Partiram devagar.

A volta dos quatro balanços não estava indo nada bem — Stephen sabia disso. Ele precisava parar de seguir tropeçando pela vida, tinha de tomar aquelas crianças todas pela mão —

mas como? Como praticar a higiene emocional naquela cidade imunda? As scooters pareciam cadáveres de animais, ambas em uma poça pegajosa de seu próprio óleo. O fedor de gasolina da decomposição maquinal era opressivo. E junto aos muros do comércio abandonado pelo qual passavam havia uma onda paralisada de escombros, um abioma plenamente evoluído, onde a espinha esmagada de um velho aspirador de pó era predada pela armação de um guarda-chuva, que por sua vez caíra nas garras de um trapo de gabardina, o qual era chupado pelo preservativo descartado da noite anterior, que de sua parte era corroído por merda branca ácida de passarinho. Stephen olhou o relógio, coisa que prometera a si mesmo não fazer. A Fatalidade dava tempo ao tempo.

Mais adiante, na rua principal, em poses de sábado à tarde, homens ocupavam a calçada diante da casa de apostas. Um deles jogava uma garrafa de cerveja no ar e a pegava pelo gargalo, outro rasgava canhotos de apostas com ódio metódico e deixava que os falsos flocos de neve saíssem flutuando por seu mundo sacudido. O tráfego passava em solavancos na rua esburacada. Após o silêncio perplexo do campo de futebol, o modo como os veículos buzinavam e sinalizavam parecia quase sociável. Stephen entrou com o carrinho direto numa das lojas e os mais velhos vieram atrás.

Eram todas a mesma — essas lojas —, a mesma em sua heterogeneidade. Todas vendendo pequenos estoques de suprimentos aleatórios. Muitas prateleiras estavam vazias — outras, atulhadas com uma abundância de inutilidades. Uma loja oferecia bebida, cigarros, batata-doce, sacos de arroz de dez quilos, mandioca, doces, ventiladores e DVDs; enquanto na loja ao lado você encontrava capas para bancos, churrasqueiras descartáveis, amendoins com casca, desentupidores de pia, berinjela, bebida, petiscos caninos, cigarros, doces e tevês em preto e branco de dezesseis polegadas. Uma loja ficava inteiramente encerrada numa grade de aço, de modo que os fregueses tinham de fazer a transação toda numa espécie de canil; já a loja ao lado desta era toda aberta, sacos de soda cáustica e porta-incensos ao alcance da mão.

Nesta, um sujeito vestindo um pulôver de caxemira com gola em V, manchas azuis sob os olhos castanhos, sentava atrás do balcão coberto de jornais estrangeiros, palitando os dentes com uma tampa de esferográfica. Stephen permitiu que as crianças pegassem o que quisessem: Coca-Colas e doces. Deixou até mesmo a menor segurar uma grande lata vermelha em suas mãozinhas marrons. Todo aquele açúcar — isso não ia fazer nenhum bem para eles. Doce culpa. Vergonha grudenta, granulada, cem por cento refinada.

"'Brigado, patrão", disse o homem quando Stephen pagou.

"Obrigado, o senhor", devolveu Stephen.

Nenhum dos dois soube dizer se o outro estava sendo irônico.

O balanço três ficava atrás desses estabelecimentos, em um pequeno fragmento deformado de parque, um formato de haltere tomado pelo capim e os arbustos, mais cheio de sujeira até do que a rua. Stephen odiava o balanço três mais do que todos. A sensação de doença pairava ali, com os fundos das lojas exalando seus humores pavorosos por sobre uma fileira desconjuntada de latas plásticas transbordando de lixo, e a meia dúzia de castanheiros derreados e deprimentes mais adiante. Mas as crianças não se importavam, arrebatadas em sua vertigem de açúcar, saíram correndo, Josh firme nos calcanhares de seus irmãos mais velhos, a criança menor no carrinho, gritando entre goles de Coca, "Uiiii!" Então, todos pararam de repente.

Sentados nos dilapidados balanços para onde se dirigiam, com os pés no ar e dividindo um cigarro, havia três adolescentes. Duas garotas e um rapaz. Não pareciam nem remotamente ameaçadores, mas, comparados com os balanços — pequenos, de todo modo —, eram completamente fora de escala. Três adolescentes. Uma das garotas era bonita, a seu modo excessivamente maquiado, os lábios de um rosa brilhante, o cabelo untado e alisado em uma série de arabescos precisos sobre a testa cor de café. A outra era de compleição muito mais pesada e escura, os peitões como uma autêntica prateleira, sua bunda imensa sulcada pelas correntes do balanço. Vestia roupa elástica preta. O jovem estava de jeans azul, jaqueta abotoada até o pescoço, calças de boca larga, cuja virilha se localizava na região de seus joelhos. Um boné de beisebol dos Los Angeles Raiders estava enterrado com tanta força em sua cabeça que o cabelo formava um par de estufados fones de ouvido. A garota bonita tinha um celular no colo, o fone enfiado em sua orelha delicada, rebitada com brincos de ouro. Ela mexia no teclado do aparelho, enquanto o rapaz ia e vinha balançando em sua direção, ameaçando tirá-lo de suas mãos. A garota grande os ignorava, olhando para o chão e fumando.

Levou alguns momentos para notarem Stephen e as crianças. Momentos durante os quais ele examinou o imemorial triângulo, o priápico pé-rapado importunando a bela, enquanto silenciosamente admoestado pela aia gorda e negra. Os três ali naquele parquinho abandonado em uma tentativa de recapturar a inocência que provavelmente nunca tiveram. Então a bela viu Stephen e seus filhos. Levantou e, conduzindo o rapaz pelo cabo do fone — ele pegara o celular —, foi para a gangorra. A garota grande ficou de pé e os seguiu, acelerando o rapaz com seu traseiro enorme. A garota bonita pegou o celular de volta, o rapaz içou a mezena de suas calças e sentou no meio da gangorra, a garota grande se afastou para um canto e ficou por lá, o olhar perdido em um arbusto.

As crianças de Stephen sentaram em seus lugares. Ele ajudou Josh a subir no balanço e começou a empurrá-lo, os dois mais velhos dobravam as pernas e se curvavam para trás, repetidamente. A criança menor continuava sugando sua Coca, afivelada no carrinho como um piloto espasmódico, o branco de seus olhos se destacando sob o lusco-fusco crescente. Os elos enferrujados das correntes rangiam em seus pinos corroídos, "ear-orr-ear-orr".

Melissa desistiu e, largando-se no chão, foi na direção dos adolescentes. Parou a menos de um metro e os examinou intensamente, então disse, "Oi." Eles a ignoraram. "Oi", ela disse outra vez, agora mais alto. Os adolescentes continuaram a ignorá-la, Stephen queria parar de empurrar Josh e ir até lá para puxar Melissa de volta, mas não conseguia. "Oi, eu chamo Melissa."

"Beleza aí, M'lissa?", disse o rapaz.

"Beleza aí?", fez eco a garota bonita, e a grande escarneceu, uma risadinha aguda esquisita, "tii-hii-hii".

Melissa se aproximou do carrinho e ficou ali observando o bebê por algum tempo. Parou, enfiou a mão sob o capuz do macacão e acariciou o punhado cacheado. A criança disse, "Lissl."

Então voltou até onde Stephen empurrava Josh e, erguendo o rosto para ele com uma expressão cunhada por sua mãe, disse, "Pai, por que a Setutsi é preta?"

Os adolescentes prestaram atenção na mesma hora, seis olhos perscrutaram o rosto pálido de Stephen, o rosto pálido das três crianças mais velhas, depois desviaram até a linda menina negra de dezoito meses no carrinho.

"Na moral, é preta mesmo!", exclamou o rapaz, para ninguém em particular. "Preta que nem eu, pode crer."

E como que reagindo a algum sinal oculto, ou talvez para expressar uma desaprovação mútua dessa miscigenação, os três adolescentes se juntaram em um pequeno bando e foram embora. A última coisa que se pôde ouvir deles foi o "deladuuduu-deladuuduu" do celular tocando.

Stephen parou de empurrar Josh. Foi até o carrinho e começou a soltar as correias de Setutsi. Procurando o que fazer, pegou o trocador e o desenrolou sobre a grama úmida. Pegou os lenços e uma fralda limpa. Abriu os botões de pressão no macacão de Setutsi e baixou a cintura elástica de suas calças de belbute. A fralda estava estufada de xixi. Tirou, limpou a menina com um lenço umedecido, depois passou a mão por baixo de suas costinhas suadas e a ergueu um pouco, de modo a posicionar a fralda limpa. Quando prendia as tiras de velcro ergueu os olhos e deu com três rostos claros agrupados em torno de seus ombros.

"A Setutsi ainda não aprendeu a usar a privada, pai?", perguntou Melissa.

"Bom, ela já aprendeu, mas quando a gente sai o dia inteiro, que nem hoje, eu ponho uma fralda nela."

"Josh sabe usar a privada."

"Eu sei."

"A mamãe falou que as pessoas não ensinam os filhos a usar a privada porque elas são preguiçosas."

"Bom, acho que eu sou um pouco preguiçoso, mas a Setutsi é muito boa em ir ao banheiro sozinha quando a gente está em casa."

"Você e a senhorita Foster dormem na mesma cama?", perguntou Daniel, e antes que Stephen pudesse responder, ele continuou: "A senhorita Foster não está mais dando aula na nossa escola."

"A gente pode ir pra sua casa, pai?", perguntou Melissa. "A gente pode jantar lá?"

"Você tem vídeo, pai?", perguntou Daniel. "A gente pode comer na frente da tevê?"

Josh ajoelhara ao lado de Setutsi e fazia cócegas nela sem querer, tentando fechar os botões de seu macacão. Setutsi riu, prestativa. E ainda que sua cabeça fervilhasse com as imagens mais horríveis — o quarto parecendo um banheiro onde voavam acusações e gritos e palavras amargas — e o perfume de coco do condicionador dela penetrando em suas narinas — que antes o excitara, mas agora o deixava nauseado —, ele percebeu que essa era uma mudança significativa. Que essa bateria de perguntas era o início de uma aceitação — para as crianças, para ele — de tudo que acontecera. Claro que Melissa e Daniel sabiam muito bem por que Setutsi era negra e sabiam perfeitamente o que significava. Até o momento Stephen não lhes fornecera mais do que breves capítulos, montados aleatoriamente, assim como a própria Setutsi fora uma visitante fugaz, vista em um borrado plano geral através de protetores de sol laterais para vidros de carro. Agora as crianças mais velhas se encarregavam elas mesmas de construir uma narrativa apropriada, uma história que também os envolvesse.

As perguntas continuaram vindo quando ele ajudou Josh a fazer xixi num arbusto, e depois que o beijou e o pôs ao lado do carrinho. O bombardeio prosseguiu ao deixarem o parque decrépito e irem na direção do balanço quatro. E Stephen fez o melhor que pôde para responder com sinceridade, observando ao mesmo tempo a necessária economia de franqueza: Sim, ele e a senhorita Foster dormiam na mesma cama, e, sim, ele ia perguntar para a mãe deles se podiam ir para seu apartamento, mas não era para ficarem com raiva se ela não deixasse. E, sim, ele sabia que Setutsi se parecia com ele, mesmo sendo negra. E, sim, ela até que era parecida com eles, porque era a meia-irmã deles.

O peso plúmbeo da depressão de Stephen foi levantado. Ele sentiu a empatia física que por vários meses esperara que percorresse seu corpo como eletricidade. Sentiu lágrimas brotando em seus olhos. Quis abraçar todos ao mesmo tempo. Empurrava os dois menores no carrinho duplo e sentia o toque desigual de Daniel e Melissa a reboque, cada um de um lado. Sentiu o fardo jubiloso de ser pai. Não prestou atenção nas janelas lacradas com tábuas dos apartamentos do conjunto por onde passavam. Não notou a paródia de lata de reciclagem, em que alguém ateara fogo, de modo que as entranhas plásticas vazaram para a calçada. E sem a menor sombra de dúvida não se apercebeu da presença da Fatalidade, que, após fazer um desvio dentro do conjunto habitacional — para fechar os olhos do viciado sofrendo uma overdose, para apertar a aorta de uma vítima de ataque cardíaco, para golpear a fontanela de um bebê que sofria —, escolheu esse momento para tornar a se juntar a eles.

O balanço quatro estava iluminado pelos refletores, quando chegaram. Um minúsculo quadrilátero de borracha negra sob luzes brancas ofuscantes. O vento ganhava força e a capa de nuvens se esgarçava. A maioria dos brinquedos ali era ainda menor do que no centro recreativo, tão pequenos que as crianças do conjunto desdenhavam de usar, preferindo pedalar com suas mountain bikes em tamanho infantil numa rua adjacente, revezando-se nos saltos em uma rampa que uma delas apoiara sobre uma lombada. Mas havia um par de balanços maiores, e alguém sentado ali. Um garoto negro e gordo, talvez um ano mais velho que Daniel, oscilava languidamente num deles. O menino usava uma jaqueta de náilon de um tamanho muitas vezes maior que o seu, e presumindo que fosse uma peça herdada, ou uma roupa escolhida por seus pais para disfarçar seu peso, Stephen sentiu pena.

Assim que passaram todos pelo portão, o menino se encheu de ânimo e começou a puxar conversa. "Eu me chamo Haile", falou. "Eu tenho sete anos, só que eu sou muito grande, e a minha escola é a Penton, e eu gosto de futebol e eu também gosto de Gameboy, só que eu não tenho um, mas meu primo me deixa jogar no dele. Como cê chama?" Perguntou primeiro para Daniel, mas depois quis saber o nome e a idade de cada um.

"Eu tenho quarenta e seis anos", disse Stephen, rindo, embora alguma coisa em Haile fosse preocupante — seus olhos eram saltados e o menino suava. Talvez, pensou Stephen, sofresse de tireoide não tratada. Era bem provável.

Haile continuou a importuná-los, chispando pelo lugar, enquanto Stephen tirava Josh e Setutsi do carrinho e os punha sentados nos balanços pequenos. Então Haile resolveu empurrar

Daniel, oscilando o corpo para a frente, pressionando as mãos com força nas costas do menino.

Daniel reclamou, "Tá me machucando!"

E Haile recuou bruscamente, de modo que o balanço perdeu embalo e as correntes chacoalharam. "Eu venho pra cá quase todo dia, mas eu também compro doces ali." Haile fez um gesto na direção da rua. "Alguém quer doce ou chocolate?" Ele falou com Melissa, mas antes que ela pudesse responder, embarcou em um nauseante inventário: "Eu gosto de Snickers e de Starburst e de Joosters e de Minstrels e de todas as balas, e de chiclete e pirulito..."

Mas mesmo Haile sendo um pouco pirado, nenhum de seus filhos pareceu incomodado. É a nova doutrina, pensou Stephen, assim será de agora em diante, minha grande família multirracial absorvendo tudo e todos, como um cadinho cultural ambulante.

Parou de se virar de tempos em tempos para ver o que Haile e os outros estavam fazendo, e se concentrou nos dois menores, empurrando-os e lhes fazendo cócegas, tocando o nariz de Josh primeiro, depois o de Setutsi, como que conjurando uma magia com sua consanguinidade. Olhou na direção dos blocos de apartamentos, onde dois negros da mesma idade que os irmãos da mãe de Setutsi tentavam fazer um carro pegar; um deles conectava o cabo da chupeta, enquanto o outro dava partida no motor de um segundo carro parado ao lado. É, pensou Stephen, tudo vai ser diferente, agora. Paul e Curtis vão ser meus chegados, a gente vai junto ao pub, vou pagar uma bebida pra eles, fumar um baseado junto. Abandonou-se a essa nova visão de harmonia familiar, vendo os três, os cunhados, com os braços nos ombros uns dos outros, imbuídos de respeito mútuo e amizade, a despeito de suas diferenças.

"Ei! Não faz isso!" A voz de Melissa interrompeu seu devaneio.

Stephen virou e não conseguiu acreditar em seus olhos. Nos poucos segundos que haviam transcorrido, Daniel começara a balançar tão alto e com tanta força que seu balanço agora se torcia e mergulhava ao atingir o topo de cada arco, com um estrépito de elos de corrente. Mas Daniel parecia impotente para interromper o violento movimento, continuava a curvar-se para trás e mergulhar adiante, tentando ver melhor o que Haile estava fazendo. O garoto gordo sentava na viga dos balanços, as pernas roliças enganchadas em torno deles. Devia ter trepado enroscando as canelas no ferro, percebeu Stephen, embora não parecesse de modo algum capaz de tal ginástica, e agora ele oscilava perigosamente.

"Daniel!", gritou Stephen, indo na direção do balanço. "Para já de balançar! Para já!"

Melissa descera de seu balanço e se afastara até uma distância segura. Daniel começou a brecar com suas galochas.

Stephen passou por baixo da viga. "Ei, Haile", disse, "isso que você está fazendo é muito perigoso, melhor descer agora mesmo".

"Eu não ligo que é", disse Haile, "eu faço isso sempre, tá vendo, pra puxar os balanços". E começou a içar um dos assentos de balanço pela corrente.

"Não é uma boa ideia, Haile", suplicou Stephen. "Você pode perder o equilíbrio."

"Sai fora, tio!", berrou Haile de volta, puxando braçadas de corrente, agora, passando primeiro em torno de seus ombros, e depois em torno do pescoço, como uma bijuteria grossa, grotesca. "Me esquece, caralho. Vai cuidar da sua vida, seu filho da puta!"

A imprecação final o jogou para trás, a criança balançou, depois escorregou, depois caiu. O laço de corrente enrolou estrepitosamente em torno do pescoço macio. A cabeça de Haile estufou. O pescoço estalou. As pernas na calça de agasalho verde chutaram uma vez na direção do rosto erguido de Stephen, depois duas, executando a volta dos cinco balanços. Stephen, mesmo no torpor da loucura, pôde sentir uma lágrima lutando para se libertar da gamela de sua pálpebra, combatendo a tensão da superfície mais ampla com sua própria necessidade de se tornar um momento. E lá foi ela. Rolando por seu rosto, pingou no piso de borracha. O completo caos. A Fatalidade se expandiu dez mil vezes para preencher o vazio.

Leberknödel

Introitus

Joyce Beddoes — Jo, para os amigos, Jo-Jo, às vezes, em franca intimidade, para o falecido marido, e também para a filha, Isobel, quando ela era criança — queria enfiar a cabeça entre os joelhos.

"Está se sentindo bem, mãe?" Isobel — que insistia na horrorosa assexualidade de "Izzy" — lhe perguntou, talvez pela quinquagésima vez naquela manhã. Uma pergunta, Joyce sentia, agressivamente suplicante, destituída de qualquer preocupação genuína.

"E-eu só queria..." Ia dizer "abaixar um pouco", mas a inutilidade desse desejo — o assento era apertado demais, ela estava debilitada demais e o som de sua própria voz, mais para o chiado e cacarejo de uma ave doméstica do que algo humano — sobrepujava tudo que não a rude articulação da própria necessidade.

Porém, isso não significava que a frase tivesse ficado incompleta, porque Joyce *simplesmente queria* tudo: a mesa-bandeja, a presilha imitando casco de tartaruga no cabelo cor de mel da aeromoça, a revista brilhante que podia enxergar no vão entre os assentos à sua frente. Ela *simplesmente queria* aquela revista — e o que havia na foto: o canto de uma mesinha retrátil para um ocioso café da manhã com uma elegante louça branca, uma cesta de croissants e um copo de suco de laranja. Joyce *simplesmente queria* a linda mão servindo de modelo na fotografia, segurando uma colherinha de chá com pose estudada.

Mas em vez disso Joyce tinha essas coisas que ninguém queria: uma náusea ácida e pútrida; uma barriga dolorida e inchada e um arame queimando em sua uretra. Suplantando tudo isso havia a pavorosa — quase criminosa — lassidão.

"É água, mãe, quer um pouco d'água?", disse Isobel; só que para Joyce a palavra soou como "*warter*", e o que era isso? Um quinto elemento, algum substrato verrugoso* no qual todos prosperavam e morriam, como bactérias?

Como ela odiava o afetado sotaque popular de Isobel — fazia a jovem parecer detestável ou, antes, jovem coisa nenhuma, não mais. Joyce se dava conta de que estava cada vez mais parecida com o pai. Isobel sempre fora a menina de Derry — e isso foi maravilhoso. Para Joyce, a grande alegria da maternidade havia sido descobrir que o rapaz que a cortejara com 78 rotações de Stan Getz e docinhos turcos, e que costumara ser tão liso e seguro quanto seu cabelo com brilhantina, estava de volta; mas numa nova roupagem, seu papel desempenhado agora por uma adorável garotinha.

Mas nos últimos anos Isobel pulara sela com a boa aparência de seu pai na maturidade — o firme queixo de covinha, a avaliação serena dos olhos castanhos — e passara direto à meia-idade dele, quando, *para ser perfeitamente franca, Derry ganhara uns quilinhos*. Isobel, que estava com apenas trinta e três, exibia uma papada sob seu queixo de covinha. O cabelo castanho — um dia grosso e liso, exatamente como o de seu pai — fora cortado e tingido tantas vezes que crepitava como algodão-doce em seu crânio arredondado.

Não, Joyce não queria água — e, além do mais, estavam sem. Na Segurança do aeroporto, suas garrafas de plástico haviam sido jogadas na lata do lixo — um susto súbito. E embora Joyce houvesse pedido a Isobel para comprar outras, era tarde demais, pois a mulher mais jovem já passara tempo demais no banheiro.

Mal haviam decolado e o avião ainda se inclinava acentuadamente: um tubo penso de puro zumbido. Enfim, com muito esforço, Joyce conseguiu levar o rosto à janela. O mundo externo, assim ela esperava, faria as vezes de joelhos: ela podia pressionar as bochechas que pegavam fogo contra as nuvens frias, inspirar profundamente o ar fresco e aplacar sua náusea.

Na estrutura da aeronave os servomotores gemiam, os ailerons estremeciam, as pontas das asas trepidavam, arroios de umidade correndo sobre elas. Joyce notou que as cabeças salien-

* Jogo de palavras entre *water*, "água", e *wart*, "verruga". (N. do T.)

tes de todos os rebites estavam infeccionadas por um anel de ferrugem.

O avião se chocou contra uma bolsa de ar. Joyce engasgou, levou a mão à boca, aprisionando a bile metálica que subira para sua garganta. Lá embaixo, muito embaixo, esparramavam-se as Midlands inglesas, seu quebra-cabeça de cidades pardacentas e campos esverdeados se desorganizou e depois se desmanchou. Joyce avistou os rosários reluzentes de carros, fileiras e mais fileiras, recém-saídos de uma linha de produção. Milhares de metros abriam-se numa voragem entre sua carne enfraquecida e os duros parabrisas; estava — ela percebeu, quando o avião mais uma vez sacolejava com vontade — absolutamente aterrorizada.

Aterrorizada com a ideia de mergulhar num estacionamento de hipermercado na saída de Coventry. Aterrorizada de imaginar sua parca bagagem de mão — uma muda de roupa, maquiagem inútil, dinheiro trocado — esparramada por um campo arado. Aterrorizada com o pensamento de ver suas tripas arrancadas por uma torre de energia, ou seus membros amputados por cabos de alta voltagem. Aterrorizada, contra todas as suas forças, por todos os quarenta e tantos passageiros naquele voo de Birmingham para Zurique, sem o mínimo motivo para recear a morte.

Mesmo assim, Joyce se curvava choramingando, enquanto homilias criadas por ela mesma — *O que for será* — vinham a seus lábios ressecados. Joyce queria seu pai, distante mas jovial — um lado de seu rosto inchado com a guta-percha usada para substituir o osso malar pulverizado na França, o outro suavemente benigno. Joyce queria estar de joelhos em um bosque pintalgado pela luz do sol antes da Segunda Guerra Mundial. Mas ele estava morto — sua mãe e Derry, também. E não podia haver conforto nos braços dos mortos: você não podia senti-los — e eles não sentiam nada.

Deus, então — ele impediria que caísse; Deus e os sons puros da humanidade incorrupta.

Até o fim de janeiro, quando ficou doente demais para continuar, Joyce fora uma das Bournville Singers, que estavam ensaiando o *Réquiem* de Mozart na cantina do Instituto. Ninguém — incluindo seu diretor insuportavelmente vaidoso, Tom Scoresby — podia ter exigido que a performance delas fosse a mais fiel ou a mais melodiosa do mundo; porém, mesmo com um balcão de servir comida como pano de fundo, flutuaram em excelsa glória.

Requiem aeternam dona ets, Domine. Homens atarracados de camisa semiaberta — alguns, antigos trabalhadores da indústria automotiva, outros, profissionais de classe média aposentados —, seus peitos arquejantes; depois Joyce e as outras ascendendo na escala, anelantes: *et lux perpetua luceat ets*... Ela tentava não olhar para Scoresby, sua colcheia de cabelo prateado subindo e descendo enquanto gesticulava para suas cantoras, mas antes concentrar-se naquelas lindas tremulações sonoras, acordes alçados acima das nuvens, de modo que os anjos pudessem erguê-la aos céus. *Concede-lhes repouso eterno, Senhor, e que a luz perpétua os ilumine.*

Foi a coisa mais estúpida entrar naquele voo; e a mais *cretina* não ter apreciado *tudo* antes de ir — a fileira de potes de vidro sobre a prateleira da cozinha, arroz, cevada perolada, farinha, açúcar —, mas considerar toda aquela maravilhosa ordem desapaixonada como favas contadas.

Se eu sair viva daqui de cima não vou cometer uma besteira dessas outra vez, ah, não.

O avião emergiu num oceano de ilhas enevoadas, depois abriu caminho em meio à luz de um sol extraterreno. Um alívio reverberou audivelmente pela fuselagem. A aeromoça desafivelou seu cinto e se levantou, virando para os lados, alisando a saia.

"Água, mãe?", voltou a perguntar Isobel, suas feições rechonchudas estufadas com a guta-percha da preocupação.

A ansiedade mais imediata se esvaiu de Joyce, a fumaça escura se dispersou, deixando atrás de si a negra verdade: a náusea, o arame, a distensão, a lassidão. *Que troço louco, puta insanidade irracional essa preocupação de morrer agora, já que daqui a algumas horas vou mesmo morrer, com certeza.*

O resto do voo foi sossegado. Estava fora de cogitação para Joyce aceitar o nojento rolo branco com queijo derretido — uma bebida alcoólica era impensável. A aeromoça — *talvez ela saiba* — não parava de vir pelo avião para perguntar, "Ela está... sua mãe? Ela está bem, não?" Então ela e Isobel — as duas, pensou Joyce, um pouco bovinas — mugiam: "Quer um pouco d'água?"

Água! Joyce tinha certeza absoluta de que se molhara na decolagem. Quando saíam de casa, e ela havia trancado a porta pela última vez e dado as chaves para Isobel, Joyce foi tomada por uma raiva vergonhosa. *O que ela vai fazer com as cortinas boas e as capas de sofá? Os discos do pai dela e os vidros venezianos?* Ela viu tudo aquilo — a despeito de suas instruções meticulosas — enfiado em caixas de papelão diante da loja de Sue Ryder, em Shirley.

No momento em que Joyce recuperara o autocontrole, estavam em um táxi a caminho do aeroporto — e era tarde demais para voltar e buscar os absorventes de incontinência urinária. E agora, bem, devia haver uma mancha escura no estofamento azul-claro da companhia aérea. *Que vergonha.*

O avião, gemendo, se preparou para descer ao solo. Colinas arborizadas, campos vazios, estradas largas fluindo entre os celeiros metálicos da indústria leve. As casas eram tão prosaicas quanto as que haviam deixado para trás. Nenhum sinal do Matterhorn — ou dos Alpes verdejantes. Nenhuma neve — mas estavam em março —, nem relógios cuco, ou chalés com largos beirais de madeira, ou Heidi correndo com as cabras, ou barras de chocolate empilhadas como lenha. Os únicos clichês eram o aeroporto, a pista, o avião freando e parando, o copiloto anunciando: "Bem-vindos a Zurique, senhoras e senhores, a hora local é 11h48. Espero que tenham apreciado o voo conosco hoje e em nome da tripulação gostaria de lhes desejar uma boa viagem daqui para a frente."

Joyce, que sempre fora uma mulher alta — uma mulher *pernuda*, segundo Derry, e ela gostara de ser chamada assim —, não conseguia se desvencilhar do assento da janela sem Isobel puxando, e a aeromoça, que passara ao assento de trás, empurrando.

Um instante antes de se levantar, com um esforço colossal, Joyce ergueu o traseiro e enfiou um guardanapo embaixo. Por um fugaz segundo sentiu uma fé comovente nos poderes de absorção do papel, mas quando olhou para trás lá estava a óbvia poça de urina. A aeromoça devia ter visto, mas mostrou tato — uma característica suíça, supunha Joyce — e se ofereceu para ajudá-la com o casaco, indicando que compreendia a necessidade de esconder a enorme mancha atrás de sua saia.

* * *

O dr. Phillimore — que Joyce conhecera quando ele chegou no Mid-East, um ano antes de ela se aposentar — soubera perfeitamente bem por que ela queria uma carta especificando os detalhes de seu câncer, sua provável evolução e o prognóstico preciso. Embora não tivesse grande respeito por ele como profissional — Phillimore tinha um jeito brusco e presunçoso —, de início Joyce sentiu-se meramente grata por ele não tentar dissuadi-la; isso queria dizer que, a despeito da pouca atenção que dera a seu caso quando podia ter esperado mantê-la viva, agora que ela estoicamente optara pela morte ele iria ajudá-la à maneira Antiga.

Assim, nada de agradecer pelo excelente paliativo da equipe médica — que de todo modo teria sido completamente falso. Embora fizesse uma década que Joyce não tinha qualquer voz ativa na administração do hospital, ela mantinha contato com antigos colegas no Mid-East e sabia da condição precária dessas coisas. Phillimore tampouco a lembrou dos muitos asilos com os quais o hospital mantinha boas relações de trabalho; também não conversou com ela sobre os tremendos avanços no trato da dor, que permitiria a Joyce o lúcido repouso de um Sócrates até ela dar seu último suspiro.

Foi só quando Joyce arrastava os pés pelo corredor — agradecida pelo corrimão na parede que ela própria mandara instalar — que lhe ocorreu que Phillimore, longe de lavar as mãos, talvez apoiasse ativamente sua decisão: não por razões filosóficas, mas apenas porque a remoção dela aliviaria sua carga de atendimentos, possibilitando a ele — uma flecha gorducha com sua plumagem de jaleco branco — permanecer restrito aos círculos concêntricos do orçamento alocado e atingir suas metas na mosca.

Isobel se insinuou sob um braço, a aeromoça se curvou sob o outro, Joyce arrastou suas botas de cano curto pelo concreto da pista para entrar no micro-ônibus. Dentro dele homens e mulheres de negócios em roupas pretas seguravam ansiosamente seus celulares. Ignorando sua impaciência e a abrasão úmida em sua calcinha, Joyce parou por um instante, saboreando o cheiro mineral penetrante de combustível para avião, a pulsação do calor e o uivo reverberante da aeronave taxiando. Virou para olhar o avião que a trouxera, agora tolhido pela gravidade. Em sua cauda brilhava a compacta cruz branca em fundo vermelho: era o oposto de uma ambulância aérea, pensou Joyce, trazendo-a ali com grande diligência de modo que pudesse desaparecer, não ser salva.

Kyrie

Senhor, tenha misericórdia das contas bancárias numeradas, da neutralidade e do ouro nazista... Joyce estremeceu no reluzente saguão de desembarque, depois começou a tremer de verdade conforme atravessavam a quieta área de lojas. Não restava outra opção senão — *Christe eleison* — permitir que sua filha *prosseguisse com aquilo.* Claro, portavam apenas bagagem de mão. Joyce podia até pretender ficar para sempre, mas conseguiria se virar sem uma muda de mortalha; enquanto Isobel tomaria um voo para casa no dia seguinte.

Não obstante, com sua mãe para rebocar, Isobel tinha de encontrar um carrinho de bagagem e pedir orientações — tarefas que desempenhava, aos olhos de Joyce, muito mal. Sua filha conseguia ser ao mesmo tempo espalhafatosa e ineficaz; movia-se com uma cadência triunfante fajuta em seus quadris largos. Seu trajar, botas curtas de salto alto, jeans apertados e jaqueta de couro justa, parecia concebido para enfatizar como estava acima do peso. Ela herdara — pensou Joyce, não pela primeira vez — a compleição taurina do pai, mas nada de seu encanto.

Enfim, estavam em um táxi, um Mercedes tão aconchegante e preto quanto uma *bota ortopédica. Você não vê elas mais por aí — todas as vítimas da epidemia de pólio do pós-guerra; cresceram — morreram, eu acho.* Enquanto o táxi avançava, Joyce censurava a si mesma. *Pare de criticar Isobel: isso é mais difícil para ela do que é para você, porque ela não é como você. Ela vai ter que voltar pra casa sozinha — e na verdade não tem casa pra ela voltar. Nenhum namorado — uma transa, nada. O que ela está fazendo da própria vida? Um projeto fotográfico ou sei lá o quê — uma instalação, como ela diz. Palavra esquisita, mais militar que artística.*

Neubahn Birchstrasse. Glattalbahn, Flughofstrasse. Até as palavras nas placas pareciam pesadas, com suas vogais corpulentas e consoantes atarracadas. Os blocos de prédios de apartamentos e fábricas dos dois lados da rodovia eram gordos como a nuca do taxista.

Isobel contara a sua mãe que estava fotografando meticulosamente o conteúdo de algumas salas no distrito do Soho, em Londres, salas que haviam sido lacradas décadas antes. Ela se mostrara cada vez mais animada ao descrever o escritório abandonado do sr. Vogel, que estava atulhado de mimeógrafos, carimbos de borracha, máquinas datilográficas e todo tipo de equipamento de escritório da década de 1950 — e até anterior —, tudo ainda encaixotado.

Joyce ficara balançando a cabeça, fazendo ruídos encorajadores, enquanto Isobel explicava que o dela era um inventário visual de objetos que haviam, de certa forma, desafiado o tempo. Mas sério, pensara sua mãe, isso era um *absurdo*, não era trabalho de verdade — e certamente não era arte —, estava mais para um tipo de *brincadeira* a que a menina crescida se entregava, e que iria contar com a conivência de diversos órgãos públicos — faculdades, conselhos, bibliotecas —, quando bolsas lhe fossem concedidas.

Cristo, tenha piedade de nós! Que coisa mais enfadonha: o mergulho em um pequeno túnel sob a colina arborizada.

Quando, no alto do céu, Joyce ficara *com um pavor ridículo* de morrer — embora nem por um segundo considerando o estouro de todos aqueles outros mundos-bolha de pensamento, cada um tão frágil e inteiro, cada um refletindo brilhantemente a inteireza dos demais —, o medo encobrira a mundanidade de sua própria morte bem assistida, que a envolvia de todos os lados, agora, como uma neve suja e gelada cobrindo as margens.

Isobel tirou o celular e ligou. Joyce falou sem pensar, "Por favor, Isobel, a gente concordou —".

"Só queria ver se tinha sinal, mãe", começou ela, muito calmamente, para então engasgar na escala: "Pode ser. Que eu precise. Fazer uma ligação — mais tarde. Amanhã. Sabe", até chegar à nota alta das lágrimas. De repente Isobel era uma garotinha outra vez, sentada no chão de seu quarto, a mínima perturbação de uma cena com bonecas minúsculas tendo provocado essa dor imensa. Então, veio — ou, antes, Joyce se moveu muito levemente nessa direção. Da sombra de sua própria morte, Joyce arrastou-se para o sol baço do amor pela filha que gerara e nutrira.

As duas mulheres choraram nos braços uma da outra, indiferentes ao progresso do táxi, que descia a colina entre casarões prósperos, depois blocos de apartamentos, depois a ampla extensão verdejante do campus universitário. Um bonde passou em direção oposta, seu *clang-ting* ecoando no ar, e à direita da estrada brilhava o rio Limmat, acariciado na mesma luminosidade que brincava sobre os domos, campanários e torres da cidade velha de Zurique.

Joyce havia lido — pois isso era o que haviam lhe dito para fazer — uma seleção da literatura relevante. O câncer de fígado e a iminência da morte em si — essas coisas iriam, haviam lhe dito, sugar todas as suas energias. O mundo cotidiano iria, quase confortavelmente, desaparecer, a entrega do leite e a restituição do imposto de renda assumindo o caráter de abstrações metafísicas, agora que as incógnitas mais importantes estavam a ponto de serem cógnitas.

E no entanto... e no entanto, não fora nada como isso. De fato ela se vira apanhada — perdida, até — na folgada sotaina da morte, suas pregas ao mesmo tempo pesadas e invisíveis, mas não havia escapatória do trivial, do feio, do banal.

Quando estavam em Birmingham haviam discutido sobre o hotel. Isobel preferia algo com todo o aparato de um quatro estrelas, enquanto Joyce estava decidida pela frugalidade: não porque quisesse se privar de confortos — que diferença fazia? —, mas porque queria, mesmo nessa derradeira hora, fazer uma homilia final para sua filha única sobre as virtudes da parcimônia.

"Por quê, mãe? Por que você quer passar a noite numa pousada mixuruca?" Isobel dissera isso sentada na frente do PC, que ficava sobre a velha escrivaninha no quartinho que seu pai usara como escritório. "Esse lugar", ela bateu na tela com a ponta do dedo, "deve ser bem gostoso —".

"Gostoso?"

"Bom, estiloso."

Estiloso. Joyce fez uma careta. Certo, ela compreendia que não devia estar sendo fácil para sua filha, mas será que ela própria tinha de organizar cada mínimo detalhe? Esse era para ser um pequeno problema logístico — reservar a antecâmara da morte —, mas por trás dele Joyce percebia os rincões psíquicos de Isobel como um conjunto de incontáveis escritórios, ocupados por funcionários incompetentes e acomodados, todos incapazes de mostrar a *iniciativa* de pedir um cartucho de toner para a fotocopiadora sem a coordenação diligente de Joyce.

O prontuário detalhado de Phillimore tinha de ser obtido, e a certidão de nascimento de Joyce. Havia os primeiros telefonemas para a Suíça, seguidos do vaivém de e-mails arranjando datas e detalhes. Depois as visitas domiciliares tiveram de ser providenciadas. Vieram enfermeiras de asilo treinadas, atuando como profissionais do serviço social. "Assistentes de suicídio", era como chamavam a si mesmas, no que Joyce pensou como uma típica característica prática suíça. Tudo isso ela tivera de fazer sozinha, a tácita verdade sendo que, caso Joyce deixasse o tempo passar, Isobel se provaria totalmente incapaz.

Joyce recebera o diagnóstico inicial em setembro do ano anterior, mas na época, pouco antes do Natal, haviam lhe dado seis meses de vida. Que presente. Dado por Phillimore, a contragosto, de uma forma que, pensando a respeito, ela imaginava que ele considerava à altura da postura prática e séria dela: "Mesmo com mais quimio, Jo, cinquenta por cento das pessoas com esse tipo de câncer morrem em seis meses." *Jo! Jo! A desfaçatez do homem.* Que presente. Que época. Esperança nenhuma.

Embora ainda fosse início de março, Joyce não se sentia *muito mal.* Ela podia, sob outras circunstâncias, mais fáceis de delegar, ter ficado para a primavera, a fim de ver os jacintos e narcisos que plantara — um ato devoto, ajoelhada, as mãos unidas na terra rica em minhocas — crescendo no jardim. Ficado para ver as cerejeiras em flor aformoseando o subúrbio. Ficado para escutar o *Réquiem* de Scoresby — e dela também — sendo executado no Adrian Boult Hall. *Kyrie eleison.*

Podia, não fosse o fato de Joyce ter visto suficientes pessoas morrendo de doença terminal para não gostar nem um pouco de sua normalidade pavorosa e sorrateira: a despeito do abismo negro abrindo-se à plena vista, ainda havia aquela xícara de chá à mão, para tomar ou desdenhar; e desse modo eles a bebericavam — até ser tarde demais.

Podia, não fosse sua experiência profissional com médicos e sua solicitude, que nada mais eram que os irrelevantes aparatos da morte, prateleiras e estantes nas paredes de terra da toca de coelho onde você desabava. Quanto aos tratamentos — o que são? Um pote de marmelada que você segura enquanto afunda — depois deixa cair.

Podia, não fosse o fato de Isobel ser incapaz de preencher um formulário direito, e ter trazido os papéis do pedido de bolsa consigo — junto com a roupa para lavar — ao voltar para a barra da saia da mamãe, em Brummie.

Esperando sobre as pedras do calçamento da Rennweg, diante do Widder Hotel, Joyce sentia a fria fricção de sua calcinha suja e se condoía subitamente da *criatura atarracada* que pagava o táxi com francos suíços cor de terra. Isobel, que tentava convencer sua mãe da excitante vida boêmia que levava em Londres, mas cujos relatos esbaforidos das baladas no notório Plantation Club caíam em ouvidos moucos de ceticismo: "E o Trouget, sabe, ele foi, tipo, a alma do lugar por vários anos... até que ele morreu."

No penúltimo Natal, Isobel aparecera em casa com Hilary, o dono do clube, que, embora nem de longe tão andrógino quanto seu nome, era *uma bicha óbvia.* Ele tomou a maior parte de uma garrafa de brande, embora permanecendo o perfeito gentleman. Isobel, *babando em cima dele*, matara o resto.

Hilary depois molhara a cama no quarto de hóspedes, e às seis da manhã no dia seguinte, Boxing Day, Joyce desceu e encontrou Isobel na área de serviço, esfregando o colchão enquanto a roupa de cama girava na máquina. "Por quê?", é tudo que sua mãe dissera. "Por que não consegue fazer isso sozinha?"

Essas amargas ruminações ocupavam Joyce enquanto sua filha completava as formalidades do check-in: passar o cartão de crédito de sua mãe, copiar os números de seus passaportes. O recepcionista não era nenhum alpinista de olhar empedernido, mas um *tipinho* de cabelo preto e pele amarelada. Relanceou Joyce, a certo momento, verificando que de fato existia, e ela pensou, *ele sabe*: sua pele amarela *se comunicou* com a pele ictérica dela.

O Widder era um bloco de antigos prédios residenciais que os arquitetos, valendo-se de vigas de aço e lajotas de mármore em padrões xadrez, haviam interligado. Os corredores foram transformados em passagens que atravessavam cistas envidraçadas; no fim destas ficavam elementos da alvenaria, preservados sob holofotes. *Estiloso*. Isobel conduziu sua mãe de um lado para outro, os saltos fazendo *clop-clop*; dispensara os serviços de um camareiro, então se perdeu um pouco para encontrar o elevador.

O quarto *estiloso* de Joyce era ao mesmo tempo gelado e abafado. Havia quatro janelas amplas dando para a rua e, do lado oposto, armários de madeira clara com portas de vidro e prateleiras espelhadas. Na área de estar, em um canto do quarto longo e retangular, brilhava a poça fria de uma mesinha de centro com tampo de espelho. Havia uma mesa com tampo de espelho cascateando no meio do quarto; além dela, ficava a cama branca de cabeceira espelhada. Com as impessoais posses funerárias deixadas para seu ocupante — chocolates, vinho, frutas e flores —, o Quarto 107 era um compartimento pavoroso para se estar enfim quase só.

Joyce observou seu pequeno corpo de senhora de idade cambalear para o banheiro. Depois observou mais um pouco enquanto abria as torneiras e afundava no vaso; observou-se levando quinze minutos para conseguir se desvencilhar de suas roupas malcheirosas, depois depositar seu corpo amarelo na banheira amarela.

Isobel chamava de cinco em cinco minutos: estava ansiosa por causa da porta trancada. *Preocupada com o quê? Não pode estar com medo de que eu morra, pode?* Joyce deitou vestindo sua camisola favorita, a cama fria, o receptor do telefone a seu lado sobre o travesseiro: o amor reduzido a um *consolo* preto de plástico. *Será*, pensou Joyce, *que minha filha baladeira ficaria chocada em saber que já usei um*?

Parecia desnecessariamente cruel para Joyce que essas últimas horas de sua vida devessem ser passadas não apenas sozinha, mas divorciada de qualquer um que a tivesse conhecido como uma pessoa verdadeiramente vital, propriamente sensual; qualquer um que a tivesse tocado e abraçado. É só isso que eu quero, Joyce segurou o bastão negro, *ser abraçada mais uma vez. Nem me importo com quem for. Só ser abraçada.*

"Já tomou o comprimido pra dormir, mãe?" O receptor ressoou com minúscula preocupação. "Ou a morfina?"

Na falta de coisa melhor, Joyce tomara ambos. Não que realmente precisasse do analgésico, mas nas duas últimas semanas descobrira que atenuava a ansiedade de pegar no sono. Sem o temazepam, não conseguia dormir — e com isso sua visão se estreitando era uma catacumba povoada de cadáveres ressecados, levando a uma planície escura pontilhada de crânios espalhados.

"Tudo bem, Isobel", sussurrou Joyce. "Só quero dormir, agora, por favor... Por favor, não me incomode."

Por que relutava em conceder à filha única algum tipo de conforto nessa hora final? Por que não conseguia ser uma boa mãe? Claro, não fora fácil ficar entre Derry e Isobel — que tinham sido tão próximos quanto um pai dedicado e uma filha única podiam ser —, mas fora Joyce quem costurara as etiquetas com nome em suas roupas, pusera dinheiro para o lanche no envelope e estivera presente para consolar o pequeno cisne em tutu e malha quando chorava por não ter obtido o papel.

Era tarde demais agora para fazer um balanço disso tudo. O intervalo entre os narcóticos estava cada vez mais estreito... Joyce já não conseguia enxergar o telefone; seu campo visual era uma fenda, onde ficavam o Cartier que Derry lhe dera de presente no aniversário de vinte e cinco anos de casamento deles, um relógio digital, o tubo plástico de comprimidos com *a etiqueta com seu nome costurada nele*, o frasco marrom rotulado "Oramorph 5mg solução", o abajur no criado-mudo — um tubo translúcido, seu filamento um nematoide incandescente —, a janela, que estava entreaberta.

Da rua abaixo subia o clique de pés robustamente calçados pisando no calçamento e a tossida torácica de Schweizerdeutsch. Joyce imaginara — o quê? Que poderia se aventurar por aí? Que ela e Isobel visitariam a Fraumünster, sairiam para admirar os vitrais de Chagall? Depois, mais tarde — o quê? Um lauto repasto em algum restaurante forrado com painéis de carvalho, um bife do tamanho de uma tábua encimado por um punhado de manteiga do tamanho de uma maçaneta?

Depois do entrevero acerca do hotel — e da relutante concessão de Joyce —, ela havia lido o guia. De modo que sabia o que esperar de Zurique: bem construída, ordenada — quase bonita, com sua localização entre colinas verdejantes e em ambas as margens do Limmat, o pequeno rio de águas lépidas que desembocava no lago comprido. O Zürichsee, com seus barcos de lazer, suas praias de banho, suas ilhotas ocupadas por milionários reclusos.

Zurique, percebeu Joyce, era uma cidadezinha rural disfarçada de capital financeira mundial — ou talvez fosse o contrário. Em todo caso, ali as correntes frias e profundas do dinheiro eram turvadas na superfície por marolas de tépida liberalidade, enquanto os Zürichers ocultavam sua avareza sob a máscara da polidez.

A benzodiazepina afagou os lobos frontais de Joyce, a morfina acariciou seu córtex. Na fenda, os números vermelhos do relógio digital piscaram 14h18, depois, 15h18.

Zwingli, pregando na Grossmünster, oscila suavemente em uma longa batina preta, seu rosto pálido erguido em direção a um raio vertical de luz ainda mais pálida.

O batismo é uma aliança entre Deus e o Homem, diz ele, fazendo da fé um contrato; é uma ideia que atrai os burgueses pragmáticos que sentam nos bancos. O sacramento é simbólico, diz Zwingli, está mais para um lembrete do que para uma recriação. Mais uma vez isso cala fundo no coração dos Zürichers, engrenados como são com o progresso do tempo, os dentes avançando de momento em momento. Quanto à música na igreja — por acaso não é isso a mais óbvia distração, pergunta Zwingli. Ora, jamais permitiríeis um alaudista em uma casa de contabilidade, ou um tambor sendo martelado para acompanhar o pesado compasso da cunhagem, não é mesmo?

Isso também os Pais da Cidade engolem — pois ele é um sujeito carismático, esse padre, sua santidade tão impecável quanto seus talentos instrumentais —, pois ele é capaz de tocar como um anjo a flauta e o cravo. Ao mesmo tempo em que prega contra a música litúrgica, Zwingli não consegue evitar que fiquem enfeitiçados com sua figura angulosa oscilando ali em seu holofote natural.

Ba-ba-ba-ba-baaa. Babba-daaa... Zwingli balança. Como chamavam? As garotas de cabelo comprido alisado, os homens com pulôveres de gola olímpica combinando. The Swingle Singers, era isso — mas isso foi depois, no Top of the Pops, *no clarão prateado e esfumaçado da tevê em preto e branco. Eu quero antes — a noite de skiffle, no Locarno Dance Hall. Derry dizia que não era música de verdade, mas, por mais crítico que fosse, ele adorava sair dançando comigo pela pista, punhados de crimplene estalando nas mãos. Mais tarde, uma xícara de chocolate no Kardomah, na New Street. Mais tarde ainda, entrando na quitinete dele escondidos da senhoria, a tremenda dádiva de seus dedos... Kyrie eleison... Christe eleison.*

14h21. Joyce dormia. Meia hora depois a chave mestra girou na fechadura e Isobel entrou na ponta dos pés. Ela se curvou junto à cabeceira da cama, seu cabelo tingido de loiro roçando o pescoço dela, e escutou a respiração monótona de sua mãe. O camareiro ficou parado à porta, absolutamente indiferente em seu uniforme listrado do hotel.

Isobel virou-se para ele. "Está dormindo", disse, e, pegando o fone sobre o travesseiro, pôs de volta na base. "Mas vou ficar um pouco com ela."

Ele saiu, e foi isso que ela fez. Sentou e, com os passos do lado de fora ficando cada vez mais dispersos, chorou. O nevoeiro subiu da superfície do lago, infiltrando-se nos ventos estreitos da cidade velha, espremendo-se contra as vitrines das butiques de lingerie ao longo da Rennweg, impondo sua mortalha cinzenta de recato às impudentes modelos de plástico.

Pela manhã, a névoa continuava ali; a luz do dia brigando para iluminar as fachadas dos prédios e as janelas vazias. Ao acordar, Joyce lembrou o que dissera o motorista do radiotáxi que as levara até o aeroporto.

A A45 estava entupida como sempre e ele não parava de mudar de faixa, acelerando e freando tão bruscamente que a cintura inchada de Joyce era pressionada desconfortavelmente contra o puxador da porta. "Por favor", ofegou ela. "Por favor, olha, não tem pressa — a gente ainda tem tempo de sobra."

"Claro, claro", respondeu ele; a beligerância evaporou de seu corpo e seus ombros desabaram atrás do volante. "Ninguém vai morrer."

Isobel se encolheu, enquanto Joyce pensou: por que até mesmo as pessoas mais próximas de mim encaram minha morte como uma coisa socialmente constrangedora?

Levantando em lentos estágios, Joyce percorreu a lista de itens confirmando que não estava em condições: a cabeça latejando e o arame em sua uretra, a dormência dolorida em seus dedos das mãos e dos pés, a cruel obstrução em seu esôfago e a gravidade malévola de seus órgãos internos.

Manquitolou até o banheiro e puxou a correntinha da luz. A mulher no espelho, com seu esparso solidéu de cabelo grisalho, parecia a mãe da Morte.

Não muito depois de ter sido diagnosticada, quando ainda fazia as inúteis quimio e radioterapia, Joyce começara a se admirar desse aspecto de sua doença. Durante toda a sua vida estivera empenhada em uma conversa secreta com seu corpo; sussurros relativos à remoção de muco, absorção da menstruação e evacuação de intestinos; visitas a clínicas para espremer cravos e arrancar pelos indesejáveis. Nisso, presumia Joyce, não era diferente de ninguém. Mas agora esse bate-papo fora silenciado. O corpo de Joyce se rebelara. A respeitável classe trabalhadora das células hepáticas fora tomada de fúria frenética, destruindo a refinaria química onde laboravam, para então tomar as sanguíneas avenidas e levar seu furor à vesícula biliar, ao intestino e aos pulmões. Não parariam enquanto não derrubassem a soberania da consciência em si, substituindo-a por suas próprias massas ruidosas de tecido cancerígeno.

Urinando, depois se limpando, depois lutando para escovar os dentes, Joyce vacilou mais uma vez sob o terror revolucionário, e assim lembrou que dia era aquele, e por que estava em sua familiar camisola roxa, tremendo naquele estranho banheiro amarelo.

A iminência de sua morte — e o fato de que ela, pessoalmente, agendara o matadouro — era uma pancada na cabeça *da pobre vaca*. De modo que ficou sentada, estupidamente soturna, enquanto sua filha ordenhadeira a ajudava a se vestir para o abate.

Isobel, que mal dormira, a despeito dos quatro extorsivos gim-tônicas no bar do hotel, parecia igualmente atordoada. Por mais ridículo que fosse, estavam atrasadas, e os dois cafés continentais que pedira permaneciam intocados nas bandejas forradas de linho branco.

"Mãe, pedi para chamarem um táxi pra gente", disse. "Deve chegar logo. Desculpa, mas acho que não dá tempo..." Fez um gesto desamparado para os croissants, as fatias enroladas de Emmental e presunto defumado, o suco de laranja fresco. Joyce ignorou a gafe do café (*Mesmo assim, quantas vezes falei pra ela que é para eu ir de jejum...*), "Bom, querida, mais tarde você vai ter que correr, se quiser fazer a mala e entregar as chaves sem pagar uma diária extra."

Essa parcimônia, Joyce sabia, era desumana — e contudo demasiado humana.

Isobel começara a chorar incontrolavelmente. *Mas a gente repassou tudo isso um milhão de vezes!* Assim como Joyce submetera sua filha a inúmeras instruções no escritório de seu pai, de modo que fosse capaz de encontrar todos os documentos necessários para a legitimação do espólio, ela também ensaiara essas derradeiras horas e minutos, planejando cada movimento com precisão e cuidado, quase escrevendo as falas de cada uma.

Joyce compreendia intuitivamente o que todo carrasco logo descobria: uma coreografia perfeita é essencial se você pretende evitar desordem e histeria. Assim, embora apressada para a extinção devido à incapacidade com horários de sua filha, Joyce estava determinada a manter a frieza.

Pois os fatos eram estes: excetuando os anos pré-escolares de Isobel — o início dos anos setenta, uma boa época para dar uma pausa na carreira —, Joyce passara toda a sua vida profissional na administração hospitalar; no fim, terminara gerenciando uma enorme organização, responsável por muitas equipes e pacientes. Esperava ter trazido toda essa competência para sua própria morte.

Joyce se levantou com esforço. Estava usando suas botas de cano curto confortavelmente forradas, um elegante conjunto de tweed, meia-calça escura e uma blusa de seda creme. O broche de esmeralda que Derry lhe dera no aniversário de vinte anos de casamento estava preso em sua lapela. Não se dera ao trabalho de pôr um absorvente de incontinência urinária; *não tem mais o que sair.* Sua boca estava pavorosamente seca; haviam dito, nada de líquidos ou sólidos antes de chegar à Gertrudstrasse, 84, *mas isso não devia incluir Polos, ou incluía?* Joyce puxou um dos pequenos dropes brancos circulares e o enfiou entre os lábios rachados; depois, quando se dirigiam ao elevador, trabalhou-o com a língua, saboreando a dissolução do sumo mentolado.

A sua volta, o som metálico de elevador e depois o frio do saguão. A equipe do Widder que abriu as portas *sabia. Eles sabem.* A cada encontro, um familiar *Grüezi* ou um animado *Guten Tag.* Então Isobel e o porteiro conferenciaram aos sussurros acerca de seu destino.

"Viver com dignidade, morrer com dignidade." Esse era o lema deles. O que Joyce mais apreciara durante o acerto do serviço com os executores que escolhera era o compromisso deles com a proficiência. Toda forma de comunicação foi breve e direto ao ponto. Ela fizera o depósito de 3.500 euros semanas antes. A prescrição de 25g de fenobarbital sódico, bem como o atendimento do médico e da assistente de suicídio, fora organizada de modo brusco e competente.

Joyce repreendia a si mesma, pois, afinal, não amara e fora amada? Não correra, nadara, sentira cheiros? Talvez não tivesse tido tudo que queria — mas contara com tudo de que necessitara. Porém, lá estava Isobel, em desalinho, sua bolsa como uma cesta de palha aberta, onde a desordem de sua vida — pacotes e mais pacotes de chiclete, cigarros *e* adesivos de nicotina, peças de roupa soltas, bijuterias inócuas — ficava exposta para quem quisesse ver.

À medida que o Mercedes-charrete dos condenados rodava pelas pedras da Rennweg, depois avançava pela Sihlstrasse, Joyce se admirava de seu próprio distanciamento frio: Isobel e todas as suas paixões descontroladas — a bebida e, sem dúvida, as drogas, os namorados gays e as dívidas insolvíveis — eram um problema administrativo que Joyce fora incapaz de passar à bandeja de SAÍDA antes de morrer. Isobel, que estava chorando outra vez — embora sua mãe, mesquinhamente, tivesse certeza de não passar de autopiedade —, continuava PENDENTE. Joyce tinha tão pouca fé nela que decidira passar sem um enterro: por mais meticulosas que fossem suas instruções, Isobel fatalmente *faria alguma merda.*

A névoa pairava baixa sobre a cidade, de modo que os cabos de bonde sublinhavam sua obscura notação.

Joyce havia lido no guia turístico que os Zürichers usufruíam da melhor qualidade de vida do mundo. Não pareciam estar usufruindo muito disso nessa manhã, aquelas aparições vestidas de preto, andando apressadas em meio à bruma cinzenta. Mesmo assim, a limpeza das ruas, o asseio da população, a eficiência da infraestrutura — *você nunca está mais do que a cem metros do ponto de ônibus, bonde ou trem mais próximo* — eram patentes ao olhar. Era completamente diferente da extravagância de Birmingham, uma cidade, pensou Joyce, que por mais que *se empetecasse*, parecia sempre ter acordado do lado errado na cama da civilização, cambaleando por Middle England e chutando os conjuntos habitacionais e hipermercados para fora da rodovia.

Curto e grosso: Joyce decidira que não queria mais conviver com aquela cidade em metástase, assim como não queria sofrer o tormento e a indignidade de seu câncer. Mas se pudesse ter continuado com essa ordem desapaixonada? *Bom, talvez...* Entretanto, tais especulações não vinham nem remotamente ao caso — *tarde demais*, porque haviam entrado na Gertrudstrasse, uma rua de inconspícuos blocos de apartamentos de cinco andares, e o táxi parava agora na frente do mais pedestre deles todos: um exercício enfadonho no domínio das linhas retas, que não teria parecido deslocado no Bull Ring.

"Em cada passo do procedimento é, como diz, a praxe — além de ser nossa responsabilidade legal —, lembrar você exatamente do que está fazendo. Entende?"

"Certo."

"Este líquido é um antiemético, é necessário que você beba tudo, sim?, e também que coma o máximo de chocolates que puder; caso contrário pode acontecer de você, como diz —"

"Vomitar."

"Exatamente isso, vomitar o fenobarbital. Infelizmente, no caso dessa medicação particular, é preciso tomar bastante, sim?"

O sotaque do dr. Hohl era suave e seu inglês de bom pano esticava-se sobre uma sintaxe alemã. Uma aparência em nada notável, o típico sujeito vagamente rotundo — perto dos sessenta, o cabelo cinza-acastanhado um tom mais escuro acima das orelhas alinhadas, as abas do paletó cinza-carvão apartadas pela pança — que se poderia encontrar em qualquer consultório comum, em qualquer parte do mundo desenvolvido. Sua medicalização era legitimada por um óculos bifocal de armação dourada e pelo pequeno broche de ouro na lapela, um caduceu.

Mas ali não era um consultório; era um apartamento de um dormitório no quarto andar de um prédio residencial em Zurique; e embora tudo tivesse sido feito para parecer, se não habitado, em todo caso habitável, a atmosfera desodorizada continuava decididamente comercial. Era, pensou Joyce, o local de trabalho de um osteopata, um curandeiro da Nova Era ou talvez — embora ela nunca tivesse visto uma coisa dessas — o melhor tipo de prostituta.

As paredes eram forradas de papel amarelo-claro, as cortinas eram de chiffon azul. Por uma porta aberta ela podia ver um pequeno quarto. Uma paisagem alpina pendurada acima da cama de solteiro com colchão grosso e uma colcha verde.

Os três sentavam em torno de uma mesa redonda, enfeitada por uma vela perfumada com uma coroa de flores secas na base. A papelada legal estava distribuída sobre a toalha xadrez azul e branca. Ao lado de sua certidão de nascimento original havia uma câmera de vídeo, dentro da qual uma micro-Joyce estava aprisionada por toda a eternidade, dizendo: "Quero deixar claro que minha morte foi totalmente voluntária e que ninguém me submeteu a nenhum tipo de pressão ou coerção."

Treu und Glauben, essa, ela sabia, era a concepção que os suíços faziam de si mesmos. Todo contrato era firmado na total boa-fé e com o crédito exigido; ler as letras miúdas era pôr em dúvida o caráter da outra parte. Fosse como fosse, ela já examinara a papelada — havia cópias reproduzidas no website da organização —, então assinou tudo — tudo exceto seu testamento, que trouxera consigo da Inglaterra.

"Muito bem", disse o dr. Hohl, pegando uma caixa de papelão prateada em um armário embutido, "agora aceita um chocolate, sim?".

Eram trufas espinhentas acondicionadas em papel de seda. Joyce pensou no Widder Hotel e nos chocolates cortesia sobre a mesinha de centro. Trufas, também — mas brancas, engaioladas em fios de açúcar caramelados. *Muito estiloso.* Ela e Derry tinham morado em Bournville durante quase trinta anos. Então, depois que ele morreu, três anos antes, ela ficou sozinha na casa idealizada. Nos dias em que o vento vinha do leste, o cheiro da fábrica de chocolate era trazido através das sebes de alfena e dos gramados aparados em listras. *Tudo era doce, doce, incrivelmente doce...*

O horror absoluto do suicídio acometeu Joyce como uma paralisia: sua mundanidade e sua profundidade. O grosso da vida, ela compreendia agora, era uma sucessão de coisas apagadas, uma ação cancelando a anterior. Agora, não. Tudo que estava fazendo tinha uma finalidade maquinal — *se pelo menos... se a vida pudesse ter sido desse jeito... essa intensidade*; e agora morrer com pessoas *não muito queridas*, muito menos amadas.

Ela pegou uma trufa e levou-a à boca. A trufa começou a se dissolver imediatamente. Como se um feitiço tivesse sido quebrado, o dr. Hohl voltou ao armário, apanhou um recipiente de plástico, abriu e começou a despejar colheradas do conteúdo em um copo, enquanto contava em voz baixa, "*Eins, zwei, drei, vier, fünf...*", até chegar a "*fünfzehn*", quando de algum modo ressurgiu à mesa, sentado, olhando para Joyce com seus olhos verdes orlados de dourado.

O dr. Hohl pousou o copo cheio de veneno ao lado dos papéis e disse, "Agora, o antiemético, sim?"

O gosto era repulsivo — ao mesmo tempo ferroso e orgânico. Joyce quase pôs para fora o remédio que devia impedi-la de vomitar. Daí a necessidade dos chocolates — encher sua boca com doçura, de modo que o amargor não a subjugasse.

"E outro chocolate, agora, sim?"

Joyce achou os modos do dr. Hohl irrepreensíveis: não mostrava a menor leviandade inconveniente, e contudo não era solene; profundamente interessado e absolutamente *presente*, embora sem qualquer intimidade. Fora capaz de consolidar todos os três numa equipe altamente efetiva nos poucos minutos desde que haviam entrado no apartamento. Evidência disso era que Joyce queria agradá-lo, então comeu outra trufa — embora sem vontade.

Apenas Isobel, percebeu Joyce, destoava. Sua filha sentava de lado na cadeira de espaldar reto, os ombros roliços caídos na caxemira azul-esmalte (suéter de Joyce), tremendo. Ela pressionava um chumaço de Kleenex contra o olho, enquanto um segundo punhado se desfazia em filamentos úmidos no local onde se alojara, na manga de seu cardigã. Isobel — que mal dirigira a palavra ao dr. Hohl — *nem se dava ao trabalho de ser educada*. Seu cabelo, Joyce observou, estava *um horror*: serpentes de Medusa em várias tonalidades de loiro, e *comprido demais para uma mulher na idade dela*.

Joyce empurrou o lodo de chocolate com um segundo gole do antiemético amargo. "Por favor, lembre", disse o dr. Hohl, "que em qualquer desses momentos, senhora Beddoes, pode fazer a mudança de ideia, sim?".

Ele havia dito isso pelo menos três vezes antes e, em todas as ocasiões, Joyce respondera, "Entendi." Era, ela percebeu, o próprio apelo e resposta do suicídio assistido: o dr. Hohl era o padre, anunciando o credo, e ela a congregação de um só que o afirmava solenemente.

Então, de repente, o antiemético havia terminado e restavam apenas três trufas na caixa. Joyce não conseguia se lembrar de ter comido e bebido tudo aquilo, mas seus dedos estavam pegajosos e seus lábios, grudentos.

O dr. Hohl adicionou água no copo contendo o fenobarbital, depois mexeu: *ting-ting, ting-ting*. Teria sido melhor, pensou Joyce, ter trazido Miriam, ou mesmo Sandra — qualquer uma, na verdade, menos Isobel, *que é simplesmente incapaz de enfrentar*.

"Talvez", sugeriu o dr. Hohl, "a senhora se acharia mais confortável no dormitório?".

"Não, obrigada", disse Joyce. "Prefiro ficar aqui, por enquanto."

"Nesse caso" — ele ergueu o copo com o líquido turvo — "devo lhe informar que se beber isto a senhora vai morrer". Ele o estendeu para Joyce.

O copo foi de uma frieza mortal ao toque; ela odiava a mão trêmula e ictérica que o segurava. Uma lembrança veio a Joyce, não de seu adorado marido, seu Derry, prestes a pressionar seus lábios nos dela, tampouco das feições lambuzadas de Isobel recém-nascida, mas de uma vespa debatendo-se contra a vidraça.

Fora no fim de outubro anterior, meras seis semanas após o diagnóstico. A quimioterapia tinha seus próprios e miseráveis efeitos colaterais, porém eles mascaravam apenas parcialmente os sintomas reais; ela sabia que não estava funcionando. A ação intermitente dos intestinos, as ondas de fadiga e terror, a bile ácida que subia quando cantava, "*Confutatis maledictis, Flammis acribus addictis, Voca me cum benedictis!*" E a insônia. Sentada no escritório, as cortinas abertas, ela se admirava do mundo torrencial do lado de fora; era como se os verdes, vermelhos e azuis nunca mais fossem voltar. Então, uma minúscula batida no vidro. Era a vespa — cansada, com frio, seu verão terminado — lutando por ser admitida no interior calidamente colorido.

"M-mãe." Isobel começara a pôr suas emoções em ordem. "Mãe." Ela deslizou um documento da pilha. "Você ainda não assinou isso e a gente precisa de mais alguém para servir de testemunha."

Era o testamento; a menos que a assinatura de Joyce estivesse nele, sua herdeira legal, Isobel, ficaria de mãos atadas e nesse meio-tempo *nada podia ser feito.*

Oh, oh — ooooh! Isso é porque nada disso foi como eu esperava. Onde estavam as trevas em rápida aproximação? A série de poderosas contrações que ela imaginara ligando-a ao mundo, agarrando e depois soltando, agarrando e depois soltando?

Joyce pousou o copo e pegou o documento. Dobrou as folhas no meio, depois começou a rasgá-las em pequenos pedaços quadrados. "Não vou", disse, dirigindo-se apenas ao dr. Hohl, "levar este negócio até o fim".

Ele não se abalou — e de um modo tão impressionante que Joyce quase se arrependeu. "Compreendo exatamente, senhora Beddoes", disse. "Estive pensando essa manhã que é cedo demais para a senhora, sim?"

"Pode ser, pode ser cedo demais", concordou Joyce, embora soubesse desde já que, uma vez tendo recusado o veneno, era capaz de nunca mais ter coragem de tomá-lo.

O dr. Hohl se levantou e, ofegando levemente, carregou o fenobarbital até as unidades de cozinha no canto da sala. Pôs o copo sobre o escorredor, pegou um funil e uma garrafa de plástico marcada GIFT em um armário, depois despejou o líquido dentro. "Compreenda", exclamou por sobre o ombro, "que o pagamento que a senhora efetuou não é reembolsável". Voltou e sentou. "Mas pode ser deixado como um depósito se acaso vier a fazer a mudança de ideia."

"Claro", disse Joyce, escolhendo as palavras com cuidado, "compreendo perfeitamente, doutor Hohl, e também aprecio muito o modo como tudo foi organizado pelo senhor esta manhã. Agora, se não se incomoda, poderia fazer a gentileza de nos chamar um táxi?".

Havia uma mulher idosa esperando pelo elevador. Ela usava um chapéu combinando com o casaco de material sintético marrom que parecia *suado*, e que parecia fazer suar quem o usasse. As três mulheres aguardaram no saguão cheirando a café da manhã, escutando os sons do edifício regurgitando o elevador. As portas se abriram e a mulher de idade, fitando Joyce fixamente com olhos de carvão cintilante, disse "*Bitte*" e gesticulou que entrassem.

"*Dankeschön*", respondeu Joyce, evocando cacos de aulas noturnas de alemão de duas décadas antes.

Na descida, a mulher examinou Joyce. Seu olhar era de uma vivacidade desconcertante: uma outra, muito mais jovem, perscrutava o mundo pelas duas cavidades oculares abertas no pergaminho de seu rosto. *Ela sabe... Ela viu, o quê, neste elevador? Sacos para cadáver com os ombros encurvados? Ela sabe — e aprova. Essa rodada contra a Morte eu ganhei.*

No saguão, a mulher desceu na frente, puxando uma bolsa de compras com rodinhas. Joyce observou-a se afastar e odiou a afinidade que sentiu. *Que diferença faz viver mais algumas semanas? Ainda vou ser como ela, uma coisa gasta e aprisionada.* Apenas alguns instantes antes Joyce fora uma heroína — *mas e agora, o que eu sou?*

Uma ambulância e uma viatura policial estavam estacionadas na rua. Suas equipes conversavam e fumavam perto dos veículos. Pareciam *surpreendentemente desarrumados*: pela blusa desabotoada de uma paramédica dava para ver a alça do sutiã; um dos policiais precisava se barbear. *Estavam me esperando.* Joyce imaginou se estariam aborrecidos com essa interrupção em sua rotina de trabalho, ou se estavam de plantão, e desse modo ficariam na Gertrudstrasse até o dr. Hohl — dessa vez com mais sucesso — ter metodicamente auxiliado outro caso terminal a beber seu fenobarbital.

Uma onda de exaltação arrastara Joyce para fora do apartamento no quarto andar e a despejara pelas comportas do elevador e do prédio. Na rua, a ficha caiu: era uma mulher doente e, embora não tão velha quanto a senhora da sacola de compras, bastante velha. Pediu o braço de Isobel. Isobel, sua filha, que ainda não se manifestara — que ainda precisava admitir a surpreendente revogação da execução.

"E agora", disse Isobel, "o que você vai fazer, mãe?".

O tom *não estava muito certo*; a mão que cobriu a de Joyce parecia hesitante e *desaprovadora. Ela queria que eu fosse até o fim — ficou irritada porque eu não fui até o fim!*

"O que você quer dizer?", falou Joyce. "Você está perguntando o que eu vou fazer com o tempo que eu ainda tenho antes de morrer ou se eu vou voltar pro hotel? Sabe, Isobel, vou dizer uma coisa, você não parece muito feliz por eu continuar aqui com você."

"Não... mãe, não foi isso que eu quis dizer, é só que —"

"Só que o quê? Qual das duas coisas você quis dizer?"

"É só que... É um choque — os planos que você tinha feito com tanto cuidado. Eu sei lá, eu — quer dizer —"

"Você preferia que eu tivesse ido até o fim, não é, filhinha? Isso teria sido melhor pra você, não é? Deixa eu adivinhar: você já tinha decidido quanto ia pedir pela casa, já tinha falado com um corretor sobre vender as ações do seu pai, você já tinha pensado em todas as coisas que ia fazer — não é isso?"

"Mãe, por favor..." Ela fez um gesto na direção da equipe de emergência. Eles encaravam as duas mulheres — Joyce se deu conta de que estivera quase gritando. Encarou-os de volta, com olhar duro: eles continuaram a encará-la. Deve ser o outro lado da moeda da probidade helvética, pensou Joyce, essa *grosseria* fácil. *Kyrie eleison.*

Sequentia

Não conversaram no táxi, que era um Mercedes idêntico, com outro suíço taciturno ao volante. Isobel chorava de novo, e ainda que Joyce tivesse se acalmado e estivesse preparada para perdoar a filha (*É o choque — eu estou em choque. Até pode ser autopiedade, no caso dela — mas ela é mesmo de dar pena, de qualquer jeito*), deixou que a filha macerasse na própria salmoura. *Como é irritante...* Apesar de tudo, havia um estranho elemento de empolgação: em vez de estar morta *em cima daquela colcha pavorosa*, Joyce tinha o dia todo pela frente; ela se sentiu como uma criança quando alguma confusão no olímpico cronograma diário dos adultos resulta num duplo período de liberdade da escola.

No Widder Hotel, o porteiro, o concierge e o recepcionista *Teste David cum Sibylla* olharam para as duas inglesas com indisfarçada surpresa, quando, de braços dados, fizeram seu titubeante progresso pelo lobby até o elevador.

"Mãe", disse Isobel, destrancando a porta do quarto de Joyce, "eu — quer dizer, a gente. Quer dizer, você tem uma passagem de volta também. Lembra — era mais barato. O voo está marcado para as duas, a gente precisa fazer a mala...". As palavras foram morrendo: sua mãe olhava para ela com expressão de censura.

"Não sei o que o seu pai teria dito do seu comportamento hoje." No momento em que falou Joyce percebeu que esse era um golpe baixo; Isobel, a despeito de todo o seu egoísmo, fora inabalável em seu amor por *ele*.

"M-mãe, isso não é justo!"

Isobel amara mais David: *nem poderia ser diferente*, mas *ainda assim doía*. Ela fora tão atenciosa durante a última, *pavorosa*, doença dele; enquanto que desde o Natal passara *no máximo* três fins de semana em Bournville. Joyce tivera de pedir a amigas para ir com ela ao hospital — uma coisa constrangedora.

"Não sei o que é justo, Isobel", ralhou Joyce com sua subordinada incompetente. "Só o que eu sei é que estou cansada" — pela porta aberta espiou roupas de baixo jogadas sobre uma cadeira, com um saco plástico ao lado contendo um absorvente de incontinência usado — "e vou deitar um pouco. Se quiser pegar esse avião, isso é com você. Ainda não decidi o que eu vou fazer, mas pode ter certeza de que, qualquer coisa que eu decida, vou ficar bem sem você".

Joyce entrou no quarto, fechou a porta com firmeza e trancou. Então se apoiou ali e ficou escutando a filha fungar como *um cachorrinho patético*, pedindo para entrar. Depois, enfim, Isobel se afastou.

* * *

O espelho atrás da pia duplicava os potes de pílulas, frascos, tubos e cartelas de comprimidos que Joyce tremulamente pusera ali ao chegar no dia anterior. Era o mesmo artifício usado em bares para convencer os fregueses de sua fartura alcoólica.

Diuréticos, antiácidos, pílulas para dormir, ansiolíticos, analgésicos e suplementos dietéticos — *marmelada agarrada ao cair*. Ela nunca questionara devidamente até que ponto aquilo tudo era certo: isso era *o que você fazia*, você tomava o que mandavam você tomar.

Na vitrine de um pet shop no centrinho comercial vagabundo de Selly Oak ela vira aquilo: *Petiscos de Fígado Scottie's*. Excrescências enrugadas, cor de sangue escuro, embrulhadas em celofane. *Isso é o que está acontecendo dentro de mim*. No começo, lançara acusações contra seu próprio corpo, observando-o definhar no espelho de corpo inteiro que herdara de sua mãe igualmente pernuda. *Foi você, você ou você?* Seios e ossos e sangue. Mas depois Phillimore confessara: ele não fazia realmente ideia de onde se originara o câncer de Joyce.

"Embora o, ahn, tumor mais óbvio esteja em seu fígado, não é aí que o câncer começa — câncer de fígado primário é algo quase nunca visto no mundo desenvolvido, Jo." Phillimore parecia assumir responsabilidade pessoal por isso. "A não ser em casos de alcoolismo e hepatite C."

"Então... onde?" Ela andava sonhadora durante esses pesadelos despertos.

"Normalmente, quando — como com você — fazemos uma biópsia, a gente pode analisar as células cancerígenas e descobrir a origem, mas em qualquer coisa acima de quinze por cento dos casos isso vai permanecer oculto."

"Oculto?" Do que ele estava falando? Um feiticeiro de barba prateada? Um sacerdote vodu?

Phillimore sorriu com sua consternação — como ela o odiava. "É apenas um termo médico para algo que não sabemos — ainda."

Contudo, olhando para todos aqueles cremes inúteis e remédios inadequados, depois lembrando do avental de chumbo, do som de passos dispersos, do burburinho fantasmagórico — ocorreu a Joyce que "oculto" era precisamente o que o seu tratamento com Phillimore havia sido. *Eu... Eu...* Era difícil entender — espiando através das cavidades oculares de sua máscara de mulher velha —, mas no apartamento do suicídio Joyce de certa forma *recomeçara a conversar* com seu corpo; haviam reiniciado uma conversa que era tranquilizadoramente prosaica, repleta de bate-papo pruriginoso e pontuada por amistosas eructações. Esse era um diálogo que excluía a mente questionadora de Joyce — pois tudo que seu corpo exigia era uma companhia condescendente, preparada para sentar e balançar a cabeça, e murmurar ocasionalmente, "Claro, claro, sem dúvida, querida", como resposta para sua própria autoabsorção queixosa.

As cápsulas estalaram de suas bolhas plásticas direto para o vaso sanitário; as pílulas pipocaram atrás, seguidas de espirais de pomada e pródigas aspersões de xarope. Depois ela deu descarga cinco vezes, até que todo o *serviço* estivesse feito.

Faltava um: Oramorph, uma solução viscosa no vidrinho. *Estou sofrendo, nesse momento* — o sofrimento de precisar arrastar Isobel aonde quer que fosse, *ela tem até a boca do Derry. A boca dele!* A determinação se transmudou em impulsividade mortal; segurou e girou a tampa de segurança até ceder, depois tomou um gole.

Como é? Parar de funcionar na hora do almoço suíça? Riu nervosamente, depois cambaleou entre a sinfonia teutônica de madeira loira e superfícies espelhadas estrepitosas até o silencioso santuário do linho branco. Largou-se sobre a cama e mergulhou em sua própria fuga. *Mors slopebit et natora, Cum resurget creatura, Judicanti responsura...* Scoresby, nu, perdendo as estribeiras num *ataque despirocado*, indo para cima de Joyce, o topete balançando como uma batuta; seu tronco marmóreo de veias azuladas trombou com o criado-mudo e se esmigalhou em uma nuvem de pó. *Ele é só gesso!* Com um relincho cavalar ela retrocedeu gradualmente ao paddock da puberdade, onde observou com uma *palpitação esquisita e quente* as garotas mais velhas e mais ricas montadas em suas selas, *para cima e para baixo.* Suas elegantes botinhas de cano curto esticando-se sobre a pele como um couro, as meninas transformadas em centauros com rabos de cavalo, seus rabos de cavalo abrindo-se em leques iridescentes, virando caudas de pavão. Os bicos dos pavões engrossaram em focinhos de golfinho, os golfinhos saltaram em arcos e mergulharam em xícaras de chá oceânicas que encolheram em louças dançantes da Disney. Scoresby perseguiu a seção de cordas por uma escada de caracol, enquanto à frente deles corriam as Cantoras. *Liber scriptus proferetur, In quo totum continetur, Unde mundus judicetur...* Mesmo em seu sono drogado, pareceu a Joyce que uma fantasia como essa era um lamentável desperdício numa mulher moribunda.

Seu relógio de pulso dizia que eram cinco horas quando acordou; não olhou para o relógio digital de 24 horas, e assim presumiu que devia ser a manhã seguinte, tão profundamente revigorada ela se sentiu. Pegou o telefone e chamou o quarto de Isobel: sem resposta. Levantou e abriu as cortinas: o nevoeiro ainda acariciava os vidros. Vestiu-se cuidadosamente, depois ajeitou as roupas um pouco mais, olhando-se no espelho, virando de um lado, depois do outro, prestando atenção especial no ajuste da saia — *fica bem?* Não trouxera praticamente nenhuma maquiagem, apenas batom, e blush para dar alguma vida à sua tez de moribunda; mas não funcionou de verdade, não numa pele tão amarelada. Mesmo assim, no banheiro, passou as duas coisas, admirada com sua própria puerilidade. *A Morte e a Natureza ficarão atônitas, Quando toda a criação voltar a se erguer, Para prestar contas ao Juiz.*

Seguindo pelo corredor acarpetado rumo ao elevador, Joyce encontrou Isobel afundada em um banco estofado de couro. Completamente bêbada, o rímel escorrido, o batom borrado e as bochechas — sem o auxílio do blush — tão rosadas quanto as de Heidi. Havia uma sacola de papel grosso entre suas canelas lânguidas. *Certo, um pouquinho de compraterapia.*

"Mãe, ai, mãe", ofegou ela. "Eu pedi pra eles — eu não sabia. Eu pedi pra eles entrarem no seu quarto — mas você tinha trancado por dentro." Depois, usando a própria parcimônia de Joyce em recriminação: "A gente perdeu o avião."

Joyce foi direto ao ponto: "Bom, você vai ter que conseguir outra passagem, então — e pode pagar do seu bolso." *Um livro, com coisas escritas, será trazido, Nele está contido tudo que existe, Pelo qual o mundo será julgado.*

"Mãe..." Aquele tom de voz subserviente. "O que aconteceu com você?"

"Nada de mais, mas decidi ficar aqui. E, olha, Izzy, eu posso não ter me matado, mas ainda estou morrendo."

Isobel estava encharcada demais para absorver as informações de sua mãe, ou para notar o raro diminutivo; deslizou um pouco mais no banco, um amontoado de caxemira.

"Você está com trinta e três anos", Joyce não conseguiu deixar de lembrá-la. "Não posso carregar você nas costas para sempre — nem quero."

Depois disso, por alguns instantes, ficou parada escutando a filha chorar, e então o pesado deslocamento de ar do elevador chegando.

Na recepção, Joyce deu sua chave para o concierge. O homem vestia uma antiquada casaca com guarnições douradas e mangas listradas. Projetava uma sombra das cinco da tarde e a fitou com o distanciamento das equipes de hotel do mundo todo. "Senhora", começou, "tentamos —", mas foi interrompido pelo gerente, um homenzinho frágil de testa muito alta, que apareceu junto a seu ombro.

"Sua filha, Frau Beddoes, quis que entrássemos em seu quarto — mas preferi não fazer isso; teria sido a segunda vez em sua estadia."

Joyce disse, "Eu não sabia que havia uma cota."

"Senhora — como é?"

"Nada — sério, nada. Vou sair para dar uma volta."

"Sabe de quanto tempo será sua estadia conosco? A reserva é só para uma noite."

"E-eu não sei… não vai ser por tempo indefinido; por quê, estão precisando do quarto?"

O gerente consultou o monitor, voltado para ele sob o sobrolho do balcão. Com um dedo cor de cera executou uma música monótona no teclado. "Posso deixar que permaneça no quarto até *Sonntag* — domingo —, mas devo avisar que a diária é mais cara nas sextas e sábados à noite." Ofereceu a Joyce um sorriso avarento, o lábio superior enfiado sob o inferior, por segurança.

"Muito bem", disse ela. "*Sonntag*, então." E saiu para a rua.

Estava frio, percebeu Joyce, com a aproximação da noite. Suíços jantavam na vitrine à luz de velas de um restaurante do outro lado da rua, os homens gorduchos corretos em paletós e gravatas, suas esposas restringidas pelo último grito do decoro.

De dez metros de distância Joyce podia ver a comida empilhada em seus pratos e sentiu a primeira aguçada do apetite longamente ausente. Puxando o casaco com firmeza em torno do corpo, e abotoando-o, começou a subir a ladeira entre as vitrines brilhantes das lojas de artigos de luxo que ocupavam o piso térreo dos prédios atarracados.

Sua saliva estava adocicada; o ronco em sua barriga não era ameaçador. Embora tivesse esquecido um absorvente de incontinência, Joyce não sentiu nenhum vazamento ou inchaço agourento. O arame havia sido arrancado dela.

Produtos em couro tão apetecíveis quanto chocolate ao leite; canetas-tinteiro de bico dourado, sugáveis como tetas; confeitos incrustados acondicionados em bandejas forradas de veludo — Joyce devorou tudo. Subiu por uma rua de pedras arredondadas, passou por uma tabuleta com inscrição em latim inserida em um nicho e chegou a um pequeno parque no alto do morro, onde tílias com as primeiras folhas verdes na ponta dos galhos despontavam entre canteiros elevados, e uma fonte paisagística vertia sua água num tanque cercado por bancos vazios. Um muro baixo de pedra chamou a atenção de Joyce; de lá ela podia avistar o centro velho de Zurique. Nas imediações, à luz evanescente do dia, distinguiu os domos gêmeos do Grossmünster, o campanário acúleo da Fraumünster, todos os demais edifícios de empenas elevadas, com seus telhados acentuados, cata-ventos de galo e relógios de faces douradas, aglomerados às margens do Limmat. A névoa estava subindo, avolumando-se rapidamente conforme a torrente de trevas fluía das vertentes arborizadas do Zürichberg. Nas ruas suburbanas, a iluminação de rua se acendeu, entremeada às árvores. O Limmat serpenteava, uma liana sinuosa entre aterros enfadonhos.

Joyce absorveu a paz e a ordenação de Zurique. A cidade lhe deu uma curiosa sensação de déjà-vu, como uma foto que costumava olhar, sem ver, na infância: uma reprodução de *Caçadores na neve* em uma parede da classe. Não se escutava praticamente som algum — nenhuma sirene de polícia, nenhum grito, nenhum grunhido de tráfego, apenas o carrilhão de um bonde distante.

* * *

Mais tarde, quando voltava ao hotel, Joyce passou pela porta aberta de uma pequena capela católica. Um jovem padre, fechando o lugar, acompanhava os dois últimos fiéis ao saírem; seu rosto era rechonchudo, embora a batina pendesse larga no corpo de varapau. Os cabelos loiros esparsos em sua cabeça descoberta captavam a luz acesa que vinha de trás do retábulo, um díptico moderno e *medíocre*: a Virgem Maria de um lado, uma mamãezinha sem graça num camisolão magenta; Jesus do outro, *não é mais nenhum bebê*, na verdade, *já está bem grandinho pra ficar andando pelado por aí*.

O jovem padre disse "*Guten Abend*" para Joyce e ela respondeu "*Guten Abend*" de volta.

Escutando seu sotaque, o casal, que saía apressado, parou, e o homem se virou. Era um sujeito de meia-idade, solidamente constituído; quando voltou a ficar sob a luz, Joyce viu que sua cabeça era lustrosa como uma lontra, o cabelo cor de chocolate amargo perfeitamente penteado; também usava um bigode oblongo e arredondado, só que não tão bem cuidado. Um pouco de cera para bigode viria a calhar, pensou Joyce. Vestia um casaco em estilo Inverness, com a capa dos ombros debruada de pelo. Na maioria dos homens, o traje teria parecido *uma afetação*, mas, quando ele se aproximou, Joyce viu que de algum modo aquilo lhe caía bem.

"Senhora é inglesa?", disse o homem.

"Sim."

"Se está procurando lugar de adoração católico, lamento, mas aqui apenas santuário, ligado agora com mosteiro beneditino de Einsiedeln."

"Eu não —"

O homem passou por cima de sua negativa; batia suavemente na palma da mão esquerda com as luvas que segurava na mão direita, um acompanhamento insistente para a informação que tinha de transmitir. "Padre Grappelli e eu" — ele afundou sua cabeça de lontra; o padre sorriu e fez uma ligeira mesura, os polegares enganchados no cordão da cintura — "somos pessoal de comissão da antiga paróquia aqui, cuidamos de restauração, essas coisas".

Joyce relanceou a companhia feminina do homem, esperando um ar de cumplicidade, mas a mulher, com seu rosto pálido e fino emoldurado por cachos curtos, apenas devolveu seu olhar, inexpressivamente.

Joyce tentou outra vez: "Não sou católica."

"Certo, certo" — o fiel não largava o osso —, "mas se pretende se tornar" — o bigode estremeceu — "ou está apenas precisando do conforto de um serviço em língua inglesa durante sua estadia, então padre Grappelli é um dos — *ein offiziants* na igreja de St. Anton, na Minervastrasse. Nós" — indicou a mulher — "também paroquianos de lá".

"C-com licença." Joyce ergueu a mão; achou que estivesse irritada, mas descobriu que sua voz transbordava de alegria. O padre e a mulher de rosto duro exclamaram algo quase ao mesmo tempo, na tosse-risada de seu Schweizerdeutsch. Joyce presumiu que estavam dizendo ao homem garboso para *sossegar o facho.*

"Com licença", o homem ecoou Joyce, "por ora é suficiente, *Guten Abend*, esperamos voltar a vê-la". Pegou a mulher pelo braço e escoltou-a dali.

Joyce virou para o jovem padre, esperando que dissesse alguma coisa — a cena parecia pedir —, mas ele apenas acrescentou seu próprio *Guten Abend* e se retirou para o interior da capela.

Mais tarde ainda, Joyce sentava no sofá de seu quarto de hotel. Ela quebrou o casulo caramelado do confeito *estiloso* que ficara sobre sua mesinha de centro desde que chegara. Então, enfiando os dedos entre a gaiola enjoativa, pegou uma trufa de chocolate branco.

Chocolate.

Enquanto o bombom derretia em sua boca, Joyce refletiu sobre sua estranha jornada; de um chocolate a outro, de Bournville até lá, para o apartamento de suicídio na Gertrudstrasse, e agora novamente até lá. Em todas as paradas, houvera um docinho.

Depois de comer mais duas trufas, Joyce ligou para o quarto de Isobel. Ninguém atendeu. Ela ligou para a recepção: "Minha filha — Fräulein Beddoes —, ela saiu?"

"Ela já entregou a chave, senhora, hoje à tarde, às dezessete horas, aproximadamente."

"Foi mesmo? Por acaso — por acaso deixou algum recado?"

"Deixou, há uma carta aqui para a senhora. Gostaria que fosse entregue aí em cima?"

Esperando ser generosa, Joyce deu uma gorjeta de dez francos ao camareiro. Podia precisar de um aliado. Ele sorriu e ergueu seu chapeuzinho cilíndrico, mas sem se mostrar obsequioso de forma alguma. Seria sua imaginação ou havia uma certa rispidez em todo mundo que encontrara desde que rejeitara o copo de veneno do dr. Hohl? Uma ausência da conduta condescendente que os vivos manifestavam para com aqueles que eram imprestáveis demais para morrer; uma conduta que os fazia parecer com pais de adolescentes embarcando em férias permanentes, com pouquíssima bagagem e com preparação inadequada.

Joyce não abriu o envelope imediatamente. Em vez disso, ficou deitada na cama, que havia sido refeita e arrumada enquanto estivera fora. Apanhou a varinha de condão aluminizada e deu vida à tevê de tela plana. Trevor Howard se materializou, dizendo: "Seja um cara sensato e vá embora, Martins. Você não sabe no que está se metendo, pegue o próximo avião."

Mas Joseph Cotten objetou, "Assim que eu chegar no fundo disso, eu pego o próximo avião."

Trevor Howard lhe devolveu uma careta, um sorriso duro e realista — que só ganhava em autoridade com seus traços comuns e orelhas de morcego. "Morte é o que está no fundo de tudo, Martins", retrucou. "Deixe a morte com os profissionais."

Joyce mudou de posição nos travesseiros brancos e frescos, encolhendo as pernas, apoiando-se sobre um ombro e um braço — uma postura que não assumia em meses. Abriu a pequena caixa de chocolates que a arrumadeira deixara no outro travesseiro.

O Snow Hill Gaumont, a fumaça de cigarro mais densa na penumbra do que a vaselina passada na lente quando Alida Valli era filmada. *O que aconteceu com ela?* Percorrendo estrepitosamente as vielas entre casas em ruínas, transpondo montes de entulho, chapinhando nos esgotos cavernosos — lá se foi o passado, em seu terno de corte quadrado. Depois estavam na roda-gigante, e Orson Welles — sempre esbanjando talento, do modo como a Morte esbanjava vidas humanas — dizia: "Na Suíça, tiveram amor fraternal, tiveram quinhentos anos de democracia e paz, e o que eles produziram? O relógio cuco."

Na quietude ainda mais absoluta do meio da noite, quando nada além de noticiários e tômbolas passava na tevê, Joyce finalmente leu a carta de Isobel. Eram apenas os choramingos de órfã que já esperava; os usuais "você não entende", "é tão difícil pra mim" e "se pelo menos o papai estivesse vivo". Claro que a causa ostensiva de toda essa *histrionice* era seu próprio estado moribundo — *Quid sum miser tunc dicturus?* —, e no entanto Isobel a abandonara. Não dizia para onde fora, se Birmingham, Londres ou aquela mansão em Majorca que pertencia ao amigo rico *imprestável* — um de seus *esconderijos favoritos*. Só o que havia era uma onisciência *ridícula*; Isobel escreveu que ficaria "de olho" em sua mãe, que, apesar de ter deixado o hotel, "checaria para ver se estava tudo bem". De fato, pensou Joyce, seria um mistério, se não fosse tão patético.

Nos três dias seguintes, Joyce requisitou os serviços do camareiro com frequência. Ele lhe trouxe lanches e, enquanto ela se punha à vontade com um roupão escrito *Widder* do lado esquerdo do peito, levou suas roupas para a lavanderia. Seu nome, Karl, estava bordado no lado esquerdo do peito. Joyce exercitou seu alemão enferrujado com Karl, mas o rapaz não reagiu: o inglês dele servia perfeitamente.

Isobel nunca ligou. Ficara combinado que o melhor seria que voltasse para Birmingham imediatamente, depois que Joyce morresse. Não havia necessidade de participar da cremação de sua mãe e em seguida se desfazer das cinzas — isso podia ser *deixado para os profissionais*. Isobel era necessária nas tarefas amadoras: enfiar coisas em caixas, mandar algumas para os brechós de caridade, depois perguntar aos amigos de Joyce se queriam "escolher alguma coisa" do que sobrara de aproveitável, que dentro de alguns anos seria a vez de os amigos deles escolherem.

Sexta-feira à noite Joyce discou seu próprio número e ficou escutando o sinal de chamar. Enquanto o telefone tocava em sua própria casa vazia, imaginou o interior da geladeira, sem nada a não ser alimentos não perecíveis: chutneys que não estragavam e coisas de zero caloria para passar no pão que durariam até o dia do Juízo Final.

Os agentes funerários haviam sido recomendados pela organização do dr. Hohl. Joyce ligou para eles na quinta de manhã — vinte e quatro horas após o cancelamento da execução — e a resposta deles fora tão distanciada quanto a de Hohl: seu depósito não era reembolsável, assim como o do nicho no columbário, no cemitério Fluntern. Mas ambos os pedidos podiam ser reabertos quando necessário.

Joyce deixara o telefone tocando em casa por um longo tempo, meio convencida de que Isobel estava se escondendo dela, acocorada dentro do armário embutido no quarto dos pais, os ombros de criança tremendo entre os vestidos cobertos com plástico, os pés em sapatos infantis Start-rite plantados entre as fileiras de sapatos, todos conservados com fôrmas. Era ali que Izzy costumava se enfiar quando era pequena e queria fugir da professora de dicção ou das aulas de piano; mas o telefone simplesmente continuou trinando, fazendo um dueto com o contralto do anunciante de biscoito amanteigado na Rádio 4, que fora deixado ligado para simular a moradora falecida.

Finalmente Joyce pusera o fone no gancho e voltara à tevê, onde passava uma sucessão de filmes — *Rebeca*, *A mocidade é assim mesmo*, *A felicidade não se compra* — que eram um pano de fundo reconfortante para sua ressurreição. Pois embora no começo Joyce conseguisse se convencer de que o entorpecimento era devido a sua subdosagem, na quinta à noite, quando sentiu mais fome do que sentira em meses, não havia como negar que uma mudança estava acontecendo.

Ela não se sentia particularmente bem — como poderia? Mas também não estava passando mal: aquela insensibilidade de corpo e mente era algo completamente incomum, um estado de suspensão. Não havia medicação para tomar, e no entanto a bexiga permanecia sob controle. No sábado de manhã, quando vestiu uma roupa de baixo limpa e parou em seu négligé na frente do maior espelho de todos, Joyce foi arrancada de sua inércia pela visão da própria carne.

Que não mostrava mais sinais de icterícia. Murcha, decerto, mas apenas do modo como se esperaria em uma mulher de certa idade que fora outrora *pernuda, com seios lindos, empinados*

— estas palavras de Derry, não de sua própria vaidade. E embora por duas décadas o escárnio entre renda branca e pele pregueada tivesse parecido a Joyce a coisa mais brochante do mundo, ela agora se pegava virando desse e daquele lado de modo a admirar a novidade de sua velha roupa de aniversário.

Depois de quatro dias reclusa, o lobby era um planeta alienígena. Flutuando do elevador ao balcão de recepção, Joyce admirou-se com os mundos-bolha das outras pessoas: um americano examinando um mapa turístico com sua esposa, uma faxineira negra atarracada lutando com um aspirador de pó industrial.

Com sua blusa creme, o impecável conjunto de tweed marrom e o casaco bom da nova Selfridges inaugurada no Bull Ring — debruado com pelo falso, ao contrário do Inverness exibido pelo sujeito excêntrico que encontrara diante da capela —, a aparência de Joyce, ela pensou, era *perfeitamente elegante.* Em torno do pescoço usava uma pesada corrente de ouro vitoriana, que Derry lhe dera de presente no aniversário de quarenta anos deles. *Talvez um pouco prematuro, mas...* dissera ele, com presciência.

Ela pôs sua bolsa de tapeçaria lilás sobre a mesa. Enfeitada com bordados de flores-de-lis douradas, era possivelmente *jovem demais* para Joyce, mas do tamanho certo, exato. Quando a conta saiu matraqueando da impressora, Joyce quase caiu para trás. Claro, havia a conta de Isobel somada — incluindo inúmeras e salgadas garrafinhas de dose —, mas seus próprios lanches, chás e roupa lavada também eram, nas circunstâncias normais da vida, *proibitivamente caros.* Fez o melhor que pôde para não entregar sua consternação, e entregou apenas seu cartão Visa.

"A senhora quer um táxi para o aeroporto?", perguntou a recepcionista, e quando Joyce recusou, ela sugeriu, no lugar: "A Hauptbahnhof — a estação de trem, talvez?"

"Não." Joyce travou o fecho da bolsa com um clique decidido. "Obrigada, vou andando. Está" — relanceou a porta giratória refletindo luz no saguão — "um dia lindo". Fez menção de ir, mas parou. "Por acaso saberia me informar como chego na igreja católica — St. Andrew, acho que é o nome?"

"Igreja de St. Anton", corrigiu-a a recepcionista, "na Minervastrasse".

No início com hesitação, depois com confiança cada vez maior, Joyce percorreu as ruas de pedra da cidade velha, em seguida atravessou a ponte Münster. O ar fresco era inebriante, e quando, na direção sudeste, no extremo distante do lago azul-cobalto, ela avistou os sete picos nevados do Churfistern, suspirou, então ficou parada na balaustrada por vários minutos, extasiada com a *vista maravilhosa.*

Eram apenas dez minutos de caminhada até a igreja; o ritmo forte que manteve na Seefeldstrasse, entre enfadonhos blocos de apartamentos e casas de cinco andares, deixou-a exausta, mas Joyce chegou lá sentindo-se *bem* — não nauseada. Não havia pensado no horário e ficou estranhamente desapontada ao descobrir que chegara no fim da missa. O padre Grappelli estava na escadaria da entrada, junto com um sacerdote mais velho. Ambos vestiam batinas modernas branco-neve e longas estolas bordadas com carneiros *naïf* como porta-estandartes. Joyce — mesmo não sendo uma adepta — achou que as estolas depunham contra sua posição.

Os padres estavam conversando com os paroquianos: famílias prósperas de burgueses — adultos com a expressão *presumida* dos recém-confessados. Joyce examinou o grupo à procura do homem com cabeça de lontra e sua amiga de cara amarrada, mas ficou parcialmente aliviada ao não encontrá-los. Então, fingindo interesse numa placa na parede, avançou pela lateral da igreja. Ali, topou com uma sacristia dos anos sessenta, construída em anexo. A porta estava aberta, então entrou.

Uma adolescente estava curvada bem na frente de Joyce, os longos cabelos castanhos esparramados sobre folhas de jornal, protegendo o assoalho de parquete. Uma mulher quase da idade de Joyce — mas gorda, rubicunda, espremida em um jeans *aflitivo* — apontava uma lata de spray para a cascata sedosa.

"Ok", exclamou a velha com ar de hiponga, "*jetzt — aufstehen*". A garota endireitou o corpo e, com as mãos em garra, penteou vigorosamente para trás o cabelo laqueado, até ele se elevar num grande rufo. "*Und... nächster!*", exclamou a mulher, e a garota se afastou para ser substituída por uma segunda, que adotou a mesma postura e foi devidamente laqueada.

"Bem, então, *não é que* se converteu, sim?", disse uma voz logo atrás de Joyce. Ela se virou abruptamente. *Quantus tremor est futurus, Quando judex est venturus, Cuncta stricte discussurus. O hálito em minha nuca, cócegas do bigode; a noite do outro lado da vidraça escura e fria, vasta, impessoal, e no entanto viva.*

"Ahn — c-certo; desculpe — quer dizer, não."

O homem com cabeça de lontra riu. "*Eu* é que peço desculpas", corrigiu-a. "Dei um sobressalto em senhora. Marianne sempre diz para mim" — seus olhos cor de noz desviaram dos dela, indo ao lugar onde a mulher de rosto duro examinava um quadro de avisos — "que eu fico muito acima da pessoa".

"Acho", disse Joyce, "que a expressão é 'em cima da pessoa'".

O bigode fez um beicinho. "Exatamente assim, em cima da pessoa."

Usava um casaco de *loden* nesse dia, verde-oliva, com botões de chifre. *Sério mesmo, ele devia usar também um chapéu tirolês* — a ausência de um deixava sua cabeça aquaplanada com um aspecto um pouco lustroso demais.

"Permita que me apresente", disse. "Sou Ulrich — Ueli, por brevidade — Weiss, e esta é minha — como dizem? — companheira, Marianne Kreutzer."

Ouvindo o nome, a mulher de rosto duro veio até eles e os três apertaram as mãos formalmente. Joyce avaliou que devia ter cinquenta e tantos — mais velha que Weiss — e com sua figura descarnada, angulosa, dificilmente fazia *o tipo da amante.*

Joyce viu-se cooptada por Weiss e pela tal da Kreutzer. Eles a apresentaram a algumas pessoas: "Frau Beddoes está em visita da Inglaterra." E lhe mostraram a igreja. "O prédio não tem nada de mais", disse Weiss, "creio que vai concordar".

Joyce concordava. As igrejas anglicanas eram *bastante ruins*, com seu ar tépido de devoção assistencialista estatal, mas as católicas sempre lhe pareceram *muito piores*: campos de batalha embolorados, onde a luxúria e a repressão digladiavam entre si, torturando efígies de madeira no processo, depois pregando-as nas paredes.

O trio parou diante de uma estátua sem cabeça em um nicho iluminado por um spot. Vestia uma toga manchada de sangue e a cabeça repousava junto aos pés calçados em sandálias, um futebol sanguinolento. Joyce encarou a cabeça decepada; a cabeça devolvia o olhar, com seus olhos astecas maníacos.

"Nós diríamos", palestrou Weiss, "St. Antoninus, mas aqui St. Anton, por brevidade. Ele foi executor público na época do imperador Cômodo, século segundo, e responsável pela execução de St. Eusebius, entre outros mártires...".

Joyce percebeu que Weiss tentava tornar tudo aquilo interessante para ela, mas estava entediada desde já. Objetos sagrados, ela sempre achara, precisavam ser bem mais poderosos e comoventes até do que as grandes obras de arte; isso, claro, se pretendiam cumprir o papel a que se destinavam. De outro modo, o que eram? *Tranqueira inútil*; e o que isso fazia de Deus? Apenas um fervoroso caçador de pechinchas em um vestido branco.

Marianne — a tal da Kreutzer — avançara ao nicho seguinte. Ela acendeu uma vela ali e a fincou no cravo enegrecido de um castiçal respingado de cera solidificada. Joyce sondou o rosto duro — os olhos cinzentos fechados, o longo lábio superior verticalmente vincado — buscando alguma evidência de oração, ou de devoção, mas não viu uma coisa nem outra.

Weiss seguia em sua lenga-lenga: "... então esse sujeito, o carrasco, ele está tendo um sonho, sabe, uma visão. Cristo aparece na frente dele, sim? E ele se arrepende." Ele ergueu a mão abruptamente, depois deixou cair. "Então é sua vez para a decapitação, agora um mártir, além disso." Só que soava como "alendizo". Weiss sorriu, e os caninos superiores se projetaram atrás de seu bigode de morsa.

"Nós católicos temos tanta quantidade de santos." Pegou Joyce pelo braço e a conduziu. "Às vezes acho que são muitos. Não temos mais a venda de indulgências e todas aquelas práticas corruptas; mas os santos, eu penso que isso não adeptos acham difícil de... aceitar: que um homem, o papa, pode decidir que a *naturegemäss* — a lei natural — foi — como se diz — suspensa."

Claramente, Weiss esperava uma resposta. Joyce disse, "Eu não fazia ideia da existência de tantos católicos na Suíça; na Inglaterra, pensamos nos suíços como protestantes, na maioria..."

"Nada de música, sim? Nada de dança. Tudo de preto, sim?" Ele riu. "Em exato fato, existem mais católicos aqui em Zurique do que zwinglianos. Muitos da Igreja Vétero Católica, alendizo; você sabe, os que, ah, rezam missa em latim."

Chegaram ao fim da nave e passaram ao vestíbulo. O padre Grappelli se despedia de seus últimos paroquianos: um casal de idade, ambos com bastões de esqui, ambos usando casacos acolchoados até os tornozelos, hesitantemente descendo a escada de degraus largos e baixos.

Vendo-os, Joyce se lembrou de que estava doente — *morrendo, para ser mais precisa.* Também sentia a ausência de Derry — tão intensamente quanto qualquer presença humana. Sinos de igreja repicavam do outro lado do vale do Limmat, notas de *glockenspiel* executadas em bronze. Um remoinho de pombos alçou voo, a cabeça de Joyce girou. Ela vacilou um pouco, e Weiss a segurou com mais força.

Marianne Kreutzer veio ficar ao lado deles, o rosto traindo alguma preocupação. "Mas então senhora não está bem, é?", ela disse. "Penso isso da outra vez."

"Estou bem, não se preocupe." Joyce soltou o braço de Weiss — sua colônia recendia a limão, a álcool, *a bay rum, a loção após barba do papai.*

"Talvez senhora com fome? É horário de almoço, nós" — buscou a confirmação de sua parceira — "ficamos encantados se gostar de nos fazer companhia".

"Maz é claro", disse Marianne.

"Oh, não sei", Joyce segurou sua bolsa de tapeçaria nos braços. "Não quero incomodar."

"Não está incomodando." Mais uma vez, o sorriso lupino. "Senhora é uma hóspede em nosso país. Horas normais vamos em bistrô aqui perto — mas claro que senhora já visitou o Kronenhalle?"

A expressão de Joyce disse tudo.

"Não? Mas sério, isso muito ruim, esse o mais famoso lugar de comer em Zurique; estar aqui e não visitar é quase um crime — por favor, seja nossa convidada."

O padre Grappelli permanecia por ali, enrolando e desenrolando a estola de carneiro. Tinha uma expressão hesitante no rosto juvenil e Joyce imaginou que esperava que o convite fosse estendido a ele. Não foi. Weiss, tossindo Schweizerdeutsch, segurou a mão do padre e a apertou. Então explicou para Joyce, "Vou buscar o carro", antes de descer saltitando os degraus, enquanto calçava suas luvas de pelica.

Joyce virou para Marianne: "Por favor, não é necessário todo esse tr..."

O rosto impassível enrijeceu um pouco mais. "Frau Beddoes", disse, "Ueli não é pessoa suíça muito comum. Ele é *ausländerfreundlich* — vocês dizem, amigo com estrangeiros. Esse é... coisa dele, sim, venha, por favor".

Sem se dignar a lhe dar a mão, Marianne Kreutzer acenou para o padre enjeitado, depois indicou a Joyce o carro que já aguardava com o motor ligado junto à calçada, tão compacto quanto um miniferro de passar roupa. Quando ele se curvou para abrir a porta do passageiro, a cabeça de lontra de Weiss projetou-se pela abertura.

Na toca de carvalho do Kronenhalle, os Zürichers — lustrosos, escuros e asseados como toupeiras — escavavam túneis sob montanhas de comida. Muitos pestanejavam atrás de óculos Christian Lacroix de lentes coloridas, como se até aquele ambiente subterrâneo fosse luminoso demais. No alto dos painéis de madeira, viam-se os brasões das guildas de Zurique, pintados no reboco creme da parede. Garçonetes moviam-se apressadas entre as mesas postas com esmero, enquanto o maître empurrava vagarosamente um carrinho pelos corredores, cuja tampa prateada permanecia aberta, expondo um resplandecente corte de carne: a pupila carnuda de um olho metálico.

Despido de seu casaco de *loden*, Weiss parecia embaraçosamente exposto em um pulôver preto de gola rulê tão puído que Joyce podia enxergar seus mamilos.

"Então, aqui, está vendo" — a palestra foi retomada — "o restaurante mais celebrado de Zurique. Aqui neste lugar desde a década de 1800. Frequentado por escritores — Dürrenmatt, Keller, Mann, Frisch. Músicos também — Strauss, Stravinsky,

Perlman...". Ele matraqueava os nomes com sentimento quase ausente. "Acho que talvez a presença dos artistas é mais óbvia ainda — Miró, Braque, Chagall..." À medida que pronunciava cada nome, apontava para seus respectivos trabalhos: pequenas telas, seus óleos apetecivelmente fúlgidos sob a luz fraca. "E ali, atrás de senhora, Frau Beddoes, Picasso."

Era um menino azul num primeiro plano um pouco menos azul, sentado, com os braços despidos segurando as pernas nuas. Havia um chapéu cônico de pierrô em sua cabeça despenteada.

"Mesma família, sabe, os donos — duas gerações agora — têm sido muito inteligentes." Weiss se curvou para a frente, seus peitos em preto apoiados no linho branco. "Alguns estão dizendo que pegaram pinturas dos judeus fugindo na guerra... Acho que isso só fofoca. Senhora veja, o, ahn, espírito que anima este lugar" — gesticulou para o retrato de uma matriarca formidavelmente nariguda pendurado no alto, junto à moldura curva do painel de carvalho — "Madame Zumstag, de Varlin". Segurou seu nariz pequeno e arrebitado com os cinco dedos gorduchos. "Ela não parece, acho, uma antissemita."

Marianne suspirou e consultou ruidosamente seu cardápio. Estava entediada, pensou Joyce; *tédio, desaprovação e fome. As três coisas.*

Uma garçonete parou junto à mesa deles; em seu uniforme impecável de vestido preto, chapéu branco, meia-calça preta e avental branco, era eterna. Uma conversa afetada bilíngue começou, com Weiss — desnecessariamente, uma vez que estavam escritos em inglês e alemão — explicando os pratos para Joyce: "*Mistkratzerli... gebraten, mit gebraten... Mit Knoblauch und Rosmarin* — é, vocês dizem, um pequeno pedaço de frango, sim, com alho, sim, e alecrim."

Joyce estava plenamente determinada a declinar da comida, ou a não aceitar qualquer coisa além de água mineral com gás. Mas Weiss levou a melhor sobre ela: "Por favor, este é um Lattenberg Räuschling, um '05 de uma vinícola local; somos justificados de ter o orgulho, eu penso." Um lábio inferior úmido e vermelho projetou-se sob o bigode luxuriante.

Pela própria raridade, o aroma apetecível da fumaça de cigarro em um espaço confinado pareceu um *regalo especial.* A mastigação muda dos fregueses e o garbo sacerdotal do atendimento eficiente, tudo isso foi tão... *incrivelmente prazeroso.* E havia as entranhas de Joyce, que conversavam com ela outra vez, embora não com a histeria dificilmente suprimida da incontinência, tampouco com a malevolência arroxeada do edema. *Estou morrendo de fome*, proclamou sua barriga. *Uma trombeta anunciando um som maravilhoso.*

O vinho cor de cereja era mais claro do que a completa transparência. Cheirava a feno recém-cortado. Joyce precisou se controlar para não virar a taça de uma vez. Nunca fora de beber muito — na verdade, Derry costumava beber uísque, e sempre parecera *um desperdício* para Joyce abrir uma garrafa de vinho só para ela e depois deixá-la na geladeira, expirando ao lado da maionese.

Pediu o frango como prato principal, e um pouco da sopa *Leberknödel* para começar. Não havia consultado a tradução inglesa, de modo que Joyce não sabia o que era — ou tinha sido — *Leberknödel*, mas sopa *sempre cai bem.*

Os suíços também fizeram seus pedidos; então, após perguntar a contragosto se Joyce se importava, Marianne Kreutzer acendeu um longo e fino cigarro mentolado. O aroma acre de hortelã combinava com a mulher, enquanto os fios de fumaça retesaram ainda mais o rosto rígido. Weiss começou — muito educadamente — a inquirir Joyce sobre sua condição de viúva, o antigo trabalho e o resto de sua vida na Inglaterra. Ela ficou feliz em contar; porém, permaneceu vaga quando ele quis saber o motivo de sua ida a Zurique, e a provável duração de sua estadia.

As entradas chegaram. A sopa de Joyce tinha um cheiro tão *divino* que ela se ajeitou apreensivamente na cadeira: sem dúvida o arame quente continuava lá, apenas enterrado um pouco mais fundo, ou não? Mas nada aconteceu: a não ser o ronco camarada de sua barriga, de modo que experimentou uma colherada da sopa. Nutritiva, aromática... *saborosa.* Bolinhos carnosos flutuavam no caldo revigorante, e Joyce ergueu um deles e mordeu, liberando tangíveis palpitações de temperos.

"Mmm", Joyce não conseguiu se abster de comentar, "isto aqui está uma delícia!".

Weiss, ocupado escavando um volumoso coquetel de frutos do mar com uma colher de cabo longo, espiou-a com seus deslustrosos olhos de avelã. "Estou feliz que está gostando; não é prato muito típico suíço, isso (zuízo-izu) — está mais para alemão, eu acho."

"E o que são esses bolinhos?", perguntou Joyce, mordendo um segundo.

"Os bolinhos? Ah, então, *die Bouillon mit Leberknödel*, sim, vocês chamariam eles de bolinhos de fígado."

Petiscos de Fígado Scottie's. Origem desconhecida. Seu corpo, triste e solitário, jogado de qualquer jeito no meio da cama que haviam partilhado por dez mil noites. O meio de seu próprio corpo uma massa de tecido estranho, *rebelado*, envenenando-a com seu crescimento cego e sem sentido.

Joyce estava rindo; uma gargalhada com gosto, do fundo da garganta, do tipo que não dava havia muitos meses. Pousou a colher e pegou um guardanapo para cobrir a boca.

"Por favor — está tudo bem com senhora, Frau Beddoes?"

Imagine este pelo grosso no seu pescoço — ou na sua coxa!

Marianne, tendo lambiscado as folhas de alface e fatias de carne defumada em seu prato, retomou a defumação de seus pulmões.

"T-tudo bem, sério, obrigada, Herr Weiss."

Ela se recuperou — mas apenas parcialmente. Algum bloqueio fora removido pela hilaridade e agora Joyce se pegava contando para o bigode — pois o homem não passava de um volume esbranquiçado pairando atrás dele — muito mais do que devia: sua enfermidade, sua solidão, sua filha patética e incapaz, a desgraçada recusa e a indiferença de Phillimore.

Então Joyce contou a Weiss como ficara sabendo sobre a organização do dr. Hohl devido a um caso muito divulgado na Inglaterra: a mulher com doença neuromotora sendo entrevistada por repórteres de telejornais e comparecendo a talk-shows, depois partindo para a Suíça e para o outro mundo, sua cadeira de rodas sendo carregada sobre os ombros até o avião, a liteira de uma rainha guerreira aleijada.

Enquanto falava, Joyce notou que Weiss — que classificara mentalmente como *ruim de cama* — ficava cada vez mais agitado: seus dedos de unhas bem cuidadas puxavam o guardanapo, ele girava a taça de vinho pela haste. Quando ela descreveu sua decisão prematura de vir a Zurique, Weiss ficou imóvel, alerta; e Joyce se apresentou para esse público solo — pois a atenção de Marianne Kreutzer estava em outro lugar, seus olhos gelados fixos no quarteto festivo da mesa ao lado: pais idosos, o filho lá pelos trinta e a nora; todos saudáveis, todos animados, todos corados e descascando, da maneira sugestiva de um recente passeio para esquiar.

Joyce diminuiu o ritmo e, como qualquer bom contador de histórias deve fazer, tomou seu ouvinte pela mão, figurativamente falando, conduziu-o ao avião, sentou-o ao lado dela enquanto perdia o controle de seu medo e de sua bexiga, depois o conduziu outra vez ao sair, para o táxi, para o Widder Hotel, sentou-o ao seu lado ao longo da noite sedada, depois o levou para a Gertrudstrasse.

Quando estavam efetivamente no apartamento do suicídio, e o dr. Hohl misturava o fenobarbital com água, o rosto branco de Weiss pareceu dançar atrás do bigode, transfigurado por uma jubilosa agonia. Ele murmurava, "*Schrecklich... schrecklich...*", e quando Joyce lhe contou como, no último minuto, recusara o veneno, Weiss segurou a cabeça de lontra nas mãos, balançou-a, depois exclamou: "Oh, mas, Frau Beddoes, isso é maravilhoso demais!" Antes de instar com sua apartada companheira, "Não é, Marianne, maravilhoso demais estar escutando?"

Pondo seu cigarro na borda do cinzeiro, Marianne Kreutzer disse, "Essas são pessoas muito ruins, Frau Beddoes; senhora fez coisa muito corajosa e importante, agradecemos por isso." Embora seu tom glacial sugerisse que poderia perfeitamente ter ministrado ela mesma o veneno.

Weiss prosseguiu: "Eu mesmo não estou muito envolvido com essa coisa — mas temos amigos que estão, *gegen Fanatiker* — que, vocês diriam, fazem campanha contra essa coisa pavorosa que eles fazem."

Joyce o encarou — sentiu-se tola e vulnerável; claro, eram católicos — devia ter mantido a boca fechada. *Mors slopebit et natora, Cum resurget creatura, Judicanti responsura. A Morte e a Natureza ficarão atônitas, Quando toda a criação voltar a se erguer, Para prestar contas ao Juiz.* Ela começou a dar para trás. "Receio desapontá-lo, Herr Weiss." Seu tom era correto, distanciado. "Minha decisão foi impulsiva — e não tem nada a ver com a ética do doutor Hohl —, sou uma doente terminal, pode ser que eu me sirva dos... dos serviços deles numa data futura."

Weiss não ia se deixar derrotar tão facilmente. "Por favor, Frau Beddoes, não pense que somos *das fanatisch* — fanáticos —, eu compreendo, realmente compreendo; minha primeira esposa morreu de câncer dez anos atrás. Ainda era uma jovem mulher —" Ele interrompeu o que dizia e perguntou a Joyce: "E senhora?"

Surpresa, Joyce se pegou confirmando, "Câncer." Depois, acrescentou, "Do fígado."

Marianne Kreutzer pareceu captar a ironia muito inglesa; em todo caso, seus lábios franzidos se enrugaram um pouco mais — para Weiss passou batido, porém. Autorizado pela revelação de que eram ambos membros do *não muito exclusivo* clube do câncer, ele começou, energicamente, a pôr Joyce a par da resistência local acerca do que se passava na Gertrudstrasse. Weiss confirmou as desconfianças dela: houvera de fato cenas grotescas como sacos para cadáver transportados no elevador. E também havia o problema dos veículos de emergência quase que constantemente de plantão, enquanto a chegada — muitas vezes em ambulância particular — dos suicidas em busca de assistência criava uma atmosfera de desespero.

"Não ajuda", disse Weiss, "o fato de ter um cemitério perto do edifício. As pessoas que moram lá não são de melhor tipo, mas o conselho municipal — o cantão, também — está pensando sobre tomar uma medida. Eu acho que eles logo vão precisar sair. (Prezizar zair.)

"E tem Hohl, também. Ele é, senhora sabe, bem — ele é *ein Fanatiker*. Está oferecendo seu veneno agora para pessoas com depressão clínica — nada errado com corpo delas, só cabeça." Weiss massageou sua própria testa lisa, desarrumando o cabelo. "Isso está fazendo a diferença — até não católicos entendem que isso está errado."

Enquanto essas questões muito graves eram discutidas, Joyce meticulosamente dissecava seu frango. Os dois suíços eram comensais igualmente metódicos, *embora onde estava indo parar tudo isso que ela estava devorando era um mistério*. Quando Joyce pôs os talheres de lado, Weiss reagiu como se o gesto fosse uma ferramenta diagnóstica, e falou sem rodeios: "Senhora está em grande sofrimento, sim? Sob medicação? Então. Eu falei demais; podemos dar carona para seu hotel se gostar disso."

O maître encurvado, cujo casaco branco e gestos erráticos lembravam a Joyce um técnico de laboratório no Mid-East, trocara seu carrinho de assado por uma panela de cobre, servia pródigas conchas de creme sobre os *strudels* e *tartes tatin* dos fregueses. Observando aquele consumo desregrado de gorduras criminalmente insaturadas, Joyce passou a mão cuidadosamente em sua barriga sob a mesa. Nenhuma dor, nenhuma intimação aquosa de fluxo iminente, apenas a sensação firme de plenitude saudável. O *Leberknödel* estava ali, ela pensou, sendo alegremente digerido.

"Não, por favor", disse. "Estou me sentindo ótima. Se não for muito incômodo, acho que vou querer uma sobremesa."

Depois de a panela de cobre ter feito duas rodadas e todos terem sido servidos de uma pequena xícara de espresso, Weiss finalmente pediu a conta. Joyce pegou a bolsa e começou a procurar a carteira, mas seu anfitrião não quis nem ouvir falar. "Por favor, por favor", disse, repelindo com a palma das mãos abertas sua ameaça de contribuir. "Senhora nossa convidada, ficaríamos os mais ofendidos, não é, Marianne?"

Marianne Kreutzer não dava mostras de que ficaria minimamente ofendida; estava com o estojo de maquiagem, retocando sua base. Mesmo quando era nova, Joyce já achava que uma mulher em público dando esse tipo de atenção à aparência da própria carne era um espetáculo *chamativo e vulgar.* Ver aquela suíça elegante — e ligeiramente hostil — fazendo isso levou Joyce a especular sobre a natureza de seu relacionamento com Weiss. O sexo, imaginou, era necessário — mas de modo algum a coisa mais importante. A despeito de seus modos seguros, Weiss era um garotão, presa de seus entusiasmos — e presumivelmente também de ansiedades infantis. Joyce achava fácil imaginar suas bochechas rosadas, recém-barbeadas, descansando entre os seios cansados dela.

Marianne Kreutzer desmanchou seu devaneio fazendo este curioso discurso: "Lenin", começou, "quando mora em Zürich, na Primeira Guerra Mundial, disse de nós suíços que não podíamos ter a revolução, porque quando chegava a hora de atacar a Hauptbahnhof — a estação de trem — a multidão ia parar para comprar bilhete para a — Ueli, *was ist der Name fur Gleis*?"

"A plataforma."

"Isso mesmo, a plataforma. Mas agora, bom, senhora está vendo Zürich e nossas belas construções, nosso lindo lago, com calma, e talvez também está vendo nosso novo tipo hóspedes. Hóspedes pretos, hóspedes marrons. As pessoas não sendo muito amigáveis com eles; eles são convidados somente pelo governo em Berna, eu acho. Tem algumas vezes, não faz muito tempo agora, quando os suíços na multidão não estão comprando o bilhete de plataforma!" Fechou o estojo de maquiagem para enfatizar.

Joyce não sabia como responder; não estava nem um pouco claro se o comentário de Marianne Kreutzer fora um endosso desse revanchismo ou simplesmente uma descrição. Projetando-se dos caracóis severos de seus cabelos, viam-se orelhas finas como barbatanas de peixe; em lugar de lóbulos, uma pedra de diamante.

"Onde fica seu hotel?", perguntou Weiss, pondo o cartão de crédito sobre a fatura da conta.

"Eu me hospedei no Widder, mas, bom, para ser franca, decidi ficar um pouco mais em Zurique, e..." Joyce curvou a cabeça; não queria os olhos acusadores de Marianne Kreutzer sobre ela: não queria ser aparentada com os hóspedes indesejados. "Não é que eu não possa pagar, é só que me parece caro demais se pretendo permanecer por muito mais tempo."

Weiss olhou para a bolsa de Joyce. O motivo de flor-de-lis, ela pensou, não ficava deslocado no Kronenhalle. *Talvez eu devesse continuar por aqui?* "Então", disse ele, "a senhora está sem pensão ou hotel?".

"Receio que sim."

"Temos um novo tipo de exigência para residir aqui, sabe." A garçonete trouxera o casaco de *loden* de Weiss e esperava junto à mesa, mas ele não fez a menor menção de levantar. "Se pessoa é um turista de país da União Europeia, pode ficar quanto tempo quer, mas somente em um hotel. Para alugar — apenas um quarto somente — deve registrar com a Fremdenpolizei, e então... bom, assim por diante, eles vão checar você; sabemos" — o bigode desabou, envergonhado — "a reputação que temos no estrangeiro. Haverá muitos formulários e carimbos — demais, eu acho".

Joyce retrucou: "Isso não me preocupa. Fui uma administradora profissional por muitos anos, estou acostumada com esse tipo de coisa; e se for uma questão de recursos, bem, posso comprovar que disponho do suficiente."

"Talvez sim, talvez sim." Weiss não estava aceitando muito bem a competência de Joyce. *Ele quer grudar em mim!* "Mas estrangeiros podem achar muito difícil conseguir os apartamentos e quartos; eles são sempre últimos na fila, muitas vezes mesmo quando são primeiros — senhora compreende?"

Joyce balançou a cabeça.

"Tenho uma amiga — ela é membro de nossa igreja. Ela tem um quarto muito bom. Ela ficaria feliz, eu acho — eu sei — em ter senhora como *Pensionsgast* —"

"Olha, Herr Weiss, o senhor tem sido muito bondoso —"

"Um telefonema, um telefonema..." Já estava com seu celular na mão, aberto, o aparelho enfiado sob o cabelo. Pegara o casaco com a garçonete, pendurando-o no braço, e agora dançava um tango com ele em direção à porta.

"Por favor." A coisa mais inesperada, Marianne Kreutzer pusera os dedos elegantes sobre a manga de Joyce. "Deixe Ueli ser uma ajuda para senhora. Eu disse uma vez, ele é *ausländerfreundlich* — é a *Natur* dele."

O céu continuava brilhante, embora sombras alongadas acariciassem o tecido cinza do macadame e sua trama de linhas de bonde. O Mercedes compacto encostou no meio-fio e Joyce desceu. *Antiquariat der Literatur* estava escrito com estêncil na vitrine de uma pequena livraria, e um varal pendurado atrás dela exibia diferentes edições de um periódico chamado *Du*. Abaixo disso havia fileiras de livros em brochura, em língua alemã.

Ficando ao seu lado, Weiss disse: "Este é o bairro universitário, muita gente de cultura vivendo aqui. Essa senhora, marido dela é — era — professor."

Marianne Kreutzer desentalou seu corpo da traseira do carro, mas apenas para desejar a Joyce *auf Wiedersehen*. "Estou esperando", disse para Weiss.

Do outro lado da livraria havia um prédio grande, ligeiramente feio, de estilo italianizante. Uma torre de quatro andares e uma ala de três andares com balcões de ferro fundido; duas lúgubres janelas de águas-furtadas projetando-se no telhado. "Frau Stauben fica no topo. Muito boa vista, eu acho." Dizendo isso, o protetor de Joyce atravessou a rua com ela.

A vista do apartamento de Frau Stauben era irrelevante — ou assim ela parecia pensar. As janelas de sua sala estavam tapadas não só por venezianas, como também por pesadas cortinas verdes de veludo puxadas até a metade. A mobília era datada, mas mesmo assim do período errado: peças modernistas europeias, umas tábuas estofadas com estacas cônicas a título de braços e pernas. As capas de náilon dessas poltronas e sofás, em tons de bege e malva desbotados pelo tempo, cobertas de pelos de gato.

Frau Stauben — ou Vreni, como insistia em ser chamada — era a mulher de rosto rubicundo que estivera fazendo o cabelo das meninas na igreja de St. Anton. Com a chegada de Joyce e Weiss, primeiro impingira um prato de tortinhas e folhados a suas visitas, depois os fizera sentar numa de suas tábuas maiores. Enquanto entrava e saía diligentemente da cozinha anexa onde preparava o café, Frau Stauben tagarelava num inglês de sotaque pesado. "É *Gründonnerstag* logo agora — assim que a gente diz; em inglês, 'Terça-Feira Gorda', eu acho. As crianças faz as brincadeiras delas então — o dia antes *Karfreitag*... Sexta-Feira Santa."

Weiss não havia tirado seu casaco de *loden*. Ficou sentado, pouco à vontade, na ponta do sofá. Havia manchas de açúcar de confeiteiro nos joelhos de sua calça imaculadamente vincada. Um gato grande entrou furtivo na sala; era — Joyce pescou isso de alguma gruta subterrânea em sua memória — um birmanês. Havia uma faixa depilada em seu pelo grosso azul esfumaçado, expondo a pele perturbadoramente humana e os pontos recentes de uma incisão. O gato avançou até a metade do caminho sobre o tapete felpudo, depois sentou e encarou Joyce com seus olhos amarelos malévolos.

Weiss aceitou uma xícara de café e disse, "Frau Beddes, por favor me permite explicar situação da senhora para Frau Stauben em alemão." Joyce fez um meneio de mão — gesto que não tinha consciência de ter em seu repertório — e os dois suíços começaram a cuspir e cantarolar Schweizerdeutsch um para o outro.

Pela porta da cozinha Joyce podia ver campainhas de vento penduradas acima da pia; plantas-aranhas em suportes aéreos pairavam como paraquedas nos cantos da sala; no corredor havia quadros de homilias ilustradas com querubins de cachinhos amarelados. Tudo a lembrava o centro de assistência social do hospital, onde, junto com uma tropa de combalidos como ela, Joyce deitara, de regata e calças de agasalho, sobre a esteira do tatame, enquanto uma gravação reconfortante instava todos a *entrar no jardim*.

Joyce ficara imaginando *por quê*. O jardim no Mid-East era um *deserto de concreto*, suas únicas flores, *polímeros*. Mas talvez a voz quisesse dizer seu próprio jardim, que, embora não fosse nada de *parar o trânsito*, proporcionara-lhe tantos momentos de prazer absorto: a massa argilosa entre a ponta dos dedos, enquanto fitava intensamente as ondulações ultramarinas de uma pétala de íris.

Ou talvez a voz quisesse dizer para se lembrar dos fins de semana no jardim com Derry. Ele não era lá muito sintonizado com o mundo natural — toda mudança de estação, até bem perto do fim, sempre era motivo de uma leve surpresa — e mesmo assim zelosamente a ajudava, porque o prazer dela era o seu. *No último ano ou algo assim, como uma morsa cinzenta pelancuda, se levantando com dificuldade depois de tirar o mato, primeiro apoiando os cotovelos na cadeira, depois ficando de pé devagar, desajeitado. Na cama à noite aquele gorgolejo tenebroso: tudo escoando.*

E ali estava a viúva, escutando um estrangeiro no exterior explicar para outro que, apesar de também estar morrendo, ainda assim ela tinha de alugar um quarto. *Não exatamente o novo inquilino dos seus sonhos.*

"Ela teve — *was sagt man für Gebärmutter*?"

"Um… bom, *ich weiss nicht, eben*… Ela teve o útero — é útero? — tirado."

Joyce sorriu. Não havia percebido com que intensidade estivera olhando para o gato; tampouco que o gato continuara a olhar fixamente para ela. "Frau Stauben", perguntou, "me dá licença de usar o banheiro?".

Encolhida, Joyce se esvaziou. Uma sensação suave: distensão agradável, prendendo e depois deixando ir. Um "plop" arredondado, um respingo solitário e fresco em sua nádega esquerda. A degradação do resto do apartamento inexistia naquele espaço confinado de azulejos; a janela aberta admitia ar fresco e canto de passarinho. *Será que foi por isso que fiquei bastante relaxada?*, cismou Joyce, pois quando não era diarreia, era em geral o oposto endurecido.

Mas quando ela se levantou, se limpou e olhou para trás, o parêntese marrom e saudável pontuando a água esverdeada, compreendeu que a real explicação residia dentro: os malévolos antagonismos — o intestino gritando com o estômago, a vesícula biliar urrando para o fígado — tinham sido subsumidos por um vozerio baixo, como uma junta de cidadãos debatendo educadamente num velho salão bolorento.

Joyce arrumou a roupa, deu descarga e se olhou no espelho. Voltando pelo corredor escuro, notou a plaquinha de cerâmica com nome em uma porta; era decorada com flores de *edelweiss* e dizia *Gertrud's Zimmer*. A porta estava entreaberta e ela percebeu a luz de vela cintilando sobre um rodapé.

Joyce abriu a porta. Era um quarto de adolescente perfeitamente comum — ou melhor, fora um dia. O babado cor-de-rosa em torno da cabeceira estofada da cama estava empoeirado e embolorado e sobre o colchão havia apenas um forro protetor acolchoado. Nas paredes, no antigo lugar dos desenhos de criança viam-se furos de tachinhas arrancadas e onde houvera pôsteres pop e certificados de cursos, vestígios da cola de fita adesiva. A janela estava fechada, a persiana, baixada até a metade.

Não era um quarto recém-desocupado; minúsculas marcas do tempo — decalques de personagens infantis na porta do armário, uma pantufa penugenta aparecendo sob a cama — diziam a Joyce que a garota que costumava dormir ali crescera havia muito tempo. Ou morrera, pois o brilho de vela vinha de duas fieiras de luz de tomada arrumadas em um santuário improvisado.

Três madeiras, apoiadas em suportes de alturas diferentes, estavam cobertas de fotos, desenhos, estatuetas de vidro, cachorros e gatinhos de porcelana. Junto disso tudo havia peças de artesanato infantil e, no lugar de honra, no meio da prateleira mais alta, um missal com vinhetas douradas na capa e um rosário enrolado em torno, uma das contas como uma lisa bola de futebol aos pés de uma bailarina de plástico. Na parede, encimando o conjunto, estava pendurada uma fotografia numa moldura ornamentada da deusa dessas pequenas coisas: a própria Gertrud, em esquis, vestindo agasalho de esquiar rosa-shocking, um pico alpino despontando acima de seu ombro como um sorvete de baunilha. Ao lado do retrato havia um crucifixo: Jesus, as pernas sem pelos na cueca branca e com cavanhaque de garçom de bistrô, pendia casualmente da cruz, depois de uma simples *visitinha*.

Joyce ficou plantada na porta; odiou sua própria intromissão, mas viu que era incapaz de se afastar. A silhueta negra de um pássaro bateu asas diante da parte inferior da janela: lá fora, na luz do dia, estavam os vivos; enquanto neste quarto mofento havia apenas garotas com morte cerebral, suas almas mantidas vivas em um equipamento de sustentação da fé.

Frau Stauben surgiu apressada pelo corredor. Joyce se virou, atrapalhada. "Por favor, desculpe... não tive intenção de bisbilhotar — as velas —"

Mas sua futura senhoria nem se incomodou. "É uma coisa boba", disse. "Minha filha", continuou, apontando para a menina no traje de esqui, "ela morre muitos desses anos atrás, foi câncer no sangue".

"Leucemia?"

"Isso... assim. Eu sempre pretendendo arrumar" — fez uns movimentos de varrida com as mãos fortes — "mas..." Frau Stauben deixou tanto a frase como as mãos penduradas no ar. Joyce olhou dentro de seus olhos azul-violeta e não viu nada incomum, apenas o clichê de humanidade. Nesse instante decidiu que tentaria gostar de Frau Stauben — *Vreni*; confiar, talvez.

"Então", retomou a outra, segurando Joyce pelo braço e conduzindo-a não para a sala, mas ainda mais profundamente pelas entranhas do apartamento. “Herr Weiss, Ueli, precisou ir embora — você estava um longo tempo.”

“Sério?” Joyce não se sentiu abandonada, mas aliviada.

“Sim, que Marianne —” Frau Stauben se deteve. “Então, aqui é o quarto que estou alugando.”

Era grande, limpo e, ao contrário dos demais, arejado. Uma cama grande de solteiro encostada na parede, o carpete em tom de bege hospitalar, o papel de parede em um padrão de treliças e rosas entrelaçadas.

“É” — ela fez as contas com os dedos atarracados — “duzentos e dez francos pelas semanas, e posso estar dando para você *le petit déjeuner* — uma refeição à noite também, se você querendo?”

Treu und Glauben. “Está ótimo, Frau Stauben”, disse Joyce. “Fico com ele.”

Os cabelos grisalhos de Frau Stauben caíam numa massa espiralada sobre seus ombros roliços; os elos da correntinha em seus óculos ficavam enterrados nas felpas de seu cardigã; os óculos por sua vez subiam e desciam em seu busto monumental. Ela continuava segurando o braço de Joyce. “Por favor, me chame de Vreni — e...”

Joyce tocou seu próprio peito. “Joyce.”

“Joyce. Exatamente. Está com muita sensação doente, Joyce?” Os olhos de Frau Stauben eram azuis demais — olhos de boneca, com bolsas sob eles.

“Não, não me sinto nem um pouco doente...” Ela hesitou, imaginando se deveria falar sobre suas esquisitas sensações desde a visita abortada à Gertrudstrasse, mas se decidiu contra. “Eu vim para Zurique antes, para — bom, talvez Herr Weiss já tenha lhe explicado. Meu câncer não está muito avançado, acho que não vou ser um problema para a senhora —”

“Não, não, não está compreendendo, Joyce!” Vreni Stauben ficou animada. “Eu não estou tendo qualquer problema com isso — já vi os muito doentes, os muito doentes. Só me admira...” Ela girou o dial invisível, sintonizando sua admiração. “Mas, sério, sou muito mal-educada!”

Vreni Stauben se movia apressada, respirando com o chiado estrepitoso dos obesos. Foi buscar toalhas e roupa de cama para Joyce, depois arrumou a cama. Mostrou para Joyce os armários da cozinha, com a granola — *muesli* — em tupperwares, e a geladeira, com as garrafas de um quarto de litro de iogurte.

"Se você acorda primeiro da hora", disse Vreni, sorrindo conspiratoriamente, "estarei fritando o *Röschti* e os ovos". Então deu a Joyce um chaveiro e mostrou a manha exigida para girar a fechadura. O gato azul esfumaçado de barriga raspada não saiu um minuto de trás delas. "Ela é animal estúpido", declarou Vreni de forma indulgente — e Joyce, que não gostava de gatos, tacitamente concordou.

Quando Joyce se viu sozinha em seu novo quarto, sentou na beirada da cama, abriu o zíper de suas botas curtas de salto alto e as tirou. *Você abusou da gente hoje*, queixaram-se seus pés doloridos. *A gente não está acostumado.*

Tá. Joyce se curvou para a frente e massageou primeiro um, depois o outro. *Eu sei, mas acho bom se acostumar.* Recostou nos travesseiros, pretendendo descansar só por um momento, mas a inconsciência a tungou com seu porrete de pelica.

Sonhou com Isobel como um soldado britânico na Primeira Guerra, em um uniforme de lã cáqui, os *puttees* enrolados nas garrafas de leite de suas canelas, a saladeira de um capacete metálico enterrada no cabelo tingido e frisado. A filha de Joyce se agachava numa cratera de granada; iluminada pelos estouros dos morteiros *whizz-bangs*, uma de suas bochechas brilhava, artificial. *Guta-percha*. Ueli Weiss — num casaco de couro de corpo inteiro, uma Cruz de Ferro no colarinho alto — fumava no extremo oposto de uma poça escura, no meio da qual despontava a mão de um esqueleto segurando uma pistola. A despeito do fogo de artilharia, fazia um silêncio sobrenatural, exceto pela *Sonata em Si Bemol* de Chopin, tocada muito suavemente por um virtuose impossível de ver, na *terra de ninguém*. A melodia se insinuava na reverberação de cada nota.

O Anjo de Mons desceu deslizando pelo céu abrasador e cor de laranja. Usava como máscara o rosto duro de Marianne Kreutzer e seu inflado manto de seda branca parecia *deliciosamente fresco*. Mesmo tendo cinco metros de altura, assim que segurou Isobel sob os braços, ele foi incapaz de erguê-la.

"Vou perder o voo, mãe", disse Isobel. "Não me deixa aqui." Ela agarrou a blusa de sua mãe, suas *estúpidas unhas feitas na manicure* cravadas no tecido.

Joyce gritou, "Me larga!" E acordou diante da banalidade apavorante do gato de Vreni Stauben, que andava sobre seu torso. Estava escuro. Após ter acendido a luz e entrado no banheiro, ela olhou o relógio: 3h44. Tirou a roupa, pôs o gato para fora e voltou para a cama. Pegou no sono imediatamente e, pela manhã, estava com fome suficiente tanto para o *Röschti* como para os dois ovos fritos.

Offertorium

Todo dia, depois do café, Joyce deixava o apartamento da Universitätstrasse e caminhava pelas ruas de Zurique. Vreni Stauben tentou convencê-la a andar de táxi — ou pelo menos de bonde ou de ônibus. Mas Joyce lhe disse que preferia ir a pé.

Pela manhã, quando saía para suas explorações, ainda havia farrapos de névoa presos às folhagens nas encostas arborizadas que cercavam a cidade; depois, à medida que a manhã se esgarçava, os farrapos desfiavam e sumiam. Houve uma sucessão de dias elevados, brilhantes, frios. A cada aventura que empreendia, Joyce desenrolava o fio da orientação, descendo entre os enfadonhos prédios neoclássicos do museu e da biblioteca, depois atravessando a ponte do Limmat, antes de ir desenrolando sua meada pela periferia da cidade velha.

Vreni contou a Joyce sobre a Weinberg e sobre a loja de departamentos mais barata, Globus, ambas na Bahnhofstrasse. Ela fazia compras sem pressa, muito mais calmamente do que teria feito no Bull Ring, em Birmingham. Os assistentes das lojas não eram mais *apresentáveis* do que os que havia em seu país, *mas, para ser franca* — e, uma vez que falava consigo mesma, por que não deveria ser —, eram bem mais atenciosos e mais educados, e também falavam um inglês *marcadamente melhor.*

Joyce se deu conta de que estava *montando um guarda-roupa* e só por esse fato já deduziu que sua estadia em Zurique duraria *um bom tempo*: as horas revestidas em roupa de baixo de algodão de boa qualidade, os dias amparados por um confortável, porém estiloso, conjunto azul-marinho — este feito de lã leve, uma vez que Vreni lhe dissera para esperar tempo quente em abril.

No apartamento 7 da Universitätstrasse 29, Joyce se adaptou aos ritmos de sua senhoria. Era bem do jeito que sempre temera: as regras suntuárias mesquinhas, as conversas sobre gato-e-clima, o assunto do estoque de leite — e as dores. Um acúmulo de sensibilidade sem nenhuma barreira de sexo para impedi-la: essa meia antivarizes é minha, ou será dela?

Joyce sempre entendera, racionalmente, que Derry morreria antes dela — o cromossomo X, o uísque, os cigarros incontáveis, o trabalho sedentário —, mas pior do que o medo de sua ausência era a ideia de alguma outra presença. Nos dias mais negros de seu luto, quando ainda nem vestira suas roupas, Joyce ficava sem atender às ligações até de suas amigas mais antigas e próximas, a preocupação tão feminina delas. Suas ansiedades ainda não estavam completamente formadas, e tanto pior: o purgatório amaldiçoado de um bolinho compartilhado na lanchonete de alguma propriedade da National Trust, por toda a eternidade até o fim dos tempos. *Senhor Jesus Cristo, rei da glória, livra das penas do inferno a alma dos fiéis que faleceram...*

Certa manhã, quando Joyce completara pouco mais de uma semana no apartamento de Frau Stauben, as duas senhoras ficaram conversando à mesa do café. Vreni lhe mostrava fotografias da peça de Páscoa do ano anterior na St. Anton; esse, Joyce percebeu, era seu outro jeito de relembrar Gertrud. Pondo de lado a última foto — um querubim particularmente colérico, seguro com firmeza por um anjo sofrido e resignado —, Vreni disse, "Ueli — Herr Weiss —, ele ligou ontem à noite para me perguntar se você está sendo toda boa."

Joyce não imaginou que isso fosse uma pergunta sobre seu bem-estar moral; cavoucou bravamente os restos de sua granola. "Ah, não se preocupe", disse, "estou ótima — não pareço ótima?".

"P-parece — eu — parece..." Como Vreni não era o tipo de pessoa em quem o tato vem naturalmente, seguiu mutilando o inglês: "Eu não estou sabendo o que é o estágio dos seus tratamentos, Joyce. Eu lamenta tanto, você me perdoa por não convidando essa conversa, mas estou confusa, não sei o que dizer para Ueli —"

"Você não precisa dizer nada para Herr Weiss!", exclamou Joyce com rispidez, e ia acrescentar que sua saúde *não era da conta de nenhum deles*, não fosse Frau Stauben ter tirado os óculos da ponta de seu nariz longo e varicoso e pousado os olhos de boneca em Joyce. O sol da manhã era intenso na pequena cozinha e uma espécie de auréola circundava sua forma suave. "Mas estou pensando" (Maziztoupenzando...), engrolou ela com grande cuidado, "que você não tão doente de jeito nenhum. Você não parece" — derrapou para o Schweizerdeutsch — "*Sie gsehnd nöd uus wie öpper wo Chräbs hätt*" — depois voltou — "a aparência de uma pessoa com câncer. Eu conheço essas coisas, sabe".

As filhas de outras mulheres olhavam para elas, da mesa. Adolescentes vestidas como seres imateriais, seus rostos sorridentes inexpressivos e surpreendidos sob o flash, à espera de que a experiência lhes emprestasse diferentes nuances.

Sem ter se dado conta de que saíra, ou pegara seu casaco novo, a bolsa e as luvas, Joyce se viu ao ar livre, na rua, os saltos *razoavelmente altos* de seus sapatos novos ecoando com energia no pavimento. Seguiu a meada outra vez na direção do rio; no pórtico do museu, uma deusa musculosa fazia pilates com o globo terrestre. Joyce atravessou a ponte, depois subiu a escada ao lado da gruta gótica e foi para o Lindenhof, o pequeno parque onde se aventurara quando deixou o Widder Hotel na primeira noite de sua ressurreição.

Podia ser verdade o que a senhora gorda dissera? Joyce podia estar se recuperando do câncer? Phillimore dissera que a origem de seu câncer era "oculta"; poderia a dissolução desses tumores ser igualmente misteriosa?

Em noites recentes, Joyce acordara com frequência de madrugada e ficara em sua cama larga, olhando para as trevas felinas se esfregando contra a vidraça negra como breu. Estaria lá fora, seu câncer? Teria sido *expulso*, para devolver seu olhar com olhos tão redondos e negros quanto um trema? Estaria ele observando seu corpo, enovelado no edredom, à procura dos sinais da derrota: as células insubordinadas, acovardadas, emendando as próprias membranas, batendo em retirada para a opalescência leitosa de seu citoplasma?... *Fac eas, Domine, de morte Iransire ad vitam... Permite, ó Senhor, que eles passem da morte para a vida...*

Abaixo dela, os raios do sol incidiam, de ondulação em ondulação. Bonito. Comum. Bonito. A seu lado, viam-se os Stadthäuser. Areia. Enfadonho. Areia. Joyce começava a compreender Zurique, um pouco; os edifícios individuais, as ruas, as colinas além — tudo estava delineado. Alguns deles vinham cheios de informação — cor, textura, forma —, enquanto outros eram simplesmente rotulados, por exemplo, "Rathaus", e recebiam uma breve descrição. Ela prosseguiu, caminhando por ruas secundárias, vazias no meio da manhã. Programara-se de buscar o sutiã que havia encomendado dois dias atrás — embora soubesse também que era muito cedo.

Na Bahnhofstrasse, Joyce se deteve diante da vitrine de um *chocolatier.* Ali era o inverso dos produtos de couro comestíveis da cidade velha; o *negócio* marrom lustroso, derretido e despejado nos moldes de coisas cotidianas — livros e canetas, moedas e relógios. Era tentador, esse mundo paralelo de substância doce, e Joyce tentou se imaginar no papel de uma pequena governanta inglesa, enchendo uma valise Gladstone com aquilo, antes de embarcar no trem que a levaria de volta para casa, através da Europa.

O trem para casa, *talvez eu pudesse pegar*? Avião, nem pensar: *se fiquei com medo de morrer quando estava vindo para cometer suicídio, como ia ser agora?* Cada solavanco, cada trepidação ameaçando estourar essa bolha de consciência luminosa, reflexiva? Joyce atravessou a rua na direção da estação, os olhos fixos, sem ver, nos peitos de pedra dos deuses e deusas guardiães do relógio. *O que Weiss quer?*

Um grupo de pessoas bebendo na rua se reunia alegremente em torno de um pedestal, sobre o qual um patriarca barbudo marchava eternamente rumo a uma industriosa Sião. Joyce pensou que, *por ser a Suíça*, eles se dedicavam ao negócio da embriaguez com sobriedade, a única coisa a distingui-los de cidadãos ainda mais sóbrios uma certa falta de registro que lembrava os adesivos que Isobel costumava decalcar em paisagens de papelão, esfregando com um lápis. Harmonizavam-se — dois homens, duas mulheres, um de pele escura, três de pele branca — com os bandos esvoaçantes de derradeiras folhas outonais.

Foi só quando Joyce ficou a poucos passos deles, e uma das mulheres deu um gole numa lata de cerveja, e então virou para olhar em torno, que reconheceu sua própria filha.

"Mã — Mãe!" Alto demais, gemeu o parente vivo mais próximo: uma flagrante familiaridade impingindo intimidade em público. O homem com ela era asiático — *tâmil*? O rosto liso — firme, mas carnudo —, os lábios simétricos, o cabelo grosso negro-azulado colado em sua testa por um gorro de lã creme.

Isobel pôs a lata no chão e correu para abraçar sua rígida mãe. "Ai, mãe, eu fiquei tão assustada. Ai, mãe, achei que você tivesse —"

Morrido. Joyce completou a frase, mentalmente, mas era a Isobel que ela se referia. Ela percebeu que a Gertrud de Frau Stauben e sua própria Isobel haviam virado uma coisa só em sua cabeça, ambas divindades familiares, objetos de dois cultos inúteis e cafonas.

"Por onde você andou? Eu voltei ao hotel todos os dias, fiquei esperando um tempão no hotel, eles — no fim eles chamaram a polícia —"

"Não fico surpresa, Isobel", disse Joyce com firmeza, livrando-se do ébrio abraço.

"Está tudo bem? Você está indo para algum lugar — quer que eu vá junto?" Isso dito num fôlego só. *Por favor, posso ir junto, mãe, por favor?* O rostinho cheio de lágrimas implorando entre os triciclos, *as creches naquela época, bom, eram meio que prisões*.

"Não acho que seja muito adequado a gente conversar sobre isso na frente dos seus..." Joyce encarou o tâmil e os outros dois, que *não eram tão respeitáveis assim, afinal*: o homem não tinha os dentes da frente, a mulher tinha um ferimento aberto perto da orelha "... amigos".

Mãe e filha caminharam juntas para o saguão de entrada do Hauptbahnhof: um espaço enorme, abobadado, com a luz desmaiada filtrando pelas várias janelas semicirculares. A atmosfera era abafada com a fumaça de diesel e o odor das massas embarcadas. Um manequim inchado, dourado, de pierrô, pendia das vigas no teto; Joyce pressupôs que aquilo era para ser *arte pública*. Parou e disse a Isobel: "Não vou a lugar algum, já falei pra você. Vou ficar aqui mesmo, em Zurique —"

"Mas mãe —"

"Também já falei pra você, Isobel, que estou com o saco na lua de carregar você nas costas, filhinha." De oficinas ancestrais brotou o longamente esquecido sotaque industrial de Black Country, marteladas e plangências maquinais. "Se você pretende ficar largada por aí na droga da rua com essa — essa escória, melhor ficar longe de mim."

"Eu estou preocupada com você, mãe."

"Está preocupada é com você mesma."

"E a casa? O que você vai fazer com ela?"

Vermelhas e molhadas — será que as bochechas de Isobel sempre estariam desse jeito? Irracionalmente — pois ela sabia que isso era apenas a neurose agravada da garota perdida, *sem casa pra ir quando jogassem água na boate* — Joyce foi ficando cada vez mais furiosa com a filha *interesseira, ingrata, cachaceira.*

"A casa, a casa — é só nisso que você pensa, Isobel. Está preocupada de não pegar seu dinheiro logo, não é? Honestamente, se o seu pai pudesse ver você agora!" *Se pudesse, ele ia dar um abraço nela, passar a mão naquele cabelo tingido idiota. Consolar a coitadinha.*

Isobel soluçava agora; os passageiros suíços andavam apressados, desviando os olhos, a caminho das máquinas de passagens. Joyce pegou uma caneta e uma caderneta em sua bolsa e, em toda a sua consternação, Isobel não deixou de notar aquela compra recente. Joyce rabiscou o endereço e o telefone de Vreni Stauben numa folha, arrancou e deu para a filha.

"Aqui é onde estou hospedada, se você achar que precisa falar comigo. Não quero nem saber onde você está, Isobel, não até você dar um jeito na sua vida."

"Mas, mãe, eu não tenho... Olha, meu cartão —"

Joyce já previa essa *mendicância de merda,* tão incongruente com o país, seus Alpes cavernosos recheados de *dinheiro vivo.* Tirou sua carteira e enfiou cinco notas cor de ferrugem na mão da filha; depois tentou se afastar, a passo acelerado, sem nem olhar para trás, *livra-os da boca do leão,* mas Isobel foi ainda mais rápida.

A bêbada agarrou seu braço e levou de cinquenta a cem metros para Joyce conseguir se libertar. A mulher voltou para o grupo junto da estátua e a última coisa que sua mãe viu, quando resolveu olhar, foi Isobel sendo consolada pelo tâmil, que pusera a cerveja de lado e a segurava num abraço que — como ele era uma cabeça mais baixo — parecia *a cena mais ridícula.*

Sanctus

Joyce usou sua chave para entrar no apartamento e passou direto pelo corredor até a sala. Ueli Weiss e Marianne Kreutzer estavam num dos sofás-lajes; Vreni Stauben sentava trêmula em uma poltrona. As cortinas empoeiradas tinham sido abertas e as persianas recolhidas; havia uma figura na janela e, quando girou para ficar de frente para Joyce, levou um tempo para que ela determinasse seu sexo.

Então ele disse, "Senhora Beddoes — Joyce, se me permite?", num inglês impecável, ao mesmo tempo avançando para apertar sua mão. "Isso é uma intromissão — e, para a senhora, inesperada —, então, será que pode nos desculpar?"

Ele está vestindo uma fantasia? Mas não, era uma sotaina de atavios roxos e com uma saia larga e estufada; uma faixa roxa brilhante atravessava o torso tubular da veste; e no topo de sua cabeça estava um barrete preto de borla roxa — o capitel daquela coluna humana.

"Sou o monsenhor Reiter", anunciou o padre — não sem um vestígio de orgulho —, "mas, por favor, pode me chamar de Jean".

Joyce notou a aliança de ouro em seu dedo anular e um anel-sinete de ouro branco incrustado de diamantes no dedo mínimo. Era jovem, aquele padre, e de pele tão branca que o pigmento parecia ter sido sugado dele. Também era bem alto, com um rosto comprido à El Greco e pelagem preta brilhante tão densa que mesmo tendo provavelmente se barbeado naquela manhã — fato evidenciado pelo pequeno corte recente junto ao seu pomo de adão protuberante — suas maçãs encovadas já estavam sombreadas de azul com os pelos novos.

"Como vai", concedeu Joyce.

Vreni começou a se agitar, perguntou a Joyce se queria chá... café. Até mesmo Marianne, usando uma blusa de seda cinza-esverdeada que *devia ter custado uma pequena fortuna*, parecia um pouco embasbacada com o prelado.

"Qual o motivo", perguntou Joyce, "de sua visita?".

"Sou o capelão papal", explicou Reiter, "encarregado pela Cúria da tarefa de verificar determinados tipos de... bom, talvez o modo menos prejudicial de pôr isso em palavras seria chamá-los de 'eventos incomuns'." Ergueu as sobrancelhas; um gesto radical que tornava seu rosto entre cômico e expressivo; temporariamente, pareceu assombrado pelas próprias palavras, intimidado pela própria magnificência.

Continuavam de pé. Joyce mediu a si própria. Lentamente, desabotoou o casaco, retrocedeu ao vestíbulo e o pendurou — junto com a boina de lã que comprara na Day's —, depois, voltando para a sala, sentou na menos confortável das cadeiras de Vreni Stauben: uma estrutura de alumínio com uma tipoia de couro por assento. Não se sentia particularmente intimidada com a situação — padres, médicos, onde estava a diferença? Ela lidara com profissionais desse tipo toda a sua vida adulta e, como Derry era procurador, também tivera muito contato com advogados.

Joyce passeou os olhos de um suíço para outro. Vreni Stauben estava encolhida. "Ueli — Herr Weiss", corrigiu-se, num mea-culpa ofegante, "ele faz ligações todos os dias para dizer como está Frau Beddoes?".

"E você contou para ele que eu estava... bem?"

"Você não parecia como a paciente de câncer para mim, Joyce." Ela se concedeu o direito de virar a palma das mãos para cima, como um mártir.

Weiss levou a ponta do dedo ao bigode de morsa. "Quando nos conhecemos, na frente da capela, vi uma mulher muito doente." Um segundo dedo cutucou a atmosfera carregada. "Mas quando senhora foi em igreja de St. Anton, estava muito melhor." Weiss, Joyce pensou, tinha os modos profissionais de alguém sem profissão definida. "Dava para perceber, porque eu já tinha visto como doente estava senhora... E agora, zerto, Frau Beddoes" — recolheu o dedo, riu curto — "essas grandes caminhadas pelo centro e — deve perdoar, sim? —, mas Frau Stauben, sim, ela tem contado sobre, como diz — *der Appetit*?".

"Com que gosto", disse o capelão papal, saboreando a oportunidade de corrigir o inglês de seu conterrâneo.

"Então, sim, exatamente: com que gosto senhora tem comido seu *Röschti*. E agora, vemos aqui uma muito jovial, sim? Mulher jovial. Bom, já quando estava eu conversando com padre Grappelli sobre senhora — e senhora dizendo o que aconteceu com Hohl — eu estou pensando isso não é comum, é acontecimento estranho. Então, bom, nós estamos sendo muito cuidadosos — Grappelli, ele está assustado, mas eu digo que devemos —"

Curvando-se para a frente, Joyce interrompeu Weiss com um gesto da mão. "Será que estou escutando isso mesmo, Herr Weiss?" Seu tom era tão casual quanto se estivesse perguntando sobre a alocação de leitos ou o trâmite da roupa lavada no hospital. "O senhor está sugerindo que o que está acontecendo comigo é um" — sorriu — "milagre?".

Joyce não ficou nem um pouco surpresa de que Vreni Stauben fizesse o sinal da cruz, mas um pouco por Marianne Kreutzer também fazer.

"Ã-hã!", interpôs Reiter. "Essa expressão — nós não a usamos muito hoje em dia; é muito controversa, eu acho. A expressão preferida — certamente durante consultas preliminares — é 'suspensão percebida da lei natural'."

Joyce riu com o jargão burocrático do sobrenatural; riu com vigor falstaffiano. "Senhores — senhoras", disse assim que sua hilaridade se apaziguou, "não posso negar que estou me sentindo extremamente bem, de fato — e fico feliz em discutir os possíveis motivos para isso, mas, antes de prosseguirmos, duas coisas: acho que escutei a chaleira ferver, Vreni. Estou com sede e gostaria de um pouco de chá". Frau Stauben se levantou e, após perguntar aos demais o que iam querer, dirigiu-se obsequiosamente à cozinha. "Segundo", retomou Joyce, "se eu fui um... objeto de suspensão da lei natural, podem me dizer, por favor, quem anda provocando a suspensão?".

Parecia que Weiss não esperara que ela tocasse nesse ponto tão cedo. O bigode estremeceu e ele puxou nervosamente os punhos da manga de sua camisa rosa e listrada. Marianne se ocupava de mexer em sua bolsa — apenas o monsenhor teve a presença de espírito de responder: "Bem, certo, senhora Beddoes, ainda estamos muito no começo e o procedimento pelo qual eventos tão extraordinários são autenticados é demorado.

Sou apenas um auxiliar nesse caso, preparando os relatórios iniciais para o bispo da diocese —"

Joyce o silenciou com outro gesto imperioso. "Já ouvi o suficiente, muito obrigada, monsenhor Reiter. Permita-me dizer de outro modo: se esperam que eu coopere de algum modo, quero que me respondam nesse minuto; caso contrário vou fazer minhas malas e ir embora."

Silêncio. *Santo, santo, santo, Senhor Deus dos Exércitos, Céu e terra estão cheios de... pó e pelo de gato.* Os olhos de toda a delegação se dirigiram à porta da cozinha, onde Vreni Stauben estava parada, uma colher numa das mãos gorduchas, um coador de chá na outra. Sua usual expressão leniente estava endurecida por uma intensidade que Joyce não vira antes: um feroz orgulho materno, não por alguma mundana realização no nado, no salto ou em um instrumento musical — mas por um feito transcendente.

Com a morte de Derry, os amigos deles se afastaram. Joyce já esperava por isso — já se preparara para isso, também. Derry costumava ser muito mais gregário que ela; era o responsável pela organização das ocasiões sociais. Ela apreciava essa característica sua, assim como ele valorizava sua aspereza, sua reserva. Não que Joyce fosse incapaz de amizade; a lealdade, em sua opinião, era parecida com os pagamentos do seguro — uma coisa que você *mantém em dia*. Havia suas duas amigas da adolescência: Ruth, agora aposentada e morando em Yorkshire Wolds, e Iris, que se mudara para Londres, onde vivia uma união lésbica duradoura. Depois, quando a companheira de Iris morreu, ela juntou suas coisas outra vez e voltou a Birmingham. Havia ficado com Joyce por um mês no ano anterior, enquanto procurava uma casinha aconchegante na Floresta de Arden. Uma presença infatigável, o rosto redondo, mignon, *vigorosa*.

E também havia Miriam e Sandra, as duas antigas colegas de trabalho; embora a amizade com a primeira, que tinha sido sua secretária, fosse sempre *um pouco tensa*. Em diversas ocasiões Miriam viera de longe, fazendo todo o tortuoso trajeto desde Snow Hill, para pegar Joyce e levá-la à radioterapia no Mid-East.

Sandra, uma pediatra que clinicara por longo tempo e fora muito reverenciada, agora repousava no esplendor verdejante de Edgbaston. Cada cômodo de seu solar *Arts and Crafts* era como uma estufa, enquanto a casa toda ressoava com a cantoria de netos — ou assim fora a impressão de Joyce, de suas infrequentes visitas. Sandra cuidava das refeições sempre que necessário — aparecia, também —, mas quase não tinha *iniciativa. Eu tinha que pedir pra ela me levar até a clínica — e isso era muito chato. Constrangedor.*

Mas a autopiedade não era tolerada: *eu tenho minha vida*, e até, brevemente, após a morte de Derry, *um novo parceiro*; fonte — decerto justificável? — de considerável satisfação. *Não vou ficar mofando por causa da idade.* Apesar disso tudo, o jeito que aqueles casais tinham *me dado um pé na bunda* doeu. Os procuradores presunçosos e suas esposas de convescote, eram eles que estavam mofando quando distribuíam o baralho de indivíduos encalhados nos pares do bridge.

Obscuramente, Joyce culpava Derry pelo fato, e relacionava isso com um fracasso na intimidade deles: tinham sido *próximos, com certeza*, porém, o grosso da comunicação tácita entre ambos fora que *não havia muito que valesse a pena ser dito.*

Tudo isso com os três suíços sentados olhando para a suíça de pé; tudo isso com os magos adorando a mãe do Salvador. Era ridículo, *nem se discute*, o *santuário idiota* da adolescente miraculosa; a beata Gertrud — primeiro a acne, depois a canonização. De um modo esquisito, Joyce agora se sentia autorizada por todas aquelas décadas silenciosas que passara com Derry. Havia uma perspicácia nelas — uma astúcia inata.

Os suíços tomaram seu café; Joyce tomou seu chá. Conversaram, uma interação infernal entre pragmatismo e espiritualidade. Ela ficou sabendo que Ueli Weiss tinha um filho gravemente incapacitado. "Um parto difícil, sem oxigênio suficiente", explicou, e Joyce pensou, *está descrevendo também o casamento dele.* O bebê fora — e isso foi declarado como uma escolha de menu — "um vegetal": surdo, cego, mudo, paralisado. Um dia, Weiss, como de costume, levou o filho vegetativo consigo numa visita a Gertrud Stauben, que estava no hospital, morrendo de leucemia.

Joyce podia imaginar a filha de Vreni, sua pele tão translúcida quanto cera derretida, esticando os dedos anêmicos para extrair força da cabeça de batata do menino... "Existem três classes de acontecimentos desse tipo", disse monsenhor Reiter. "*Quoad substantiam* — esse é o ato bíblico do Salvador, e alguns de seus santos." O jovem prelado havia sentado e cruzado as pernas, a saia de sua sotaina pendendo aberta de modo a revelar a calça de algodão bege. "Depois temos *quoad subiectum*, que, embora não implicando a completa ressurreição do morto, pode, no entanto, exibir a restituição completa — *restitutio in integrum* — de órgãos irremediavelmente danificados; até mesmo o crescimento de novos."

No que interessava a Joyce, era esse segundo tipo de... não fé, mas suspensão coletiva da descrença, que Reiter estava investigando. A garota moribunda impusera suas mãos mais de quinze anos antes: "Meu filho, ele era, como dizer, um vegetal. Agora, não é sujeito totalmente normal — ninguém está dizendo isso —"

"Mas ele come sozinho, veste também", Marianne interrompeu. "Consegue andar e está falando essas poucas palavras, então." Ela se curvou para a frente, o rosto normalmente saturnino animado. "Esse era bebê sem nenhum cérebro — *Siis Hirni isch Hackfleisch* — "

"A carne moída", interveio Weiss.

"Agora ele fazendo essas coisas, mas com quê?" Sua própria luta por ser compreendida ecoava o acontecimento incompreensível.

Joyce podia imaginar o rapaz: o queixo babado, chocando a cabeça enorme contra a porta, os traços mais grosseiros do que os do pai, e em lugar do bigode basto de Weiss, o borrão de carvão da puberdade masculina.

Reiter era meticuloso: "Não esperamos nem por um segundo que os médicos apoiem o que estamos tentando provar; também não procuramos médicos que sejam católicos; evidência é evidência e vamos acatá-la. Mas mesmo conseguindo obter depoimentos médicos, a liberação de registros nos hospitais e, naturalmente, arranjando para que Erich faça os exames e tomografias necessários — isso vai levar um tempo longo demais, sabe.

"Depois há o relacionamento entre a diocese e Roma. Somos", disse isso com um sorriso, "como qualquer outra grande organização, então, há muita papelada. Uma vez já o bispo aqui em Zürich tratou dessa questão, mas o relatório voltou: é preciso haver mais testes, outras confirmações".

Era fácil compreender a motivação de Vreni Stauben: melhor do que a memória — ou formaldeído —, a fé seria o conservante supremo; um reconhecimento do nível mais elevado da beatificação que todo pai confere ao filho. Quanto a Reiter, era um funcionário, e isso era seu equivalente de uma cura, para um médico; Joyce entendia muito bem como tais estatísticas asseguravam fundos e promoviam carreiras. Mas Ueli Weiss e Marianne Kreutzer? Era difícil *tachar os dois de carolas.* Haveria alguma culpa mais obscura que precisava ser aplacada, algum pecado por omissão que necessitava ser absolvido? Ou seria apenas o caso de aquele ser um homem de meia-idade com um cartão de visita que nunca visitara ninguém que valesse a pena, profissionalmente falando? Vreni Stauben mencionara uma revenda de carros em Berna herdada por Weiss; entretanto, em seus comentários muito indiretos ficara a sugestão de que essa era uma empresa ativa, para cujo funcionamento ele contribuíra muito pouco.

Tudo isso tiquetaqueava na mente de Joyce com precisão suíça enquanto escutava Reiter. Ela estava fazendo o tipo de avaliações que haviam sido parte integrante de seu trabalho como administradora de alto nível; uma análise de modos, meios e motivos que, desde a aposentadoria, havia cessado para constituir mera excentricidade. Sentada em seu trono modernista, Joyce estava autorizada a fazer declarações *ex cathedra.*

"Então" — ela interrompeu o capelão papal — "porque não pareço estar morrendo, vocês querem — querem acreditar — que eu posso ter sido sujeitada a" — saboreou a frase — "uma suspensão da lei natural".

"*Quoad modum*", disse Reiter, sucintamente. "Isso é a terceira classe: recuperação de uma enfermidade fatal, progressiva, que seja espontânea, e que, mesmo que pudesse ser tratada pela medicina, levaria muito tempo e exigiria muitos recursos. Sim, Joyce, acreditamos mesmo que isso pode ter acontecido com você."

Fac eas, Domine, de morte Iransire ad vitam... Permite-lhes, ó Senhor, passar da morte para a vida... Joyce riu com gosto outra vez — e embora os católicos laicos fizessem uma careta, ela viu com satisfação que Reiter se juntava a ela em sua alegria secular. "E como, se me permitem perguntar, a filha de Frau Stauben realiza esse, ahn..." Meneou os dedos, aludindo ao politicamente incorreto milagre. *Mors slopebit et natora, Cum resurget creatura, Judicanti res-pon-sura...* As palavras espantosas se insinuaram em seu ouvido interno.

"Tem duas coisas que você precisa saber", disse Reiter. "A primeira. Talvez você não esteja familiarizada com o que os católicos acreditam, nesse caso; essas intercessões podem ocorrer anos mais tarde, invocadas — ou provocadas, se você preferir — pelas orações dos fiéis. A segunda. Naquele dia em que conheceu Herr Weiss, Marianne Kreutzer e o padre Grappelli... bem, aquela pequena capela perto do Lindenhof, é — tornou-se — isso é inteiramente extraoficial, é claro — como um santuário para a filha de Frau Stauben. Quase todo dia" — olhou para Weiss em busca de confirmação e a cabeça de lontra se curvou — "eles vão até lá para rezar".

Joyce teve uma visão do poder "provocado" por suas orações: um raio de neon relampejando pelos tediosos bulevares de Zurique. Ele caía no apartamento da Gertrudstrasse, 84, onde Joyce conversava com o dr. Hohl e, forçando-a a abrir sua boca, ajudava-a a deter a mão da assistente de suicídio, antes de massagear seu abdômen — crepitando veias arroxeadas na pele baça de um gerador van de Graaff —, irradiando seu fígado doente com os inteiramente grátis, e sob encomenda, raios X da fé.

Estavam olhando para ela. Reiter havia parado de falar; Vreni Stauben acalentava a foto emoldurada da menina morta, que havia retirado de seu santuário doméstico. Relembrando a estupidez de suas confidências no Kronenhalle, Joyce disse, "Olhem, não sou nenhuma boba —" Weiss sugou o ar abruptamente, mas havia limites para o *Treu und Glauben*, e ela foi em frente: "Isso me soa como uma jogada muito esperta... muito política de parte da deidade, considerando o que Herr Weiss me contou sobre a organização do doutor Hohl, a administração da cidade, a maioria católica aqui em Zurique — essas coisas."

Reiter se curvou para a frente, juntando a saia sobre os joelhos, um gesto ao mesmo tempo assexuado e sedutor. Uniu as mãos esguias e brancas e as ergueu diante do rosto longo e expressivo. Joyce pensou em Phillimore, que, com seu telhado de palha amarelada emoldurando as feições de fazendeiro, era um *rústico* comparado a esse delfim do Vaticano.

"De sua inteligência ninguém duvida, Joyce", disse Reiter. "E, embora não exista nenhum impedimento de que o Altíssimo se envolva pessoalmente nas minúcias do governo local, admito que visto de fora da Igreja isso deve parecer muito... bem, mundano."

Joyce decidiu que ia apreciar fazer negócio com monsenhor Reiter — e, definitivamente, um negócio iria ser. O inglês dele, claro, era *bom demais* — principalmente aos ouvidos de um inglês. Tornava tudo que dizia de uma clareza implacável: "Caso decida cooperar com nossa investigação, os exames médicos, qualquer tratamento exigido, acomodações — mesmo uma verba diária para despesas: nós ajudamos com tudo isso."

"Eu não faço a menor objeção às atividades do doutor Hohl", retrucou Joyce. "Ou então não o teria procurado. Muito pelo contrário, acho que ele e sua organização estão fazendo um bom trabalho — dando uma escolha real às pessoas."

Os olhos de Weiss saltaram das órbitas e Vreni Stauben sufocou um soluço em suas bochechas gorduchas, mas Reiter permaneceu imperturbável. "Não se trata na verdade de condenar ninguém, senhora Beddoes", disse ele, judiciosamente. "É mais uma questão de encontrar uma causa comum. Além do mais, o objetivo primordial aqui não é fazer uma campanha contra o suicídio assistido" — ele não pôde se furtar a uma careta com a expressão: caroços amargos —, "mas investigar eventos de uma natureza espiritual superior: a evidência da obra de Deus entre a humanidade".

"Compreendo", observou Joyce, sucinta, embora não acreditasse por um segundo que as orações de Ueli Weiss para a filha morta de Vreni Stauben haviam curado seu câncer. A sensação esquisita — não de saúde, mas de uma espécie de nulidade competente — era simplesmente um platô mundano coberto com um tapete empoeirado, em torno do qual o abismo ainda despencava, profundo, escuro, mortal. A gata birmanesa sem útero de Vreni Stauben entrou maciamente na sala e se aproximou de Joyce. Ficou olhando para ela com seus olhos *estúpidos e vazios.*

Ueli Weiss começou a falar em seu ligeiro tom de competência flagrante, juvenil. Os necessários testes, disse, podiam levar semanas — meses, talvez. Mesmo se Joyce estivesse em posição de provar que possuía recursos consideráveis — e liquidez —, obter um *Niederlassungsbewilligung*, ou permissão de residência tipo C, junto ao governo federal, talvez ainda se mostrasse impossível, dadas suas condições. Mas ele, Weiss, em conjunto com a diocese, tinha acesso aos melhores advogados de imigração; e assim lhes parecia ser um caso de *prima facie* que Joyce reivindicasse status de refugiada.

"Status de refugiada?" Joyce arregalou os olhos para Weiss, que nesse dia usava um terno de flanela de belo corte, em um tom de azul muito neutro. "Do que exatamente estou buscando refúgio, do NHS?" Os suíços olharam sem compreender, então ela explicou, "O serviço de saúde da Inglaterra, eu quis dizer."

"Não, não." Weiss manteve a seriedade. "Nós estamos pensando que você está pedindo pelo *Asylberechtigung* de Hohl, da gente dele — a pressão que fizeram para você se matar."

Ninguém me submeteu a nenhum tipo de pressão ou coerção... "Mas eles têm salvaguardas para isso, uma gravação em vídeo, um contrato —"

"Sim, sim, sabemos disso, *natürlich...*" Ele prosseguiu, tranquilizando Joyce de que não haveria estardalhaço algum — que não era assim que faziam as coisas em Zurique. Seria um caso de representações sigilosas, entrevistas informais, de influência sutil sobre políticos e juristas. Havia um processo a construir — disso tinham certeza; a cambiante demografia da afiliação religiosa no cantão combinava com o nacionalismo crescente... *Talvez também esteja vendo nosso novo tipo de hóspedes. Hóspedes pretos, hóspedes marrons.* Que ironia, pensou, eu e o amigo tâmil de Isobel. *Os dois enfiados no mesmo saco.*

Joyce ficou surpresa em ver monsenhor Reiter ceder todo esse processo de convencimento para o inconvincente Weiss. Apesar disso, ela resolvera concordar com eles mesmo antes que finalmente terminasse de falar. Teria sido incapaz de dizer qual era sua motivação; certamente, não tinha nada a ver com os objetivos deles, ao passo que os seus ainda não estavam formados. Aquilo, ocorreu a Joyce, enquanto se levantavam e seguiam pelo corredor estreito rumo ao *Zimmer* da falecida Gertrud, não tinha absolutamente nada a ver com fins; tinha, antes, a ver com meios: o preenchimento de formulários serviria para preencher dias que de outro modo seriam entediantes. Haveria ainda os compromissos para cumprir — isso seria *reconfortante*, algo como um *trabalho em meio período*. E depois havia a perspectiva de seu próprio apartamento. *Preciso ficar longe dessa droga de gato!*

Vreni Stauben, Ueli Weiss e até Marianne Kreutzer — todos se ajoelharam, parecendo sinceros, diante do santuário; curvando a cabeça diante dos bibelôs, fitas de cabelo e uma pulseira de macramê da menina. Reiter lançou um olhar duro para Joyce: um mestre-escola proibindo-a de dar risadinhas ou se impacientar. Então começou a entoar, baixo e claro, em latim, enquanto o trio dava as respostas apropriadas, "*Credo in Deum Patrem... Et in Jesum Christum... Credo in Spiritum Sanctum...*"

Um apartamento próprio envolveria Joyce em sua cidade recém-adotada, permitira que se tornasse parte do lugar — então ela parou e pensou. Isso era *ridículo*! *Sou uma doente terminal! Quid sum miser tunc dicturus, Quem patronum togaturus, Cum vix Justus sit securus? O que eu, miserável, direi então? A que patrono rogarei que fale por mim?* Os probos suíços tinham monsenhor Reiter, sua faixa roxa brilhando na penumbra do quarto, com suas luzes de tomada bruxuleando ante suas fiéis exalações. Reiter dissera que a Igreja não podia sancionar o culto vicejante de Santa Gertrud — e no entanto ali estava ele, cultivando seus rebentos.

Não fosse a curiosidade, despertada em Joyce pela devoção incongruente da cínica Marianne Kreutzer, talvez pudesse ter voltado para casa — mas lá também nunca voltaria a ser um lar, não agora; a derradeira faxina fora feita, sua roupa de baixo, separada para doação. Talvez pudesse, mesmo assim — mas também havia aquele medo pavoroso de voar, e o fardo insuportável que era Isobel. Talvez pudesse — mas também havia a própria Suíça, sua ordenação tranquilizadora, sua vitalidade impassível.

* * *

A Páscoa veio e foi. Joyce compareceu à peça da paixão das crianças que Vreni Stauben montou na igreja de St. Anton. Não parecia em nada diferente das produções no interior da Inglaterra: as mesmas declamações titubeantes e cantoria estridente, os mesmos rostos pintados e túnicas desalinhadas. A narrativa — que ligava preocupações ambientais com a Ressurreição — tinha flores novas e inocentes brotando no *Gründonnerstag*, para serem logo ceifadas no *Karfreitag*, quando o Salvador era pregado na cruz. Joyce achou a peça espiritualmente tão pobre quanto qualquer coisa que anglicanos pudessem ter elaborado.

Disse a si mesma que fora por simples lealdade; que a semana que havia ficado na Universitätstrasse criara uma ligação entre ela e Vreni Stauben, a domesticidade partilhada sendo mais coesiva que qualquer *palavrório*, por mais antigo ou sagrado que fosse. A verdade era que Joyce se sentia solitária — dolorosamente solitária.

A importância concedida pela diocese lhe garantira o apartamento em um pequeno bloco de edifícios da Saatlensstrasse, no subúrbio de Oerlikon, que ficava além da corcunda arborizada do Zürichberg. Com seu status de refugiada sob análise e uma autorização de residência temporária concedida, Joyce se livrou da exposição incômoda de repetidas entrevistas com Frau Mannlë, a oficial da Fremdenpolizei que estava com seu dossiê.

O dinheiro da aposentadoria continuava a ser depositado em sua conta bancária; as despesas de manutenção da antiga casa da família eram saldadas no débito direto. Uma pequena soma também estava sendo discretamente depositada na conta de um banco suíço, de modo que para o aluguel em Zurique e as pequenas despesas do dia a dia, Joyce podia simplesmente tirar dinheiro em um caixa eletrônico. Quaisquer questões sobre impostos deveriam, orientou-a um dos advogados do escritório, ser postergadas até que sua residência estivesse decidida em bases mais permanentes.

Joyce se lamentava pelo lar em Bournville, a sólida casa geminada do entre guerras, os quartos arrumados ganhando bolor enquanto a primavera enchia de vida o mundo lá fora: estufando a sebe, verdejando o gramado, tingindo as flores que plantara — de branco, depois amarelo, depois vermelho, violeta e laranja — nos canteiros marrons. Mas essa letargia enclausurada parecia um contrapeso a seu novo apartamento em Oerlikon.

Ela acolhera de braços abertos o estado desguarnecido em que estavam os quatro pequenos cômodos. Iluminação, persianas, tapetes, aparelhos de cozinha — tudo fora embora junto com os inquilinos anteriores; era assim, explicou-lhe Ueli Weiss, que os suíços faziam. Significava que Joyce teve de fazer diversas viagens ao shopping center de Sihl City, onde perambulara pelos saguões e andara de escada rolante, consultando catálogos e falando com vendedores. Não se incomodou de fazer isso, e tal era a eficiência do setor de serviços local que as coisas foram entregues e instaladas em dez dias.

A essa altura, com competência característica, Joyce formara seu sentido de direção. Ela sabia onde fazer as compras de armazém, onde encontrar as etiquetas que tinham de ser presas aos sacos de lixo, e como separar esse mesmo lixo de modo a atender às draconianas regulamentações de reciclagem.

E, o ponto principal, os vizinhos em seu prédio de três andares eram, se não exatamente amigáveis, evidentemente acolhedores. Herr Siemens, o sujeito barbudo e atarracado que morava no apartamento do outro lado do patamar, parava para conversar quando se encontravam na escada. Joyce imaginou que fosse um programador de computadores, e não tardou a ver sua hipótese confirmada. Um homem na meia-idade, provavelmente *obsessivo*, embora muito amável e *decente*, pensou. No fim do dia, costumava tocar música eletrônica e, embora os bipes e oscilações dificilmente fossem barulhentos, Herr Siemens aparecia diligentemente a cada dois ou três dias para verificar se sua vizinha não fazia objeção.

Era o mesmo com os Pfeiffer, que moravam no apartamento de baixo. Seus dois filhos, Rolf e Astrid, não eram mais ruidosos do que qualquer outra criança de menos de cinco anos com quem Joyce já tivera algum contato — se alguma diferença havia, é que eram menos —, e no entanto Frau Pfeiffer vinha regularmente perguntar se não estavam incomodando Joyce. Uma mulher jovem e animada, à vontade, os seios livres e desinibidos em seu cardigã; mas por mais relaxada que Frau Pfeiffer pudesse ser, mostrava-se sempre perfeitamente correta: educada e distante. Sua contrapartida em Birmingham seria, Joyce tinha certeza, uma mulher tatuada, de piercing, despreocupadamente grossa — pois Oerlikon era uma região onde predominava a classe trabalhadora, conveniente para os operários das indústrias próximas.

Quando Joyce se mudou, foi Frau Pfeiffer quem a informou sobre o comércio local, e lhe indicou o Peter Tea Room, uma casa de chá onde inglesas podiam degustar uma xícara de sua bebida nacional. O masculinizado estilo de cabelo que Joyce induzira quimicamente começava a ficar rebelde, e, também aí, foi Frau Pfeiffer que recomendou um salão. Mas a coisa não passou disso — nenhuma intimidade extra foi encorajada. Ela não estava sozinha nisso: Herr Siemens era igual, assim como o senhorio, Herr Frech, que recolhia o aluguel pessoalmente. Todos eles permaneciam um pouco afastados, pessoas ao mesmo tempo carnalmente corpóreas e não obstante exíguas: *ein verschlossenes Volk* — um povo oculto —, como os suíços se referiam a si mesmos.

A barreira da língua não ajudava, embora Joyce sentisse pouca propensão a contorná-la. Suas antigas aulas noturnas de alemão introduziam-na apenas até certo ponto no sotaque impenetrável; era quase impossível captar a sintaxe que jazia sob o meloso Schweizerdeutsch. Além do mais, ela temia que a falta de nuance que experimentava ao conversar com aquelas pessoas numa colagem de línguas — um pouquinho de inglês, *ein bisschen* de alemão, às vezes uma pitadinha de francês — continuaria presente, mesmo que seu significado ficasse tão translúcido quanto as janelas de suas casas impecáveis.

Joyce saía para caminhar ao longo da linha de trem, onde barracões com pequenas hortas se aglomeravam confortavelmente, depois seguia pela trilha à margem do rio Glatt. À parte a inclinação mais rasa dos telhados nas moradias retangulares, e a precisão dos grafites de spray nas pontes de concreto, esses podiam ter sido passeios monótonos pelos arrabaldes subimaginados de qualquer cidadezinha inglesa.

Ou então Joyce tomava o rumo oposto ao deixar o prédio e ia até a Peter, para relaxar em sua aconchegante feiura de mesas de fórmica e cortinas quadriculadas, observando as vagarosas explosões de fumaça de cigarro saindo das bocas arruinadas de outros fregueses de idade. Depois disso, dizendo a si mesma — mas para quê? — que tinha de se exercitar para queimar o *Apfelstrudel* e o creme batido, Joyce marchava colina acima pelas trilhas em zigue-zague que levavam ao topo do Zürichberg. Raios primaveris tateavam os galhos à sombra perene de abetos e pinheiros. Os troncos enegrecidos de suas predecessoras, derrotados pela decomposição, jaziam caídos em valas. Os cogumelos eram verrugas brancas em seus troncos esfolados, a atmosfera estava rica com o odor de cortiça apodrecida.

No decorrer de um mês as caminhadas de Joyce foram ficando cada vez mais longas. Era difícil para ela negar perante si mesma que aquela figura ereta em um alinhado conjunto de tweed e bons sapatos de caminhada, esmigalhando pedregulhos e saltitando sobre poças, era uma senhora muito *enérgica* para sua idade. No dia programado para ir até a cidade e pegar os resultados dos exames médicos aos quais se submetera, Joyce caminhou todo o trajeto até o topo da colina — sem sentir a menor falta de fôlego — e depois pela crista esparsa.

Os pináculos da Grossmünster e da Fraumünster despontavam no fundo do vale, pétreos *pinheiros solitários*. Nuvens repousavam no cume do Uetliberg — um regalo malva e cinza. Ela caminhou ao longo da aresta até os portões de um cemitério. Foi somente depois de notar as palavras *Friedhof Fluntern* esculpidas nos blocos do muro que Joyce se deu conta de que a esmerada trilha de pedrisco cor de carvão, desaparecendo por uma alameda de bétulas brancas, levava a seu próprio túmulo.

Judex ergo cum sedebit, Quidquid latet apparebit, Nil inultum remanebit. Quando então o Juiz tomar Seu assento, Tudo que estiver oculto aparecerá, Nada permanecerá impune. Sua mãe morrera antes de seu pai, pinçada pelo caranguejo do câncer nos anos doloridos do pós-guerra. As lágrimas eram espessas no rosto artificial de seu pai junto ao túmulo. Joyce estava com doze anos, idade ruim para uma menina perder a adorada mãe — talvez a pior. Posteriormente, não lhe faltou discernimento, ao compreender que essa experiência — ser forçada a bancar a mãe de seu pai e do irmão mais novo — ajudara a torná-la uma tirana quando o assunto era autoconfiança e Aperfeiçoamento da Inteligência Emocional.

Joyce alimentara altas expectativas sobre as entrevistas com o capelão papal e o padre Grappelli. Havia esperado até mesmo que os advogados indicados pela diocese para defender sua reivindicação de *Asylberechtigung* — e o consultor de relações públicas que eles, por sua vez, haviam contratado para divulgar esse caso politicamente delicado — se revelassem interlocutores interessantes. A ideia de um milagre contemporâneo era, ela achava, tão bizarra que qualquer coisa ligada a isso assumiria um matiz divertido.

Não foi bem assim. Em vez disso, lustrosos ternos azuis e pretos na monótona ambiência de escritórios corporativos. A sutil esgrima argumentativa quando se conheceram no apartamento empoeirado de Vreni Stauben fora, Joyce percebeu, a estratégia de monsenhor Reiter para ganhá-la — corpo e alma. Agora que ele a tinha, ela se via sujeitada à indiferença apaixonada de um celibatário. Em lugar da saborosa mundanidade que haviam fugazmente apreciado um no outro, sentavam-se cada um de um lado da mesa do bispo, cercados por arquivos de metal que poderiam ter pertencido a qualquer organização.

O longo e fino prelado se enrodilhava numa cadeira giratória. A sotaina larga e a faixa roxa — que, num contexto doméstico, tinham parecido a Joyce carregadas de exotismo — ficavam aqui mitigadas: menos uma fantasia. O barrete repousava sobre o mata-borrão, o brinquedo do executivo de Deus. E assim o capelão papal a inquiriu, suas perguntas tiradas de uma folha impressa.

Houve entrevistas a sós com Reiter, e igualmente com o monsenhor e o padre Grappelli, a quem, conforme veio a saber, cabia retificar o primeiro relatório da diocese sobre Gertrud Stauben, de modo a incorporar a evidência da recuperação de Joyce — e recuperação definitivamente era o caso. Os resultados dos exaustivos testes empreendidos no Kinderspital da universidade, na Steinwiesstrasse, haviam sido conclusivos: o tumor no fígado de Joyce contraíra radicalmente. Comparando os resultados de seu exame de sangue com os registros obtidos de Phillimore, no Mid-East, os médicos — embora não fossem oncologistas — puderam determinar sem sombra de dúvida que mais uma vez a refinaria química do corpo estava funcionando a pleno vapor: armazenando glicogênio, sintetizando as vitais proteínas do plasma e emulsificando lipídios para produzir bile, crucial na digestão.

Quando viu esses dados, Reiter se permitiu um raro gracejo: "O fígado é o salvador do corpo, não? Afinal, é o único órgão que pode se regenerar completamente — nascer outra vez. Seu fígado, Joyce, bem, ele se ergueu dos mortos."

Mas Joyce não estava vagando pelo orvalhado jardim de Getsêmani, trajada numa bata branca; estava presa ao lado de um arquivo tão maciço e cinza quanto uma rocha qualquer, olhando para um calendário das Dolomitas.

O padre Grappelli estava preocupado só com uma coisa; Joyce tocara — ou fora tocada —, ela ou Ueli Weiss, na tarde em que se conheceram? Joyce achou *meio que uma estupidez* que um super ser onipotente devesse operar por meio de agentes tão desajeitados e de métodos tão toscos; toque, oração — o que eram essas coisas? Sem dúvida, não passavam de prestidigitação metafísica combinada a pensamento positivo — nenhuma grande maravilha quando comparadas à complexidade ofuscante do maior órgão interno do corpo humano, com seus muitos milhões de lóbulos, pelos quais o sangue vital coava, via as próprias *fenestrae*, para milhares de sinusoides.

O inglês do padre da paróquia não era suficientemente bom para que interrogasse Joyce sozinho, então Reiter atuou como intérprete. Repetidas vezes eles dissecaram o encontro diante da capela próxima ao Lindenhof. Joyce se lembrou das portas abertas, do Cristo menino supercrescido, do casaco chamativo de Weiss e seu cabelo comestível — foram essas coisas que ficaram alojadas em sua memória. Petecadas verbais foram trocadas sobre a barreira da língua, mas se a pancada inglesa conseguira chegar à mão suíça... bem, quanto mais perscrutavam a penumbra do passado recente, mais nebulosos se tornavam os lances da partida: Joyce viu as luvas de pelica de Weiss estapeando a palma de sua própria mão — teria ele por acaso tocado também no braço dela?

Como uma aluna confinada em uma biblioteca, Joyce achou impossível se concentrar, e foram visões de um tipo sexual que lhe vieram. Ela ficou surpresa — mas não além do normal.

Fosse lá o que *as pessoas pudessem pensar*, não ficara inteiramente pacata durante seus cinco anos de viuvez; tivera um breve romance. Derry fora um homem carnal, e mesmo quando a saúde precária trouxera a diminuição de seu desejo, ele ainda a desejava. Em vida, a conversação de seus corpos fora exclusiva, embora deixada em aberto: ele não buscava possuir sua esposa depois do túmulo.

Ela não viera esperando por isso, mas dois anos depois que Derry morreu, foi emboscada pela urgência morosa do desejo reaceso. No entanto, pior do que um corpo não familiar, ela pensou, seria sua revelação. Roupa estranha jogada sobre a conhecida cadeira, o odor acre de um outro e o tônus relaxado de uma musculatura distorcida... Porém, não foram essas coisas, mas o próprio companheirismo das carícias dele que a levaram a não mais querê-las. Por que se dar ao trabalho de tirar a roupa quando havia o mesmo tanto de intimidade a ser ganho na frente da televisão? Era irrelevante a quem pertencera aquele corpo — um viúvo, claro, alguém do velho círculo deles. Ela ainda o via de tempos em tempos. Sem ressentimentos; afinal, não houvera sentimento algum, para começo de conversa; e isso, Joyce concluiu, era a essência do desejo — sentir, mas sem sentimento.

Agora, ali, com os dois padres no escritório do bispo, os sentimentos eram opressivos, opressivos como a concupiscência antes do climatério. Joyce sentiu um calor corando sua face — *será que eles perceberam*? Mais desconcertante de tudo, fora Ueli Weiss quem preparara aquela emboscada; o corpo de Weiss, que ela queria ver tosquiado de sua lanosa pele burguesa; o bigode desleixado de Weiss, fazendo cócegas... *na minha barriga*? O saudável sangue do rubor jorrando nas veias hepáticas de Joyce, por sua veia cava inferior, penetrando em seu coração, em sua cabeça acalorada, circulando, circulando. Essa fora uma das conversas que as tenazes do caranguejo tinham tesourado: a tagarelice delirante do tesão.

Nessa tarde, Joyce deixou o escritório da diocese e, em vez de pegar o bonde para casa, caminhou outra vez pelo Zürichberg. Enquanto desfiava a meada de sua orientação da cidade velha até

Oerlikon, foi pensando nisto: ela já fora objeto de um pequeno artigo no *Neue Züricher Zeitung*, escrito por um jornalista solidário. Nada muito chamativo — a Igreja pisava em ovos na questão —, mas mesmo assim o suficiente para criar algum rebuliço. Estava para ocorrer um encontro convocado pelo Partido Democrata Cristão no cantão. Um editorial dando prosseguimento ao assunto no mesmo jornal propusera outro referendo sobre suicídio assistido, escolhendo a organização do dr. Hohl como objeto de censura especial — e, em particular, a atitude de oferecer seus serviços para os depressivos clínicos.

E quando Joyce chegou ao fim do novelo, na Saatlenstrasse, lá estava o Minotauro: Isobel, bovinamente bêbada, fazendo o maior estardalhaço diante do prédio de apartamentos.

Claro, não foram as referências na mídia à "inglesa que tapeou o Doutor Morte" que puseram Isobel, berrando e bufando, no rumo de Oerlikon, mas Vreni Stauben, que, após Joyce ter lhe explicado, o mais casualmente possível, que sua filha era uma alcoólatra, ainda assim insistiu que não seria *mütterlich* rejeitar dessa forma sua única criança.

Isobel chutava as latas de lixo no jardim da frente. Gritava, "Mãe, o que cê tá fazendo, mãe? Por acaso você virou um *fantasma*, caralho?"

Pelo menos o tâmil — que, pelo que Joyce entendera, atendia pelo palavrão de Chandrashekra — não estava junto dessa vez. Ele viera em outras ocasiões, e o modo como ficava por perto parecia bem mais ameaçador que o espetáculo de Isobel.

Como não viu sinal dele — e como sua filha fazia ainda mais barulho do que de costume —, Joyce permitiu que subisse para pegar sua esmola. *A besta*, com chifres de cabelo oleoso na testa coberta pela acne, marchou pesadamente do quarto à sala. "Mui-to bom, mui-to bom", bufou, passando os cascos nas cortinas e estofamentos, suas vogais nasaladas como a imitação ruim de uma *Hausfrau* de Birmingham.

Estupidamente, Joyce lhe ofereceu seu chá. Isobel riu como um encanamento entupido: "Chá? Não quero merda de chá nenhum, mãe." Estava ficando com Chandra numa espécie de albergue de refugiados; os encarregados eram uns "veados", mas contanto que ele conseguisse fazê-la entrar escondida tarde da noite e ela saísse bem cedo pela manhã, estava se dando bem.

"Mas se dando bem com o quê?" Joyce preparou para si mesma um pouco de chá de hortelã, de todo modo, odiando-se por suas neuróticas enxugadelas de esponja sobre o tampo do balcão; *coisa de velha*, rechaçando a suja desordem e a empoeirada morte sem outra coisa além do *hábito*.

Ela sentou no sofá bebericando a xícara quente. "Por que você continua por aqui, Izzy? Olha, se você for buscar suas coisas e me encontrar no aeroporto, eu compro uma passagem para você voltar já para casa —"

"Não vou porra nenhuma!", gritou Isobel. "Já falei pra você antes, não vou, e muito menos agora, que eu descobri que você é a droga da santa que sempre quis parecer."

"Melhor sentar antes que você caia, Isobel — e o que você quer dizer com isso?"

"Eu posso não saber ler droga de alemão nenhum — mas o Chandra sabe; a gente viu aquele negócio no jornal. Ah, mãe." Ela caiu de joelhos e veio fungando pelo tapete. "No que você se meteu — está se tratando com algum charlatão?"

A compaixão, pensou Joyce, não caía bem em sua filha. Estar na extremidade recebedora daquilo a fez se sentir *desacorçoada e maltratada*. "Não", disse ela com firmeza. "Não estou mais fazendo tratamento nenhum, Isobel, não existe nenhum. Você sabe disso — sou uma doente terminal —"

"Doente terminal?" Isobel deu uma risada amarga. "Você tem olhado no espelho ultimamente, mãe, sua aparência é melhor do que a minha, caralho!"

Havia qualquer coisa de profundamente comovente nisso: o ambiente neutro, a mobília esparsa — um imóvel decorado para uma segunda vida; a mulher mais corpulenta, mais jovem, o rosto friccionado pelo álcool e depois esfolado pela aflição, ajoelhada junto aos joelhos pontudos da mais velha, mais em forma, que se recusava a lhe aplicar algum bálsamo.

Contudo, a percepção disso veio mais tarde, depois que Isobel conseguiu seus duzentos francos, desabalou pelas escadas, bateu as portas da entrada e então desapareceu na rua, na direção do ponto de bonde, ainda berrando. Veio mais tarde, depois que Joyce atravessou o patamar, e em seguida desceu a escada, para pedir desculpas primeiro a Herr Siemens, depois para Frau

Pfeiffer, que a encararam com olhar inexpressivo, e negaram ter escutado qualquer coisa desagradável.

Veio mais tarde, quando Joyce sentava no escuro, observando as teias de aranha que velavam o topo alaranjado do poste de iluminação sob sua janela. *Quantus tremor est futurus, Quando judex est venturus, Cuncta stricte discussurus...* Ela não conseguia apontar exatamente quando acontecera, mas a orquestração copiosamente rica e complexa secara, enquanto a polifonia se reduzira a uma voz solitária, profunda, áspera, que falava apenas a ela, de um *terror*, quando o *Juiz* chegará para *julgar* todas as coisas *com austeridade.*

Nos domingos de manhã Joyce pegava um bonde até a cidade para a missa do meio-dia na St. Anton. Ela descia na Bahnhof Stadelhofen e caminhava o último quilômetro, criando coragem para sua provação. Inúmeros olhos dissimuladamente a seguiam toda vez que entrava na igreja. Ela sabia o que buscavam: o submisso autoesquartejamento de uma genuflexão. Não bastava que fosse vista sendo salva pelo deus deles; era necessário que, como uma criança amuada, Joyce dissesse "obrigada".

A missa estava sempre cheia, e o padre Grappelli, junto com seu diácono, compensava o que lhes devia faltar em elevação de alma com uma bem coreografada presença de espírito, indo e voltando do altar ao púlpito: dois dançarinos girando lentamente em sobrepelizes brancas. À luz atenuada dos vitrais, a congregação ficava respeitosamente atenta; cantavam mais alto do que anglicanos ingleses, porém eram menos melodiosos. As crianças buliam, mas não em demasia. O Jesus moderno se curvava em sua grande cruz acima do altar, um mau Giacometti com o rosto como um piedoso montinho de cocô. Joyce acompanhava os comandos do serviço, dizendo a si mesma que ao papaguear as respostas e hinos, estava melhorando seu sotaque de Schweizerdeutsch pelo Método Suzuki.

Quando Ueli Weiss e Marianne Kreutzer estavam sozinhos, sentavam mais na frente, à direita, mas quando o filho de Weiss estava com eles, ficavam no último banco, e junto à nave, de modo que Erich pudesse ir e vir à vontade. Joyce presumia que o rapaz sofresse de paralisia cerebral — ele certamente se movia desse jeito irregular, espasmódico de algumas vítimas da PC que ela conhecera.

Quando Joyce encontrou Weiss com Erich pela primeira vez, duas semanas antes, ele o estava empurrando em um balanço no parquinho junto à igreja. Era uma visão incongruente: a criança grande o bastante para ser pai do homem. Weiss não se dera ao trabalho de fazer apresentações, mas falou sobre a festividade próxima do *Sechseläuten*, quando o antigo inverno — na forma de um boneco de palha recheado com fogos de artifício — seria dispensado pelas chamas.

Enquanto conversavam cerimoniosamente, o rosto do jovem brotava entre eles, repetidas vezes, ferozmente concentrado em seu abandono controlado. Erich era mais bem-apessoado que seu pai. Tinha uma boca bonita, tal como era impossível crer que pudesse se ocultar sob o bigode de Weiss; e os olhos de chocolate eram mais profundos. Seria delírio enxergar neles uma inteligência angustiada, liberada pelo toque da garota morta, mas que permanecera aprisionada dentro do tecido cerebral, petrificada pela anoxia?

Enquanto o padre Grappelli entoava a eucaristia, o mancebo varonil explorava a igreja, entrando e saindo das capelas anexas à nave. Quando homens reverentes se aproximaram para ajudar com a comunhão, Erich saiu para o adro; Joyce podia escutá-lo ali fora, grunhindo. Seria devido ao seu status de ser miraculoso que Erich gozava de tamanha liberdade? Ou isso era apenas mais um aspecto do liberalismo peculiarmente repressivo dos suíços, pelo qual a comunidade permitia qualquer coisa, caso o indivíduo conseguisse superar sua própria e esmagadora coibição internalizada?

Não fossem os olhares acusatórios, Joyce talvez comungasse. O padre-nosso — esse era o muzak da espiritualidade; e a saudação litúrgica da paz era um aperto de mão brusco, um "*Frieden ist mit dir*" murmurado, depois Grappelli e seu diácono aprontavam o piquenique na toalha aprontada de antemão. Não era, ela pensou, um despropósito pior do que o rito anglicano, não obstante ela se recusou a participar; o vinho arterial, a hóstia carnal, *Petiscos de Fígado Scottie's*.

Isso prosseguiu por toda a Páscoa, uma passagem que não passava nunca. Nada mais de almoços festivos no Kronenhalle; após a missa, Joyce conversava brevemente com o padre, depois seguia seu caminho para o ponto do bonde. Nem mesmo Vreni Stauben parecia inclinada a convidá-la para o apartamento da Universitätstrasse para um café e um pedaço de bolo. Quanto a Reiter — em cujo companheirismo Joyce depositara esperanças tão elevadas —, próximo ao fim do mês, ele se fora.

"Foi apenas na capacidade de — *was ist beratend*?"

"Consultor." Surpreendentemente, era Marianne que corrigia a deficiência de Weiss.

"Certo, então, foi apenas na capacidade de consultor que monsenhor Reiter estava atuando. A equipe da diocese, eles estarão fazendo agora esse segundo relatório. O monsenhor é um capelão papal, senhora sabe —"

"Sei."

"Ótimo, então, ele voltou para Roma."

Estavam na escadaria da igreja, e Weiss falava como se para ele Reiter fosse um rival de algum tipo especializado, *O celibato sendo* — esse o desdém picante, advocatício de Derry — *apenas uma perversão sexual extrema*.

Fazia um dia melancólico, as nuvens cobrindo o topo do Uetliberg, os campanários e cúpulas da cidade velha como borrões pardos a média distância. Marianne Kreutzer segurava a mão de Erich perfunctoriamente, como se ele fosse um lixo humano e ela procurasse uma lata onde jogá-lo. O jovem emitia uns queixumes assobiados; era bonito, mas a mão firme da autoconsciência era necessária para desenhar traços mais belos.

Weiss afastou-se para conversar com um sujeito num impermeável azul-marinho. "Aquele é um da associação de Ueli", explicou Marianne. "Estão se preparando para o *Umzug* agora." Quando Joyce exibiu seu ar de perplexidade, ela continuou: "É parte do *Sechseläuten*, os homens, você sabe, tendo seu grande reunião, o grande almoço, o grande jantar. Eles contam essas piadas especiais e tal coisa." Marianne parecia *terrivelmente entedia-*

da e, observando a cinzenta obliteração de seus belos traços, Joyce se perguntou, não pela primeira vez, *por que ela se incomoda?*

"Ele vai, eu acho, convidar você para ir com ele à Opernhaus; tem um concerto especial." (Konzerto ezpezial.) Disse isso sem grande cerimônia, porém, *isso é o que ela quer. Mas por quê?* As poses estilizadas, Marianne e ela como mulheres sabinas, Ueli Weiss nu, a não ser pelo capacete de crista, seu pênis adamantino sob o bigode de pelos pubianos... *Ridículo.* "E então, você virá comigo para Baden, para dia de spa? É boa coisa para nós mocinhas (Nozmozinhas) ser... *verhätscheln*?"

"Paparicadas." Weiss tornara a se juntar a elas. Seria imaginação de Joyce ou os olhos de chocolate dele estavam se derretendo com uma visão dessa *verhätscheln*?

Marianne Kreutzer estacionou diante do bloco de apartamentos na Saatlenstrasse na manhã seguinte, no Mercedes compacto que parecia um miniferro a vapor. Joyce ficou surpresa de ver Marianne dirigindo — achava-a uma das mais proficientes passageiras que já vira na vida. Quando passavam o vinco caprichado de uma rodovia de pista dupla na direção norte, Joyce continuou sua reavaliação. Só pelo modo como conduzia o carro Joyce calculou que Marianne Kreutzer não era nenhuma gueixa senescente, versada no ritual católico e em programas culturais, mas uma mulher competente desse mundo particular: as fazendas esmeradas, os centros empresariais impecáveis e as plantações geométricas de coníferas entre as quais a luz do sol primaveril filtrava, pulsante.

Marianne pilotava o carro com precisão firme — e em velocidade. Música suave misturava-se ao odorizador de ambiente. Falava pouco, mas quando pegou o olhar de Joyce no retrovisor, sorriu; não o meio sorriso constipado de costume, mas um quase riso que expôs dentes compactamente perfilados e lindamente cuidados, os tubos brancos de um órgão estimado.

"Então, sim, estamos indo por uma noite — você tem as coisas de noite? Bom, então, vamos ficar no Hotel Blume, em Kurgebiet — o distrito da saúde. Ele tendo seus spas quentes como todos esses hotéis, e também um espaço muito grande dentro..." Ela ergueu do volante a mão enluvada em couro.

"Um átrio?"

"Isso mesmo, um átrio. Lá vamos estar paparicando nossas barriguinhas depois dos tratamentos." Mais uma vez o sorriso. "Esse meu presente para você."

"Não, não, sério, Marianne, eu não poderia —"

"Por favor. Você me fazendo desfeita se você recusa. Também, quando eu era gerente de meu *Gesell* — minha empresa, eu tendo feito relações públicas para o hotel, então eu tendo descontos."

"Você era da área de relações públicas?" Aos seus próprios ouvidos o comentário de Joyce soou desarmonicamente idiota: um bate-papo de quinta categoria no coffee break da reunião no escritório.

"Sim, eu fui mulher de negócios por muitos anos, trabalhando tempos todos, mas eu gosta." O sorriso. "Então, eu nunca caso nessa época. Não me incomodou. Eu tenho os companheiros de trabalho — os empregados, sim?"

"Certo, empregados."

"Eles sendo filhos para mim, e eu tenho minha fé, *natürlich*."

O modo como Marianne se referiu a sua "fé" era como uma conta espiritual: gás sobrenatural, misturado ao seu próprio almíscar sofisticado, um perfume que brigava com o odorizador do carro pela supremacia olfativa.

O Mercedes viera engomando na faixa lenta; agora, vendo uma brecha no tráfego mais rápido à esquerda, Marianne metia o pé luxuosamente calçado no acelerador, e o carro entrou ali com uma guinada abrupta, freando a conversa.

Quando deixaram a estrada principal e rodavam pelos subúrbios de Baden, Joyce mal reparou na pitoresca confusão de prédios no estreito vale superior do Limmat, ou no arruinado castelo Stein em seu penhasco. Estava concentrada no *eu nunca caso nessa época*. Seria uma mera imprecisão do inglês de Marianne ou ela queria dar a entender que ela e Weiss agora estavam casados? O fato de serem amantes sempre parecera a Joyce incompatível com seus status de pilares da pavorosa St. Anton; contudo, naquele dia em que se conheceram — e essa incongruência era algo que Joyce recordava de forma vívida — Weiss definitivamente apresentara Marianne como sua "companheira".

Conforme Marianne Kreutzer destramente entrava com o Mercedes em um estacionamento, Joyce se perdia nessas ambiguidades de palavras e carnalidade.

Joyce teve um *mau, um* péssimo pressentimento no quarto do hotel; tudo que deveria ter sido macio e convidativo friamente a rejeitava. Havia travesseiros demais na cama: dentes clareados mordendo a seda parda da cabeceira. O colchão, quando ela puxou a colcha, brilhou como um piso de azulejos brancos. A inversão perturbadora prosseguiu no banheiro, onde, ao desfazer seu nécessaire, os azulejos reais doentiamente cederam sob seus calcanhares.

Joyce levou a mão à testa — um exame inútil quando médico e paciente *eram a mesma coisa. São meus dentes?* Ela havia cuidado deles — quase todos eram mesmo seus; entretanto, havia o inevitável amolecimento das gengivas, as raízes ósseas expostas no lodo velho de sua boca. *Nada bonito.*

Mas, não, uma sondagem superficial com a língua e os olhos foi suficiente para tranquilizá-la *nesse departamento.* Então cambaleou de volta ao quarto e desabou na cama. Fosse lá o que tivesse acontecido com ela — fosse lá o que viesse a acontecer —, os dentes de Joyce iriam, ela sabia, sobreviver a sua carne, caroços de dentina pipocando contra o cilindro perfurado que girava para moer seus ossos.

Ela e Isobel haviam espalhado as cinzas de Derry no Severn, perto de Tewkesbury, onde, durante alguns anos, ele mantivera uma pequena lancha com cabine — mais uma coisa que pai e filha haviam compartilhado, para leve menosprezo de Joyce. Os dentes dele estavam intactos. Ela os viu, perfeitamente claros, quando caíram mordendo as nuvens poeirentas de suas cinzas. Então afundaram, e as cinzas permaneceram sobre a ondulação inflada dos baixios cor de café, entre as amareladas toalhinhas de crochê das algas. Isobel chorou, mas também, *quando não chorava?*

Não, não eram seus dentes; era aquele quarto, com suas pesadas venezianas duplas e a atmosfera opressiva. Chegaram muito cedo ao hotel — e agora tinham o dia todo pela frente naquele útero estufado. Uma acelerada gestação ao revés: esfregar a pele enrijecida, remover pelos adultos, tonificar a carne flácida, até ela e Marianne serem lançadas da sala de parto do spa, gêmeas idênticas em fofas toalhas, revigoradas e prontas para terem suas barriguinhas *verhätscheln*.

Tudo ali lembrava Joyce do Widder, e daqueles quatro estranhos dias em que ela — o quê? Renasceu — ressuscitou? Ela não acreditava em nada disso, *nem por um segundo*; tudo que sabia era que passara a odiar hotéis, mais do que temia a morte. Ficou de pé, olhou-se no espelho, pegou a chave com o chaveiro de testículo gordo sobre o tampo bilioso de uma cômoda e deixou o quarto.

Era a revelação do corpo de Marianne Kreutzer que deixava Joyce ansiosa, mais do que a exposição do seu próprio corpo. Ela achava difícil — não, *impossível* — conceber aquela suíça elegante, sem filhos e numa idade delicada, sentindo-se à vontade na própria pele — mesmo sendo apenas aos olhos de uma mulher mais velha e menos bonita.

A ansiedade não tinha razão de ser; o spa do Blume era mais uma unidade clínica do que um centro de lazer. Nada de mulheres se despindo como colegiais junto a tinas de pedras cuidadosamente selecionadas, ou um bate-papo preliminar entre xícaras de chá de pêssego e revistas de moda. Em vez disso, foram entrevistadas por uma pseudoenfermeira numa túnica branca engomada, que sentava atrás de uma escrivaninha de metal sobre a qual havia apetrechos de tirar pressão e um estetoscópio.

Era uma loira de expressão empedernida que não sabia inglês, de modo que Marianne traduziu, e Joyce declinou *die Dickdarmberieselung, das Enthaarungsmittel, die Druckstrahlmassage* e, particularmente, *die Abblätterung*. Em alemão esses tratamentos soavam assustadoramente invasivos: uma esfoliação de seu corpo, depois a descorticação do pouco que sobrou. Joyce optou em vez disso pelo pacote básico: um banho de imersão nas banheiras de enxofre do hotel, seguido de uma breve massagem por mãos treinadas.

"Ela pergunta para mim", retransmitiu Marianne, "se você tendo os enfermidades cardíacas de alguns tipos?".

Joyce se segurou para não dizer, "ausência de coração"; era um sentimento problemático de ser traduzido; além do mais, só tinha significado para ela própria.

Ela e Marianne se separaram. Joyce trocou de roupa em um cubículo, e foi então conduzida por túneis inclinados de azulejo branco às quentes entranhas do hotel. Ali ela foi imergida nas águas diarreicas e pungentes que borbulhavam e peidavam numa gigantesca bacia de pedra. As atendentes, em seus aventais de plástico, eram umas açougueiras sisudas que puseram rapidamente mãos à obra: mais uma peça de carne a ser regada e depois embrulhada. A massagista — cujo senso desenvolvido do recato de suas clientes fazia com que trabalhasse sobre uma parte do corpo de cada vez — agarrou as panturrilhas de Joyce como se estivesse espremendo tubos de pasta de dente gigantes e exclamou, "*Ach! So dick! Sie Händ vil Musklä!*" Joyce, despertando assustada de sua sonolência, empinou o tronco, e a mulher disparou num inglês confuso: "Madame, desculpa tanto, eu só que senhora ter muito física, *ja*?"

Enfim o chá de pêssego, a espreguiçadeira, a toalha felpuda. Deitada em esplendor macio e úmido, "muito física" era, Joyce considerou, uma descrição perfeitamente adequada de como ela se sentia. O *Kursaal* era espartano — paredes brancas decoradas com fotografias em preto e branco de corpos nus e musculosos, a luz fria rebatida no tabuleiro de xadrez dos azulejos em preto e branco do piso — e no entanto para Joyce tudo parecia banhado de um fulgor rosado. *Pleni suni coeli et terra gloria tua. O Céu e a Terra estão plenos da Tua glória.* Joyce achou que era impossível algum dia voltar a sentir uma combinação tão completa de mente calma e corpo relaxado.

Quando Marianne Kreutzer entrou, o cabelo num turbante de toalha, uma segunda toalha enrolada sob os braços, Joyce surpreendeu a si mesma. "Oh, Marianne", derreteu-se, "isso é divino! Obrigada". A título de reconhecimento, ela soltou o cabelo, deixou cair a outra toalha e ficou nua diante da espreguiçadeira de Joyce.

O que eu esperava? A cruel cicatriz deixada pelo bracelete farpado de uma seita católica? Ou, de outro modo, uma encarniçada preservação — o corpo roliço, cheio, implantado, produto da engenharia de uma juventude artificial? Vestida, Marianne Kreutzer era *a pura compostura*; e contudo, lá estava; os seios murchos e os braços esqueléticos, as veias azuis se ramificando pelas coxas flácidas e as rugas da celulite nas nádegas caídas.

"Vamos", disse Marianne, estendendo a mão esquerda. *Será que estiveram ali o tempo todo* — o anel de noivado, um solitário com diamante, e o anel de casamento, uma aliança baça de platina? Ou Marianne os pusera no dedo ao tirar a toalha do corpo? "Vamos, por favor, Joyce, mostre-se para mim também, por favor."

Havia um espelho de corpo inteiro junto à porta que era grande o bastante para os mais desavergonhados viciados em creme batido dos zuriquenhos, e Marianne conduziu Joyce até ele. Joyce não compreendeu o que era esse ritual — porém, percebeu que se revelar inteiramente era essencial. Seria gratidão ou orgulho que tornava tão fácil abandonar toda uma vida de reservas e tirar a roupa? Ela não sabia dizer.

Ficaram ali olhando para si mesmas, até Marianne Kreutzer dizer, "Ach, Joyce, você é bonita demais. Sério, bonita demais. Isso, eu estou pensando, é o milagre."

Benedictus

Como Marianne predissera, Ueli Weiss telefonou na semana seguinte para perguntar a Joyce se ela o acompanharia ao concerto especial do *Sechseläuten* na Opernhaus. Joyce estava inclinada a recusar; na sua opinião, ele a negligenciara demais. Porém, ele atenuou seu desmazelo com os tapinhas de frases batidas: "Tenho andado muito ocupado", disse, mas era "hora de pôr a conversa em dia".

Respondendo na mesma moeda, com o emprego de chavões — "Será um prazer", "A que horas?", "Estamos combinados" —, Joyce justapôs uma agenda pautada sobre a informidade de sua vida atual. *Pois se não ali, naquela colcha verde, sob a paisagem alpina, então quando? Meu pai morrer em Ypres, sem dúvida, considerando as chances, era inevitável. Só que ele sobreviveu. E eu morrer, também — agora não tem nada na minha frente para me fazer desviar o rosto... Eu fui transportada para algum outro... Nada é impossível — mas tudo é... inédito.*

Joyce pôs o fone no gancho e mexeu na cortina para observar a Saatlenstrasse. Havia um quadro de avisos na calçada do outro lado; a divisão Zürich Nord do Die Heilsarmee publicara detalhes de seus serviços e seu clube da juventude atrás de um vidro, junto com homilias piedosas impressas em cartões cuidadosamente recortados e rodeados de algodão, criando pequenas nuvens devocionais. A nuvem maior — que Joyce, com tempo de sobra para matar, já havia lido várias vezes — proclamava, "*Hilf mir zu erkennen, oh Gott, dass die Dunkelheit in Wirklichkeit der Schatten deiner liebevoll augestreckten Hand ist.*"

Ela imaginava se Sandra — que estava parada ao lado do quadro de avisos, e cujos olhos verde-mar, incorruptíveis, voltavam-se na direção da janela de Joyce — sabia alemão suficiente para entender aquilo; para compreender como, segundo a divisão Norte de Zurique do Exército da Salvação, Deus lidava com uma humanidade de insetos: eles se dispersavam sob o sol primaveril, então Ele os fazia mergulhar no terror abjeto bloqueando o sol com Sua augusta mão direita.

Sandra continuava desafiadoramente usando o cabelo cor de marfim na altura do ombro; ao passo que a calça preta e a jaqueta de camurça bege sugeriam, para a antiga colega e amiga, que sua aposentadoria estava sendo passada em cafés, debatendo frívolas abstrações. Sandra, após toda uma vida cuidando da carne pueril — nesse meio-tempo *pondo para fora um pouco de sua própria lavra* —, legara-lhe mais apoio prático do que *seria possível para ela ter algum uso.* Sandra, que havia não obstante se furtado à assistência de seus próprios filhos crescidos — todos eles médicos competentes, também — e reservara a própria passagem, depois fora de carro sozinha até o aeroporto e apreciara o breve voo, a despeito da gravidade de sua missão. Sandra, que, com igual eficiência, tomara agora um táxi para lá, para Oerlikon.

Para se antecipar ao estardalhaço da campainha do interfone, Joyce vestiu sua jaqueta, pegou a sacola de compras e desceu os degraus emborrachados da escadaria comunitária. Lançou um pan-europeu "*Hi*" para Astrid Pfeiffer, que brincava no patamar com uma boneca lubricamente rosada e nua. Joyce fazia compras todos os dias — em nome do frescor e para se dar algo que fazer; o encontro com Sandra seria igual aos demais — com Miriam, com Iris, com Ruth — apartadas pelo anteparo de uma tela de náilon.

Ela não é minha amiga. Sandra atravessou o gramado, sorrindo, os braços abertos para um abraço. É só o fantasma de uma antiga conhecida. "Joyce, qual o problema — Joyce!", gritou, *alto demais* para o subúrbio tranquilo, sobretudo na silenciosa manhã de um dia útil.

"Joyce." Sandra seguia atrás no ritmo das passadas de Joyce, que rumava apressada para a loja de conveniência da sra. Beckmann. "Eu viajei até aqui para ver você — pra gente conversar. A Miriam me contou —"

Joyce não disse nada, silenciando-a com seu olhar raivoso. *Contou o quê? O quê? Que eu também a mandei cuidar da própria vida?* Aquelas outras três tinham sido apenas devaneios ruins, misericordiosamente breves, fáceis de esquecer, pois, embora essas mulheres a tivessem procurado ali, onde Joyce vivia, a realidade era que *estão mortas para mim. A gente já se despediu.* Podiam muito bem ter ido ao Fluntern, passeado ao longo do caminho de pedrisco entre as sebes de buxo e prestado seus pêsames ao nicho que a aguardava. Esses cadáveres-de-companhia, fedendo à água-de-colônia que passavam nas viagens especiais, não eram mais bem-vindas que Isobel, fedendo a álcool. *Todas só querem uma droga de esmola.*

Os exorcismos de Joyce para esses demônios domésticos tinham sido curtos e grossos: "Não tenho nada para falar com você"; "Não me interessa o que você ouviu"; "Me deixe em paz". Nada de súplicas nem de por favor; e, embora um observador imparcial — se tal coisa é possível imaginar — pudesse ter esperado que suas visitas se mostrassem mais insistentes, Joyce foi tão veemente que, uma vez rechaçadas, nenhuma delas regressou.

Sandra continuou um pouco mais. Seguiu Joyce até a loja da sra. Beckmann, depois ficou indo e vindo pelos curtos corredores, examinando panos de prato e potes de chucrute. Estaria Sandra, perguntou-se Joyce, fazendo o tipo de comparações de câmbio de mão tripla — de libras esterlinas para euros e para francos suíços — que eram o próprio ganha-pão dos banqueiros no centro? Ou tudo não passava de *deslocamentos ocasionados pelo nervosismo*?

Assim que Joyce pagou — trocando alguns comentários cifrados sobre o tempo com Frau Beckmann —, Sandra se aproximou outra vez, dizendo, "Joyce, sou sua amiga — Isobel também me ligou. Eu — ela — nós duas estamos muito preocupadas com você." Então cometeu o erro de segurar Joyce pelo braço.

O que viram os passantes? E as pessoas paradas do outro lado da rua, diante do centro comunitário de aposentados? Uma inglesa velha — uma louca de cabelo escorrido — gritando, ao mesmo tempo em que agarrava aquela simpática senhora que mora na Saatlenstrasse, que se mudou há algumas semanas e que, muito compreensivelmente, *não se mete na vida de ninguém*.

A algodoada nuvem do opróbrio suíço se abateu sobre Sandra enquanto Joyce tentava se desembaraçar dela. "Eu sou médica, Joyce", protestou ela; "eu posso ajudar". Mas isso era inteiramente contraproducente; uma afirmação fútil que foi sua última. Ela seguiu Joyce caninamente de volta ao bloco de apartamentos e, quando chegaram à porta de entrada, Joyce enfim falou: "Tem um ponto de táxi na Schwamendingenplatz, uma caminhada de cinco minutos naquela direção. Mas se eu fosse você, iria para o outro lado, pegava a Tramstrasse até a estação ferroviária. Você pode tomar um bonde direto até o aeroporto de lá; é bem mais barato — e mais rápido."

Assim, tendo cumprido sua obrigação para com o próximo, Joyce entrou e fechou a porta com firmeza na cara enrugada e magoada da ex-pediatra.

Na Sechseläutenplatz, havia gordos e verdes botões nos galhos vicejantes das tílias ao longo do cais. O sol era um disco de prata embaciado, e uma névoa pairava no lago. A multidão, por serem suíços, se esforçava por atingir incoerência festiva, uma jaqueta brilhante, de cor primária, ombro a ombro com a do vizinho. Observaram, murmurando sua apreciação, quando o Reitergruppe — a guarda montada das vinte e seis guildas — empreendeu seu cânter cerimonial em torno da fogueira do *Böögg*.

Joyce deixara Oerlikon na hora do almoço, pretendendo apenas fazer sua caminhada usual, subindo as trilhas sinuosas do Zürichberg até o cemitério Fluntern. Mas, ao chegar do outro lado da mata, avistou o formigueiro de gente movendo-se pelo Quaibrücke, e o lampejo das flâmulas do *Umzug*, conforme os representantes das guildas, junto com seus carros alegóricos, avançavam pelas ruas da cidade velha.

A gravidade a puxou colina abaixo. Com todo aquele exercício, os joelhos de Joyce já não mais rangiam nem gemiam; ela comprara calças de esqui na Globus, e as alças dos pés transformaram suas pernas em exotendões, proporcionando-lhe um empuxo extra a cada passada, enquanto Joyce marchava pela Rämistrasse e entrava na cidade, mal suando.

Comeu um bolinho de maçã — quente, polvilhado de açúcar — que comprou numa barraca, depois passeou entre os homens com suas fantasias burlescas de representantes de guildas medievais. Era de certo modo previsível que Ueli Weiss estaria usando uma calça de malha, metade de cada perna amarela, metade verde. Sua barriga em amarelo e verde era visível entre as laterais de seu *jerkin* de couro, de cujas mangas talhadas escapavam tufos de algodão amarelo.

Weiss estava, junto com um punhado de outros vestidos de maneira similar, ao pé da fogueira. Aqueles fabricantes de sacos de papel e avaliadores de sinistro não enganavam ninguém com seus estandartes bordados e gorros de belbute parecendo estrume de vaca; vasos sanguíneos estourados, mãos manchadas de senilidade, óculos bifocais sobre narizes bexiguentos — *no século quinze esse bando não teria ido longe.* Todos, à exceção de Weiss, que, como sempre, conseguia convencer. Sua cabeça aquática boiava no circunspecto tumulto de folgança cívica, as mãos tratadas em manicure seguravam o cabo envernizado de uma alabarda de mentira e o bigode se eriçava com orgulho marcial.

Avistando Joyce na multidão, ele a saudou com sua arma cerimonial. Eles *iam fazer sexo*, ela pensou; não haveria nenhuma ternura anelante, apenas *estocadas de lesma gorda* e *aspereza de barba malfeita*, mas *e daí*? A meia-lua da alabarda desceu seccionando o ar primaveril, Weiss sorriu, e então seus olhos castanhos desviaram: ele avistara alguém na multidão atrás de Joyce. Ela virou, esperando ver Marianne Kreutzer conduzindo o miraculoso Erich; em vez disso, lá estava Isobel, sendo levada pela polícia. As mãos em luvas brancas deles sob suas axilas, erguendo sua curta jaqueta de couro. A laje pálida de suas costas exposta, bem como o bilhete quase legível da etiqueta em sua roupa íntima.

Joyce ficou desconcertada — não achava que Weiss soubesse como era a aparência de Isobel. Mas então ele retomou sua mascarada histórica — a pose de pernas afastadas, a alabarda inclinada — e Joyce se deu conta de que não fizera nenhuma ligação entre ela e a mendiga bêbada; fora apenas o tumulto que chamara sua atenção.

Um dos policiais estava agora com a mão na cabeça de Isobel, forçando-a a se abaixar e entrar no banco traseiro de uma perua Volvo, sua luva branca agarrando o cabelo tingido e desgrenhado. Joyce esquadrinhou a multidão, procurando o namorado tâmil, mas não o viu em parte alguma. No entanto, aqui e ali, à toa entre as crianças roendo maçãs carameladas e seus pais *linguarudos*, estavam os bebuns da cidade; eram eles o elemento cosmopolita do festival — alguns com o rosto pardo ou negro avermelhado pelo vinho — a contrabalançar a maciça homogeneidade suíço-germânica.

Quando Joyce voltou a olhar, o carro da polícia se fora, e Marianne Kreutzer estava parada diante dela, com Erich Weiss atrelado a seu braço. Marianne roçou a bochecha em Joyce — as coisas haviam passado a isso desde o interlúdio do spa. Para Joyce, a bitoca no rosto parecia menos um aprofundamento da intimidade do que ser rechaçada por um escudo de blush.

"É seu encontro com Ueli hoje à noite", disse Marianne, enquanto Erich gaguejou, "*Sch-sch-schwess!*" Um vazamento de hálito e cuspe que *só podia ser* uma paródia da língua cujas contorções ele era incapaz de executar. Tão inteligente, Erich, e tão bonito. Na St. Anton, Joyce fora dominada por essa fantasia: de que Erich não era mais deficiente do que qualquer outra pessoa, que seus tiques, trejeitos, latidos e ganidos haviam sido cuidadosamente ensaiados e seus espasmos, planejados. O vestuário de inglês janota — calças de veludo cotelê amarelo-canário, casaco impermeável, sapatos de couro —, tudo isso, ela tinha certeza, era coisa de Ueli, mas a pessoa não podia ser estilosa *e* lerda?

"Ele vai levar você para ceia em Casa Ferlin depois do concerto", disse Marianne. Só de ouvir isso Joyce compreendeu que não era a primeira outra mulher a ser regalada com essa atenção, e tampouco seria a última. "Você não podendo deixar de experimentar carne de vaca bebê — vitela?"

"Vitela", cooperou Joyce.

"Foi jantares para o *Umzug* ontem à noite — Ueli ficou com seus *Schneider Zunft* até horas altas. Ele mu-uito bêbado." Ela riu.

"*Schneider?*"

"Os homens que fazem" — fez um gesto de costurar — "feitura de roupas".

"Alfaiates? Eu não tinha ideia de que Ueli era um alfaiate, eu havia entendido que era dono de uma concessionária da Mercedes."

Erich foi saltitando até seu pai, que conversava com seus colegas *Schneiders*; mesmo de trinta metros de distância a hilaridade de ressaca deles era evidente: ombros sacudindo, estandartes vibrando. Erich combinava bem, pensou Joyce; sua fantasia de grã-fino de country club era a mais burlesca. São Vito era o patrono de Erich — ele ia e vinha e dançava sem parar ao lado de seu pai, que, assim como os amigos, parecia indiferente.

Marianne riu outra vez, amargamente. "A-ha, não, sabe, isso é só a guilda para a cerimônia — não são alfaiates de verdade."

Tanto quanto aquela era a idade medieval, com uma abadessa instalada na abadia, mas, quando os grandes sinos do Fraumünster começaram a repicar, "Dim-*dom*, dim-*dom*, dim-*dom*", um funcionário do governo local, fantasiado, se adiantou e acendeu um isqueiro, até inflamar a ponta de um graveto. As crianças em bonés de beisebol gritaram, manifestando tanta adoração pelo fogo quanto qualquer um em qualquer tempo. O graveto deflagrou chamas dançantes nos flancos da pira. Era, Joyce julgou, uma pira habilmente construída, uma coisa bem suíça: uma gigantesca pinha invertida de toras empilhadas com precisão. O próprio *Böögg*, longe de ser um Cara grotesco, era uma elegante forma humana de madeira que não teria parecido fora de lugar no Kunsthaus. Um dos braços do Espírito do Inverno subjugado estava erguido e, sob os olhares das duas mulheres, rachou com o fogo e soprou uma fumaça amarela.

"Não tenho recebido notícia alguma do padre Grappelli", disse Joyce. "Agora que monsenhor Reiter voltou para Roma, é como se eu... bom, nem existisse." Ela ficou em silêncio, assustada com seu próprio tom de autopiedade. O *Böögg* oscilava numa batina de chamas, até que um primeiro fogo de artifício aninhado no peito informe da figura estourou entre os ramos de tília e voou em arco sobre o rio. "Quero dizer", retomou ela, "o que está acontecendo politicamente na situação — esse negócio de um referendo? O padre Grappelli pelo jeito achava que ia ser fácil conseguir as assinaturas necessárias — cinquenta mil, não é?".

Outra vez o rosto endurecido e a risada acerba; fosse qual fosse a cremosidade que Marianne Kreutzer exsudara em Baden, agora se fora. "Você — você, bem, você não está entendendo, Joyce. O referendo — ninguém está dando seus votos. Ninguém liga, sabe. Ninguém liga."

Mais foguetes lançados do boneco em chamas, com a multidão suspirando de prazer; uma revoada de pombos alçou voo do *Badeanstalt* — a piscina ao ar livre no rio. O *Böögg* semidesfeito, brasas sangrando de suas costelas rachadas. Foi um movimento sinistramente humano — como se a figura fosse um monge suicida que tivesse se embebido em gasolina e depois acendido um fósforo.

Marianne Kreutzer polidamente acendeu um cigarro mentolado. "Sabe, eu tinha vinte e um anos quando a Constituição Federal foi mudada para fazer mulheres irem votar — para dar *para mim* o voto. Nessa época... bom, eu estava já ganhando meu dinheiro por três anos. Tem alguns cantões — Appenzell Innerrhoden — onde não tinha mulheres votando até 1990." Deu uma tragada no cigarro e exalou a fumaça; por sua expressão, o sabor mentolado se fora. Ela o largou no chão e esmagou com o sapato de couro envernizado; depois recolheu o toco e saiu clicando os saltos até uma lata de lixo, onde o jogou fora. Quando ficou de novo ao lado de Joyce, o *Böögg* já não parecia mais humanoide — já não parecia coisa alguma, e o *Sechseläuten* era apenas outra fogueira.

"As igrejas, o Estado, os bancos também — na Suíça, Joyce, ter qualquer um desses — esses *Grossfirmen*..." Procurou as palavras, quase descontroladamente, tendo atingido os limites de seu inglês.

"Você quer dizer instituições?"

"Exatamente isso. Fazer qualquer uma dessas instituições prestar alguma atenção em uma mulher — uma mulher mais velha —, bom, isso é, eu acho, também o milagre."

No intervalo, Joyce acompanhou Ueli ao bar circular, onde, sobre uma prateleira sustentada por dois querubins de gesso pintados de dourado, dois gim-tônicas os aguardavam. Ele usou o guardanapo de papel com seu sobrenome escrito para assoar o nariz e limpar o bigode, depois começou uma explicação. Ali não era o local usual para esse concerto do festival: ele normalmente ocorria no Grosser Saal do Tonhalle; mas também tampouco era o costume ter uma orquestra visitante se apresentando — nesse caso, a San Francisco Symphony.

Joyce escutava apenas parcialmente sua palestra sobre a política musical em Zurique; tinha a impressão de que Weiss falava sobre aquilo não porque achasse de algum interesse para quem quer que fosse, mas apenas para preencher o tempo: um intermezzo verbal.

Outros casais, a vasta maioria gente velha ou de meia-idade, tomavam suas bebidas. Os cultos e abastados Zürichers estavam vestidos em suas habituais roupas azul-marinho e em tons de preto — com, aqui e ali, uma jovenzinha cinquentona arriscando um marrom. Joias cintilavam em pulsos rechonchudos e gargantas ainda mais rechonchudas; os corpos daquelas mulheres eram *almofadas de mostruário*, espalhadas naquele gabinete dourado.

O programa, até lá, não arrebatara Joyce. Seus pensamentos não estavam na música — nem a música em si ressoava em sua mente, nota no lugar de pensamento, tom no lugar de sentimento, a evolução orgânica do humor —, sua preocupação era quão antimusical ela se sentia. Os músicos haviam subido ruidosamente ao palco inclinado, violoncelistas desalinhados e percussionistas gorduchos, usando seus trajes de noite com o desamor que guardas de trânsito reservam ao uniforme. Teriam mostrado toda essa apatia quando deixaram a Cidade da Indústria, ou a mortalha caíra sobre eles apenas quando o avião desceu em Zurique?

E ali, na forma do maestro local, o clichê que Joyce temera: era um suíço francófono do interior de Genebra, mais bávaro até que uma marionete em um *lederhosen* de madeira marchando sob a face de um cuco. Tique-toque, tique-toque — gesticulou ele da cintura para cima, e escutando sua taylorização do som, as linhas de montagem dos músicos puseram-se a serrar, a martelar, a soprar. Os acordes iniciais da Abertura Egmont, que deveriam ter sido a explosão de uma tempestade romântica, saíram em vez disso como um bombeamento mecânico de sonoridades.

Os são-franciscanos se esfalfavam ao ritmo suíço e Joyce se desesperava. Nada de ascensão à órbita do candelabro de cristal pendurado no teto do auditório; em vez disso, suas narinas puseram-se a focinhar trufas entre os tornozelos, onde farejou fezes de poodles toy repisadas por sapatos luxuosos.

Em Birmingham, no passado, nas raras ocasiões em que arrastara Derry com ela para um concerto — não que ele fosse um bronco, ou incapaz de apreciar um ritmo mais cadenciado, era apenas que preferia seu Laphroaig à mão, e ser capaz de aumentar o volume quando Dexter soprava seu sax, sexy e maneiro —, Joyce, detestando-se por isso, involuntariamente olhava para ele de soslaio, várias vezes, aferindo sua reação ao que estavam escutando e então, a coisa mais detestável, ajustando a sua.

Depois de o piano ter sido trazido para o solista — os homens bufando e ofegando —, a segunda peça na primeira metade do concerto começou. Os san-franciscanos obedientes transportaram-no pelas águas encrespadas do *Alegro*, se não *con brio*, ao menos com alguma diligência; então o rapaz — que, Joyce não precisava que o programa a informasse, era francês, da ponta de seu nariz ascético às extremidades de seus dedos brancos como lírio — reduziu a marcha para entrar no largo do *Terceiro Concerto para Piano* de Beethoven.

Seus antebraços e coxas pareciam prolongar-se de seu tronco inclinado para a frente. Mesmo assim, nenhuma brasa candente caiu daquele *Böögg*: ele podia muito bem estar *datilografando*, no que tocava a Joyce. À esquerda dela, o polegar de Ueli Weiss sustentava seu queixo bem aparado, enquanto o indicador manicurado sondava as farpas suaves de seu lábio superior. Paralisada, hipnotizada, ela observou a meia-lua branca de sua unha percorrendo a aba de sua narina.

No intervalo, Joyce estava desesperada para urinar; ela se levantou, mas Ueli permaneceu solidamente sentado, até que, os aplausos martelando seus ouvidos, foi obrigada a passar por cima dos joelhos dele.

Na segunda metade, os san-franciscanos abandonaram sua fábrica e saíram vagando sob o *Alpenglow* do poema tonal de Strauss. Joyce estava cansada demais para acompanhá-los, enquanto se debruçavam laboriosamente sobre suas harpas e tímpanos e atravessavam desfiladeiros enganosamente almofadados e geleiras azuis polidas. Além disso, havia uma senhora gorda, não cantando, mas gritando *Domini, Domini*, como uma *piranha de Birmingham* berraria com seu filho indesejado, cada um de seus tremidos trinados circunscritos pelos gritos ainda mais altos do baixo barítono, Derry, que estava diante do Top Rank Bingo Hall, em Five Ways, entoando chorosamente *Dom-i-ni, Osanna in excelsis*. Ela fugiu dele correndo e se viu sob o céu purpúreo da batina de monsenhor Reiter, com seu rosto pálido — *no lugar onde não era para estar!* —, o sol.

Ou Ueli Weiss não se dignou a acordá-la, ou não se importou que Joyce dormisse. Ela foi despertada pelo ensurdecedor *réclamé* dos Zürichers, apenas para testemunhar o espetáculo do retraído primeiro violino desviando de um buquê. Quando os aplausos cessaram, Ueli disse, convidativo, "E agora, jantar em Casa Ferlin."

Joyce não chegara a ponto de obter uma pele inteira, mas a vendedora na Weinberg's a persuadira a comprar um casaco de couro preto com marta genuína nos punhos e no colarinho. Seu antigo novo casaco foi abandonado. Sob o couro estava um vestido de verdade, de seda cor de ameixa, cortado na diagonal; e sob o vestido havia uma couraça de mais seda e arame, que, surpreendentemente, a provia de um decote *que não lhe caía nada mal*. As cãs retas e lisas que o cabeleireiro em Oerlikon tratara com pouco mais do que negligência profissional — xampu, frisado, corte, a poda de velhas raízes — foram, por instigação de Marianne, transportadas através da cidade para a Schwartzkopf's, na Urianastrasse, onde suas madeixas receberam uma hábil tintura antes de passar por uma completa nova topiaria.

Joyce aguardou nos degraus da Opernhaus enquanto o *Schneider* foi buscar seu pequeno ferro de passar roupa. Quando voltou, e deu a volta no Mercedes para abrir a porta para ela, Ueli Weiss fitou Joyce boquiaberto — mas seria devido à maquiagem, ou ao véu da noite e o ruge da iluminação de rua? Ele continuou a dardejar olhares para ela ao percorrer o longo tecido asfáltico pela cidade para a Stampfenbachstrasse. No vestíbulo do restaurante, Ueli deixou escapar um pequeno grunhido animalesco de apreciação quando ela tirou o casaco; ou talvez, como havia um forte cheiro de massa e *carne de vaca bebê*, não tivesse passado de coincidência.

Ao lado de um esguio pilar dourado, o encosto do banco forrado de tapeçaria raspando entre suas espáduas, Joyce esquadrinhou primeiro o cardápio e depois o ambiente. Este nada tinha de especial, com suas paredes branco-sujas, telas a óleo indistintas e lareira sem pintura emulando uma rusticidade que jamais existira. Joyce talvez se perguntasse por que as mulheres escolhidas por Ueli Weiss achavam tal lugar sedutor, não fosse o fato de já saber que a sedução — tanto no seu caso como no delas — não vinha ao caso.

A conversa sobre as opções do menu e, depois, quando chegaram as entradas, sobre a música que haviam acabado de escutar constituiu uma formalidade tanto quanto esses eventos em si mesmos. O coral pegajoso do Réquiem semiprofissional de Scoresby grudava no ouvido interior de Joyce quando ela se debruçou sobre as vieiras servidas num cesto de chicória. *Benedictus qui venit in nomine Dom-i-ni.* Os meneios de topete na cantina do Arts Centre — tudo aquilo levara, inelutavelmente, a isso? Teriam os demais — que, ela tinha certeza, fossem jovens ou velhos, eram carentes de autoestima, buscando a aceitação mais formal, e de vida mais curta — sido tão indiferentes quanto ela? Esvaziada de melodia, o que restava da vida de qualquer pessoa? Uma trajetória narrativa tão direta e entediante, tão destoante e cheia, quanto a rodovia M1. *Benedictus qui venit.*

Uma ação de graças precisava de pão e vinho. Joyce pediu tagliatelle all'amatriciana e mandou ver no Gamaret, um tinto *de sangue* que Weiss pediu regiamente — primeiro uma garrafa, depois a segunda.

Ele falou, o pouco que o fez, da primeira esposa e do filho prejudicado. As virtudes dela, ao que parecia, eram muitas — embora se perdessem ao serem enumeradas: esposa leal, mãe amantíssima, dona de casa soberba — o ideal perfeito da *Hausfrau*; um colírio para os olhos, também... O trauma do nascimento de Erich, a gravidade de sua deficiência, essas coisas tinham sido, bem, não havia necessidade de dizê-lo — a implicação tinha um peso tão presente quanto ele mesmo —, mas não fosse pela fé de ambos...

Weiss se desincumbira de seu prato — uma carnosidade nadando no próprio caldo — em dois tempos, e agora suas mãos estavam livres para se largar à alaranjada luz lançada pela imitação de lamparina a óleo sobre a mesa deles. Aquelas eram mãos, refletiu Joyce, que pareciam sempre enluvadas — embainhadas em seu próprio couro curtido. Ela estremeceu, imaginando como seriam depois de esfoladas, então enterradas entre suas nádegas e um colchão.

Joyce viu seu próprio reflexo nos olhos castanhos de Ueli Weiss: os dois minúsculos milagres de seu nascimento e ressurreição. Ele disse, "Ela morreu de câncer no pâncreas, você sabe."

Não sabia. O garçom chegou, seus quadris hermafroditas sob a curta jaqueta branca, e perguntou se gostariam de creme em seu café. Weiss declinou, então disse, "Aqui em Suíça temos os mais altos níveis de câncer pancreático — você não sabendo disso, também?" Seu tom próximo da intimidação. "São os cremes, o leite e a manteiga — as gorduras, vocês dizem, que nós estamos comendo tempo todo. A gente acha, talvez, ainda estamos no alto dos Alpes, procurando as cabras e as vacas — como Heidi, você sabe?"

E isso, isso ela sabia.

Estava fora de questão irem para o apartamento que Ueli dividia com Marianne em Seefeld — era assim que Joyce pensava a respeito do lugar, e não, apesar da evidência dos anéis, como uma casa conjugal. Ela sabia que ficava perto da St. Anton e, quando estiveram em Baden juntas, Marianne explicara com algum detalhe como havia reformado o apartamento do andar de cima onde os pais de Ueli moraram, comprado um segundo apartamento no edifício contíguo, depois derrubado paredes para criar um espaço desafiadoramente contemporâneo.

Joyce concebia Marianne na chique cobertura conforme Ueli Weiss percorria as ruas chuvosas com o Mercedes. Marianne em um pijama de seda preto, em um divã de couro preto. Música de lobby provinha de alto-falantes ocultos enquanto ela virava as páginas de uma revista de moda. Para Joyce, sua abstração era uma parte mais integrante dela do que sua fé.

Quanto a Erich, não era possível concebê-lo nesse ambiente racional; ele devia ficar no porão, ao lado do boiler barulhento, agachado em um saco plástico extragrande, à espera de ser deixado do lado de fora com o resto do lixo.

Benedictus qui venit in nomine. Ueli reservara um quarto no Widder, *Dom-i-ni, natürlich.* Fosse porque não se importavam, fosse por estarem acostumados a seus casos amorosos, a equipe não mostrou nenhum interesse particular por eles; *e mesmo assim, mesmo assim*... acaso não era nesse ponto que alguém deveria ter objetado e feito algum comentário um pouco mais duro?

Sangue. Ou, mesmo, ƎUGИAƧ, peruas paradas no estacionamento do Mid-East, SANGUE URGENTE em suas laterais, seus focinhos narizes obnɒɿgnɒƨ. Lá em cima, nas enfermarias, salas de operações e UTIs, havia um sem-número de corpos resgatados da beira do abismo; sacudidos com eletricidade e depois bombeados com sangue, fator 1 a 8. Seriam esses rolares da pedra em alguma coisa menos misteriosos do que o seu? Ela os presenciara durante toda sua vida profissional — e acaso os reerguidos ficavam alguma coisa mais agradecidos, mais satisfeitos? Não se atolavam eles, num piscar de olhos, no entorpecido humo da existência ordinária, praguejando contra suas vidas miraculosamente enfadonhas?

Foi Karl — *seu* camareiro — quem os acompanhou ao subir até um quarto no sótão convertido do antigo edifício, embora não desse a menor mostra de tê-la reconhecido, a não ser ao dizer "Boa noite, senhora" em inglês, quando a conduziu pela porta.

Joyce teve uma impressão de estranha familiaridade. Seu quarto anterior no Widder, com seus armários espelhados de madeira clara, a mesa e a mesinha de centro de tampos espelhados, sua profusão de vidro recortado e vasos de flores frescas fenecidas, havia sido comprimido para caber sob o telhado oblíquo. Mas ela não teve nenhum tempo real para absorver isso: Ueli apagou as luzes e pressionou-a contra a parede; uma de suas mãos agarrou seu seio direito, e ela sentiu a outra subindo sob a barra do vestido.

Ela não se importou com o bigode que cresceu imediatamente em seu lábio superior, tampouco com a língua estranha que se flexionava em sua boca. Um beijo — sempre um emocionante gosto da essência alheia, desde a adolescência: a doçura deles, a amargura deles — a solidão da tensa caverna, forrada de lápides, onde o eremita Eu vivia.

Ela não se importou com a pressa e a inépcia. Não sentiu nenhuma excitação sexual, embora estivesse excitada por sua própria flexibilidade, conforme recuava e desviava da mobília, aparando o ataque até que ambos desabaram sobre a cama.

Quando, na confusão ofegante e ríspida, Joyce exclamou, "Ueli, espera", ele obedeceu na mesma hora. Ela se levantou e o fez abrir o zíper de seu vestido, que não via motivo para estragar.

Enquanto, no quarto escuro e desorientador, ela procurava um cabide, ele, amarrotado por seu ímpeto, passava a ondulação negra de sua jaqueta por cima da cabeça anfíbia, depois chutava as calças para o lado.

Ela não se importou quando Ueli a virou, tampouco quando o sentiu cutucando e depois entrando. Não se importou com a adstringência de sua colônia e a derrota fragorosa desta para seu suor, nem tampouco com a sufocação intermitente nos frescos travesseiros do Widder; mas se importou, ficou muito incomodada, quando ele parou e, soerguendo o corpo atrás dela, começou a descrever em sua pele a desastrada geometria de suas carícias.

Ela ganhara sua visão da noite vergonhosa; disparadas dos armários, da mesa, da janela, Joyce viu as imagens espelhadas de ambos: o suíço corpulento e rosado, seu cabelo reluzente em desalinho, balbuciando *tolices de amor* para o cadáver encolhido sob si. Ela viu isso, e viu também que Marianne Kreutzer, que sentava em silêncio numa cadeira junto à porta, também vira. Então Joyce ralhou: "Para de passar a mão na minha bunda, eu tenho setenta anos!"

Depois disso, ele terminou brutalmente — mais três ou quatro macetadas ali dentro e Ueli virou gelatina. Escorregou para o lado e desabou junto dela, ofegante. *Osanna in excelsis!*

Mais tarde, quando Joyce teve certeza de que Marianne saíra, levantou e, percebendo o sêmen de Weiss pingando de seu corpo, foi cautelosamente ao banheiro, onde encontrou a solidariedade das toalhas de mão.

Agnus Dei

Ao amanhecer, no dia 14 de julho, Joyce Beddoes acordou no pequeno quarto de seu apartamento na Saatlenstrasse, 34, no subúrbio de Zurique, em Oerlikon. Não ficou ali deitada, enredada em retalhos de sonho, ou olhando desorientada para os retratos nas paredes brancas. Para ela, não havia confusão entre sono e vigília, e tampouco havia algum retrato no quarto. As únicas imagens no apartamento eram dois cartões-postais: um encostado no termostato da quitinete, outro apoiado num pote que Joyce pretendia encher de arroz, sem nunca fazê-lo. O primeiro era uma cena alpina banal de picos pitorescos refletidos num lago límpido; o segundo, a reprodução de uma pintura de Trouget, o grande mestre contemporâneo da figuração, que a filha de Joyce alegava conhecer, a despeito da natureza meramente relanceada de sua ligação, frequentadores de um mesmo bar.

Levantar, ir ao banheiro, vestir-se — Joyce fez tudo isso no automático. Na quitinete, preparou café e serviu-se de uma tigela de *muesli* com leite de soja. Se notou o cartão-postal de Trouget, não foi devido ao que ele retratava — o usual tema e metáfora recorrente do artista, um burguês de terno, dolorosamente de cabeça para baixo —, mas apenas para se lembrar de comprar o arroz; e o outro cartão, de uma visita ao Kunsthaus semanas antes, *porque foi isso que você fez, não foi*?

Sentou perto da janela, comendo sua granola e tomando seu café. Observou a rua monótona, pela qual vinha uma figura de andar arrastado, como um animal de tração, uma mulher carregando as compras pesadas. *Mas compradas onde, a essa hora, num domingo?*

O dia seguiu se expandindo, um borrão quente, sujo e turvo. *Dona eis requiem. Concede-lhes o descanso.* Não havia ninguém para Joyce encontrar, nenhum lugar para ir, nenhuma tarefa que tivesse de terminar. Era domingo, *mas descansar de quê*? Não ia mais à missa na St. Anton fazia três meses — pouco depois do *Sechseläuten*. Desde então, Joyce empregara este que era o mais vazio dos dias para pôr em dia suas tarefas domésticas; mas havia tão pouco a fazer, de todo modo, que não demorou para se ver semanas adiantada em sua rotina, com os domingos purgados de qualquer estrutura. Pegou-se limpando mecanicamente as venezianas, lâmina por lâmina, manhã e tarde.

Nessa manhã, uma vez lavadas a xícara, a tigela e a colher, restava apenas o lixo da segunda-feira para ensacar nos Züri sacks, deixando seu refugo separado para quando o caminhão viesse resfolegando pela Saatlenstrasse na manhã seguinte. Joyce se agachou diante da lata de tampa móvel na cozinha e separou suas parcas porcarias, reduzindo-as ainda mais. Latas e garrafas transparentes, marrons e de plástico de um lado. Ela juntaria isso numa sacola e levaria consigo ao sair, parando em um centro de reciclagem para depositá-las nos recipientes com código de cores.

Toda essa ordem — que opressão isso se tornara. As necessárias formalidades; a papelada correta; a importância da responsabilidade social, mais do que o impulso pessoal. Em suas primeiras semanas em Zurique Joyce ficara aliviada — finalmente estava entre outros que compreendiam as virtudes da administração cuidadosa, assim como ela —, agora, esse já não era mais o caso. Em lugar disso, a circularidade de semanas idênticas, com suas compras para as refeições solitárias, os pequenos punhados de roupa para lavar, a ocasional conta a ser paga, parecia a repetição de um exercício terminal: a partilha e depois a partilha mais uma vez de um espólio miseravelmente pequeno.

O calor crescente, o silêncio no apartamento — interrompido apenas pela abafada brincadeira dos pequenos Pfeiffer —, o odor do ambiente que, por mais que ela borrifasse sprays e abrisse janelas para arejar, cheirava tanto a ela mesma e a mais ninguém — isso era mais do que suficiente para fazer Joyce desfalecer; e era o que teria feito, não fosse o vigor estúpido e cego de seu corpo erguendo-se no piso da quitinete, forçando-a a calçar sapatos de caminhada, a pegar a sacola com as garrafas e outra com sua roupa de banho e uma toalha, depois enxotando-a porta afora e escada abaixo.

Em marcha seu corpo se pôs, compelindo Joyce pelas trilhas ascendentes do Zürichberg, deixando para trás em sono profundo o sonolento subúrbio. Na terça-feira anterior ela recebera uma carta do padre Grappelli em papel timbrado da diocese. Com a língua duplamente amarrada — pela formalidade, pelo distanciamento — ele a informara que o monsenhor Reiter regressaria de Roma dentro de poucos dias. A reação inicial da Sagrada Congregação para as Causas dos Santos fora encorajadora, e em vista disso o bispo desejava convocar um segundo relatório. Frau Beddoes poderia fazer a gentileza de —?

Ora, não, ela pensara, *por que deveria?* Não apenas ajudar na beatificação da pateta garota Stauben — *uma ideia ridícula* —, como também ser obrigada a falar inglês outra vez, com toda a confusa intimidade que isso acarretaria. Confinada, dia após dia, às certezas dos *Grüezi, Guten Abend, Bitte, Danke*, e à enunciação das pequenas necessidades, Joyce se tornara um exemplar de *ein verschlossenes Volk*; ela quase acreditava que esse era o limite de qualquer comunicação possível, ao passo que além ficava apenas essa encosta de colina: as densas cortinas de agulhas amarelas e verde-acinzentadas, o fedor de sua seiva mais forte que creosoto; a vegetação rasteira crestada e crepitante, com nuvens de mosquitos rodopiando acima das baixadas alagadiças; e os gafanhotos pulsando como sangue.

Seu corpo não tinha intenção de permitir que Joyce se detivesse muito longamente nos portões do cemitério Fluntern, e cutucou-a pela descida do Zürichbergstrasse até chegar à cidade. Ainda não eram nove horas e, sob os amplos beirais, as janelas muito recuadas das casas eram olhos vagos voltados para o mundo. Mas o que poderiam ter visto, afinal, naquela manhã encoberta? Apenas a esvoaçante silhueta negra, um fantasma dos mortos cívicos.

Na ponte Bellevue, Joyce teve de esperar; a *Frauenbad* — a área de banho feminina — ainda não abrira. Algumas outras mulheres, mais jovens, aguardavam no molhe junto ao Stadverwaltung e quando o zelador apareceu para abrir a catraca, todas se levantaram e se dirigiram lestamente aos cubículos do vestiário. A piscina fechada, alimentada pela água do lago, era claramente visível dos edifícios em volta, mas mesmo assim algumas mulheres nadavam nuas. Nunca passara pela cabeça de Joyce fazer uma coisa dessas, mas nessa manhã seu *estúpido corpo cego* tomou a decisão por ela, dobrando sua roupa cuidadosamente, pondo o monte sobre seus sapatos no armário, depois arrematando o topo com a toalha e o maiô.

O corpo de Joyce a jogou dentro da água — um mergulho agressivo; depois, seus braços a arrastaram, enquanto seus pés a chutaram, indo e vindo pelo comprimento da piscina. Indo e vindo, indo e vindo — duas piscinas, quatro, depois catorze. Era incansável, esse seu corpo, e o bando de garotas que tinham entrado na água com ela desistiu muito antes de Joyce, libertando-se de seu enregelado abraço para ficar no concreto do entorno. Seus seios, nádegas e coxas eram, julgou Joyce, macios como um bebê, e balançavam conforme elas os esfregavam asperamente. Quando o corpo de Joyce a içou para fora — sem necessidade de escada —, ela não pôde deixar de notar o contraste entre sua própria forma adulta e enxuta e aquelas donzelas desgraciosas.

Talvez atraídas pela vitalidade daquela senhora de idade, pareceram querer conversar com ela; uma Valquíria monumental se aproximou e lhe ofereceu água mineral. Mas o corpo de Joyce tinha outras ideias em mente: tocou-a dali, tirou sua toalha, vestiu-a e em seguida escoltou-a para fora do lugar.

Quando voltou ao topo da colina, Joyce tinha intenção de tomar a trilha que passava por trás do Zürichberg Hotel, percorria uma série de clareiras relvadas e então, finalmente, a levava para casa. Um vento quente e seco começara a agitar as árvores, e ela sabia o que era — o *Föhn*. A sensação opressiva que tivera por toda a manhã, de que o próprio céu a sufocava, era essa corrente vertical descendente de ar quente vinda das montanhas.

Longe de se sentir debilitado pelo *Föhn*, seu corpo descontrolado escutou os sussurros do vento e empurrou-a na direção oposta, através dos bosques, para Rigiblick. Depois, no segundo marco da trilha, forçou-a na direção de Forch. De excursões prévias, Joyce sabia que ali era o início de uma caminhada de cinco horas e, com a temperatura subindo e sem água para beber, o exercício seria, na melhor das hipóteses, desconfortavelmente debilitante; na pior, podia se provar *fatal*.

Agnus Dei, qui tollis peccata mundi, dona eis requiem. Agnus Dei, qui tollis peccata mundi, dona eis requiem sempiternam. Cordeiro de Deus, que tira os pecados do mundo, dá-lhes o descanso eterno.

Joyce protestou inutilmente quando os pés a levaram pela trilha. Rasteladas pelo *Föhn*, as incontáveis agulhas de abeto, pícea e pinheiro formavam figuras ominosas no tapete verde ondulante. Ela tentou ignorá-las e se ocupou com lembranças de um passado festivo, não o cordeiro de Deus, mas perna de cordeiro, molho de hortelã, vinho tinto. *Um almoço dominical em família, Isobel — em sua melhor idade, dez ou onze anos, ainda não rebelde. Derry trinchando vigorosamente o pernil... o aroma de alecrim*, como se uma colina provençal houvesse brotado nos subúrbios de Birmingham.

Seu corpo obstinado não queria saber de nada disso; cutucava a dolorida cabeça de Joyce por trás, tangendo-a através da floresta: *Des-can-so eterno, des-can-so eterno*, o compasso quatro por quatro de seus passos como uma forçada marcha militar. Joyce foi em frente, através da pequena cidade de Forch, todas as janelas ainda fechadas, depois de novo pela mata, e finalmente ela chegou ao monumento, o Forchdenkmal.

Joyce o visitara antes e não achara grande coisa, mas nessa caminhada fétida e deprimente a bolha de ferro em seu pedestal amplo pareceu-lhe indescritivelmente repugnante, um creme ou excremento expelido pelos céus. A legenda *Die ewige Flamme* — "A Chama Eterna" — fora entalhada em escrita rúnica na pirâmide em degraus do monumento. Havia também uma grinalda seca e, enterrada em seu centro, Joyce viu a cruz suíça branca no quadrado vermelho. Mas que mortos de guerra essa grinalda podia estar honrando após quinhentos anos de democracia, paz e amor fraternal?

Communio

Perto do crepúsculo Joyce voltou à Saatlenstrasse. Seu corpo tomou uma ducha, se alimentou e se hidratou, pois era isso que corpos faziam — mas ele não estava nem remotamente cansado. O *Föhn*, um zéfiro febril, esfregou seu flanco suado contra o bloco de apartamentos, enquanto ali dentro a estática crepitava.

Quando se mudou, Joyce comprou uma tevê e um rádio em Sihl City. Ela nunca os ligava, preferindo escutar o ordenado burburinho das vidas que a cercavam. Mas nesse dia, com a temperatura continuando a subir, as crianças dos Pfeiffer corriam *descontroladas* pelas escadas do prédio e Joyce sentia vontade de gritar que ficassem quietas. Finalmente, a jovem Frau Pfeiffer perdeu a paciência e começou a berrar "*Bis ruhig! Bis ruhig!*" repetidas vezes, até subir alguns tons na escala, sua histeria fazendo um contraponto enlouquecedor aos *blips* e *pips* da música eletrônica de Herr Siemens.

Com o dia escurecendo, e uma aparência de calma voltando ao prédio, Joyce separou seus documentos e deixou tudo em ordem. Era necessário escrever uma carta longa, lúcida e razoavelmente complexa às autoridades, e outra, mais curta, para Isobel, sob prisão preventiva em Hindelbank, a detenção feminina nos arredores de Berna.

Joyce desejou ter um computador — ou ao menos uma máquina de escrever — para redigir todas aquelas palavras: seus dedos doíam da tensão pouco familiar de segurar uma caneta. A escuridão penetrou pouco a pouco na modesta sala de estar enquanto ela escrevia nas finas folhas de papel; lá fora, um pardal, esbofeteado pelo vento quente, empoleirou-se precariamente no poste de luz, depois desceu ao chão.

Se eu ficar aqui, e depois? Joyce vivenciara a idade provecta, e depois sua doença terminal, como a sorrateira normalidade de um hábito ruim. Você tomava seus comprimidos e comparecia às sessões de tratamento, pois é isso que as pessoas faziam. E, embora flertasse com a ideia de *acabar com tudo quando as coisas ficassem ruins demais*, o que você descobria era que esse dia em que as coisas estariam *suficientemente ruins* parecia não chegar; porque, afinal, elas não tinham sido *tão boas assim* no dia anterior.

Joyce nunca pensara em si mesma como uma rebelde, mas quando se deu conta de que em pouco tempo não lhe restaria coragem alguma para resistir às convenções da morte, bem, isso era uma abreviação mais nauseante do que quimio ou radio, e desse modo se rebelou — ela tomou a decisão. Agora a própria Suíça, com toda sua ordenação, tornara-se essa mesma sorrateira normalidade que ela tanto temera. A cada separação de garrafas marrons, verdes e plásticas, a cada compra de sacos plásticos aprovados pelo governo, ela ficava com a sensação crescente de que era o *lixo* que participava de um verdadeiro ciclo da vida, enquanto ela não passava de resíduo humano.

Enquanto escrevia a carta para a filha, Joyce tentava imaginar como deveria ser uma prisão feminina na Suíça — um paroxismo de ordenação, presumiu. As cartas de Isobel — ela mandara três — quase não continham informação, consistindo quase que inteiramente em prolongadas cantilenas contra sua mãe desalmada e egoísta — *e o caralho a quatro.*

Joyce terminou de escrever, selou as cartas e endereçou. Deixou os envelopes junto com as pastas de elástico contendo seus documentos sobre a mesa. Tudo isso foi feito enquanto a noite caía por completo, o que estava ótimo, porque Joyce não queria acender as luzes — não podia acender as luzes.

Requiem aeternam dona eis, Domine, et lux perpetua luceat eis... Concede aos mortos repouso eterno, ó Senhor, e que a luz perpétua os ilumine... As paredes nuas e a mobília quase sem uso sugeriam um imóvel decorado, não um lugar habitado de verdade. *Isobel podia criar uma instalação com aquilo*, como o escritório abandonado do sr. Vogel. *Meu coração tão contrito quanto o pó* que junta nas prateleiras de Vreni Stauben. *O pó*, pensou Joyce, *burrice minha não entender que ele possui um tipo de paz.*

O corpo-pantera de Joyce deu o bote: nunca ficara imóvel. Ele a acossou dentro do banheiro, onde as luzes de cauda de um avião descendo para aterrissar no aeroporto cintilaram na água da pia. Então a pantera a perseguiu de volta à sala. Aquelas, percebeu Joyce, eram as luzes perpétuas: a tevê, sempre de prontidão, o interruptor da jarra elétrica, como uma luz de ribalta.

As Zwingli Singers estavam de volta, espremidas contra Joyce com seus horrorosos vestidos dos anos setenta — *sacos de chiffon, na verdade.* Fora estúpido de sua parte acreditar que alguma coisa em que não acreditava de verdade pudesse — Bem, melhor deixar por dizer, *a pura tolice disso*, um truque de mágica, uma prestidigitação mental mobilizada contra a desolada inexorabilidade da Morte. *Babbababbada-bababba-daaa! O que eu, miserável, direi então?* Isobel se debatia em sua cela, a *garota desgraciosa, desajeitada, canhestra, estabanada. Ela é um cachorrinho gordo que se empanturrou de Petiscos de Fígado Scottie's, assim como eu me esbaldei em trufas de hotel e bombons suicidas, depois enchi a cara de chocolates com licor.* A única comida palatável foi simbólica: o Leberknödel do Senhor.

O corpo de Joyce a manteve acordada a noite toda, uma adolescente espalhafatosa curtindo a balada na mente carcomida de uma velha. Perto do amanhecer, Trevor Howard veio marchando pela Saatlenstrasse, os braços balançando. Ator versátil, fazia o pai de Joyce, e fazia Derry também. Ele ficou na sala, em seu longo casaco de couro, esperando a forja da manhã trazer o aço do dia, enquanto o corpo de Joyce a obrigava a andar de um lado para o outro. Então, quando chegou a hora do batente, disse: "Eu tentei lhe dizer lá no Widder, Beddoes: deixe a morte para os profissionais." Nada de "Joyce", ou "Jo", e certamente nada de francas intimidades como "Jo-Jo"; apenas o seco "Beddoes".

Então, *Uma trombeta difundindo um som maravilhoso. Ele está oferecendo seu veneno agora para pessoas com depressão clínica — nada errado com corpo delas, só cabeça.* Joyce pegou o telefone e teclou o número do dr. Hohl. Ele atendeu no segundo toque, e a conversa deles foi breve e direto ao ponto. Sim, ele estava ciente, é claro, das atividades da diocese, e *natürlich* compreendia as possíveis repercussões; no entanto, até onde lhe dizia respeito, um contrato era — e permanecia sendo — um contrato, *Treu und Glauben.*

Ite missa est. Ide, estais dispensados.

Este livro foi impresso
pela Geográfica para a
Editora Objetiva em
fevereiro de 2014.